Sylvain Meunier

D1460924

Lovelie D'Haïti

Tome 2

Le temps des déchirures

la courte échelle

Du même auteur, à la courte échelle :

Romans

L'homme qui détestait le golf

Trilogie Lovelie D'Haïti
Lovelie D'Haïti, tome 1
Le temps des déchirures, tome 2
La saison des trahisons, tome 3

Format de poche

Trilogie Lovelie D'Haïti
Lovelie D'Haïti, tome 1
Le temps des déchirures, tome 2
La saison des trahisons, tome 3

Sylvain Meunier

Lovelie D'Haïti

Tome 2

Le temps des déchirures

la courte échelle

Les éditions de la courte échelle inc.
5243, boul. Saint-Laurent
Montréal (Québec) H2T 1S4
www.courteechelle.com

Révision :
Lise Duquette

Mise en pages :
Sara Dagenais

Conception graphique de la couverture :
Elastik

Dépôt légal, 2ᵉ trimestre 2008
Bibliothèque nationale du Québec
Copyright © 2008 Les éditions de la courte échelle inc.

La courte échelle reconnaît l'aide financière du gouvernement du Canada
par l'entremise du Programme d'aide au développement de l'industrie de
l'édition pour ses activités d'édition. La courte échelle est aussi inscrite au
programme de subvention globale du Conseil des Arts du Canada et reçoit
l'appui du gouvernement du Québec par l'intermédiaire de la SODEC.

La courte échelle bénéficie également du Programme de crédit d'impôt
pour l'édition de livres – Gestion SODEC – du gouvernement du Québec.

*L'auteur remercie la Société de Développement des Arts et des lettres de
l'arrondissement du Vieux-Longueuil pour son aide financière.*

**Catalogage avant publication de Bibliothèque et Archives nationales du
Québec et Bibliothèque et Archives Canada**

Meunier, Sylvain

    Lovelie D'Haïti

    Éd. originale : 2003-2006.

    Sommaire : t. 1. [Sans titre spécifique] -- t. 2. Le temps des déchirures
-- t. 3. La saison des trahisons.

    ISBN 978-2-89651-074-0 (v. 1)
    ISBN 978-2-89651-075-7 (v. 2)
    ISBN 978-2-89651-076-4 (v. 3)

    I. Titre. II. Titre : Le temps des déchirures. III. Titre : La saison des
trahisons.

PS8576.E9L68 2008   C843'.54   C2008-940414-9
PS9576.E9L68 2008

Imprimé au Canada

Les années faciles

Montréal, 13 juillet 1980
Bonjour mamie chérie, et bonjour à papi aussi.
C'est votre fille Lovelie qui vous écrit.

J'espère que tu n'es pas trop fatiguée et que tout le
monde va bien à Jacmel. J'espère aussi que tu n'as
pas pensé que je t'ai oubliée. Parce que je ne t'ai pas
écrit avant.

C'est parce que je vais à l'école. Mais pas mainte-
nant, je suis en vacances. C'est parce que j'étais trop
occupée. Mais aussi parce que je voulais apprendre
à mieux écrire avant.

Ma maîtresse est une Haïtienne et elle s'appel-
le Mme Moïse. Elle ne vous connaît pas. Je l'aime
beaucoup.

J'aime beaucoup tout le monde ici et je suis très
bien.

J'ai changé de maison parce que M. Jolicœur est
mort.

Maintenant, je reste chez Mme Brûlotte. C'est un
drôle de nom, mais elle est gentille. M. Brûlotte aussi
mais lui, il n'est pas gros. Celle que j'aime le mieux,
c'est Lucie, parce qu'elle a sept ans. Lucie est mon
amie. Il n'y a pas de bébé. Dans la maison, je fais la
même chose que Lucie.

Il ne fait pas toujours froid au Québec. Maintenant,

toute la neige est partie et on va se baigner dans la piscine du parc. L'eau est froide, mais je commence à m'habituer.

À Montréal, il y a de grosses églises et beaucoup de prêtres. J'ai un ami qui est un prêtre qui est un Haïtien aussi. Il s'appelle abbé Saint-Louis. Il ne vous connaît pas non plus. C'est lui qui me montre comment écrire une lettre. Il corrige mes fautes, mais il me dit pas quoi écrire. Il dit qu'il corrige seulement les plus grosses. Il va donner la lettre à quelqu'un qui s'en va en Haïti. Si tu veux bien me répondre, c'est mieux de lui donner ta lettre aussi. L'abbé Saint-Louis dit que c'est plus sûr.

Je fais un dessin de moi avec tous mes amis du Québec.

Je suis bonne à l'école et Mme Moïse dit que je peux être une infirmière, mais pas tout de suite. Il faut étudier longtemps. Ici, les écoles sont très grandes et les maîtresses ne fouettent pas les enfants. Il y a de beaux livres pleins de dessins en couleurs.

Je pense souvent à toi, mamie. Je pense à papi aussi. Et un peu à Junior et à Genella. Ici, le café, il est en poudre. Lucie a dit qu'elle ne veut jamais quitter sa maman.

Je vais vous écrire encore.
Lovelie D'Haïti

Au début d'octobre 1980, toujours par l'entremise de l'abbé Saint-Louis, Lovelie reçut une réponse à sa lettre. Elle fut un peu déçue que ce fût son père qui l'avait écrite, car elle ne savait pas, ou ne se souvenait plus, que sa mère était analphabète.

Jérémie D'Haïti ne racontait pas grand-chose dans cette lettre. La routine n'avait pas changé depuis que Lovelie avait quitté Jacmel, au mois de février précédent. La vie dans le dépôt de café y était toujours aussi monotone et miséreuse. La santé de sa mère ne s'améliorait guère.

Pour Lovelie, cependant, ces quelques mois paraissaient des années. Quand elle se remémorait les scènes de son départ, elle s'y voyait toute petite, fragile.

Elle avait exigé que l'on cachât à ses parents les épreuves terribles qu'elle avait traversées et qui l'avaient transformée en profondeur. Elle s'était d'ailleurs promis de ne jamais les leur raconter. Les adultes qui l'entouraient désormais déployaient tous les efforts possibles pour lui faire comprendre que ce qui lui était arrivé n'était pas du tout de sa faute, mais ils ne parvenaient pas à purifier son âme d'un ultime relent de culpabilité.

Si d'aventure ses parents apprenaient que, sans le savoir, ils avaient envoyé leur fille aînée chez des gens qui l'avaient traitée en esclave, l'avaient battue et avaient même abusé de son corps, ils en mourraient sans doute de honte. Elmeryse, en tout cas, supporterait difficilement cette nouvelle souffrance. Jérémie réagirait peut-être par la colère. Mais contre qui tournerait-il cette colère ?

Déjà, Lovelie se rendait compte, à l'échelle de sa conscience de fillette, que la distance entre elle et sa famille ne se mesurait plus seulement en kilomètres ou en mois. Sa mémoire avait commencé à apprêter ses souvenirs d'Haïti, à les enrober dans la crème douce-amère de la nostalgie. Malgré tout, certains repères lui permettaient d'évaluer à peu près l'écart entre la vie là-bas et la vie ici.

Tant de choses différaient, sans même mentionner la nourriture, ni le confort, ni le climat, ni la palpitation de la ville. Ici, les gens ignoraient ce que c'était que d'avoir peur pour vrai. Bien sûr, ils abordaient entre eux des appréhensions qu'ils nourrissaient quant à l'économie, aux étrangers ou au banditisme juvénile, par exemple. Or, ils en parlaient, justement, partout, avec n'importe qui.

Dieu lui-même n'était pas craint, ici. Dans sa chambre, Lucie avait une belle affiche en couleurs montrant Jésus qui ouvrait les bras en souriant. Il avait l'air en pleine forme et de joyeuse humeur, sans ses plaies dans les mains ni dans les pieds. Beaucoup de gens n'allaient jamais à l'église et même, à la télévision, on se moquait parfois de Lui !

Et pourtant, c'était dans ce pays si rassurant que Lovelie avait subi les plus cruels sévices de sa courte vie. Cela, ses parents ne pourraient pas le comprendre.

Par bonheur, la vie dans sa nouvelle famille d'accueil n'avait aucun rapport avec celle que lui avaient imposée les Jolicœur. Germaine Brûlotte ne lui demandait rien de plus que ce qu'elle exigeait de sa fille Lucie, et c'était peu : éplucher et couper les légumes, essuyer la vaisselle, effectuer quelques commissions, un peu de ménage le samedi, rien de quoi s'épuiser.

Le dimanche, ils allaient à la messe. Lovelie n'avait jamais été baptisée, mais l'abbé Saint-Louis affirmait que ce n'était pas grave, pourvu qu'elle ne communiât pas. L'important, c'était la prière, et la pieuse enfant s'y adonnait sans lésiner, en faveur de sa famille, et aussi pour les Brûlotte.

Au début, Lovelie avait été un peu intimidée par les dimensions corporelles imposantes et les manières souvent brusques de Germaine Brûlotte. Il n'aurait pas fallu que la forte femme eût l'idée de la corriger à coups de cuiller en bois ou de balai, ainsi que le faisait Fleurette Jolicœur, car la pauvre enfant n'en serait certainement pas sortie vivante. Sauf que la mère de Lucie n'avait rien d'une marâtre. En vérité, par une sorte de pudeur mal placée, cette reine du foyer souhaitait que l'on ne sût pas trop à quel point, au fond, elle était bonne.

À mesure que Lovelie ferait la connaissance des oncles et des tantes de Lucie, qui viendraient à tour de rôle rencontrer *de visu* la petite « négresse », elle se rendrait compte qu'ils étaient tous ainsi faits, dans la famille. Les hommes s'assoyaient en bougonnant et commençaient à boire de la bière comme s'ils allaient en ingurgiter des litres, mais ils s'arrêtaient aussitôt que leurs femmes claironnaient : « Boés pas trop, là, tu conduis ! » Entre-temps, ils saisissaient Lovelie au vol et la hissaient sur leurs genoux en la menaçant : « Arrive *icitte* que je te serre les ouïes, ma p'tite...

bougresse !» (Germaine les avait prévenus de surveiller leur vocabulaire.) Finalement, ils ne lui serraient rien du tout. C'était à peine s'ils lui pinçaient gentiment les joues, et c'était drôle de les voir jeter un coup d'œil après sur le bout de leurs doigts. Le plus étrange, c'était qu'ils ne la relâchaient jamais sans la gratifier d'une poignée de pièces de monnaie. La première fois, Lovelie trouva cette générosité suspecte, mais vu qu'ils donnaient de la même manière à Lucie, elle se fit rapidement à cette coutume somme toute profitable pour les enfants.

Les fillettes allaient tout de go déposer ces pièces dans leur «cochon». Les tirelires roses se remplissaient à belle allure. Lovelie ouvrit bientôt son propre compte à la caisse populaire, et elle prit dès lors l'habitude de ne s'endormir qu'après avoir consulté la courte et pourtant splendide colonne de chiffres de son carnet. À la fin du premier été, ses économies dépassaient la somme fabuleuse de trente dollars ! Ce chiffre la lançait sur la piste de rêves merveilleux, dont le plus ambitieux était de prendre l'avion pour aller visiter sa famille à Jacmel, et dans lesquels elle dérivait jusqu'à la duveteuse inconscience du sommeil, en compagnie de sa poupée à tête d'œuf qu'elle soignait telle une mère son enfant. Elle l'appelait désormais Poupette, et non plus de son propre prénom, Lovelie, par crainte du ridicule.

Cela dit, les fillettes gardaient toujours un peu d'argent pour se payer la traite dans le fabuleux comptoir de friandises du «dépanneur» du coin. Des vers de terre en gelée, des bonbons en forme d'ordures, présentés dans des poubelles miniatures, des granules qui explosaient littéralement dans la bouche, et tant d'autres délices absurdes, sucrées et multicolores transportaient Lovelie dans un autre monde. Une fée asiatique hors d'âge, imprégnée d'une patience ancestrale, prenait derrière la vitrine, avec des pincettes, les bonbons que sa clientèle enfantine lui indiquait du doigt, pas toujours poliment, et les déposait dans des petits sacs en papier kraft.

Lovelie était celle qui achetait le moins, jamais tout à fait assurée que ce bonheur simple, érigé par l'accumulation de toutes ces particules de joie, ne s'effondrerait pas sous le premier assaut d'un malheur inéluctable. Mais non.

Elle connut toutefois quelques chagrins. Le premier fut de ne pas retrouver, comme prévu, Mme Moïse à la rentrée. La redoutable institutrice avait accepté de participer à la fondation d'une école en Afrique (le dictateur local n'avait qu'à bien se tenir!). À la fin d'août, la grande dame avait fait à son élève de sommaires adieux et l'avait exhortée à redoubler d'efforts. Lovelie s'était sentie une nouvelle fois abandonnée, mais ce sentiment déjà tristement familier n'avait guère duré. D'ailleurs, une consolation l'attendait à l'école. M. Mouchaya, jugeant qu'elle avait fait de grands progrès, et surtout parce qu'il avait un quelconque ratio à respecter, l'avait placée dans une classe régulière de troisième année. Ce bond spectaculaire comportait un risque évident, mais Lovelie se retrouvait dans la même année que Lucie et celle-ci se fit une joie de partager ses connaissances, bien que les manuels ne fussent pas toujours identiques dans leurs deux écoles.

La nouvelle institutrice était une toute jeune femme aux cheveux noirs et abondants, qui se faisait appeler du doux prénom de Sarah. Tout le contraire de Mme Moïse! Les élèves étaient différents aussi, et beaucoup plus nombreux. Lovelie releva le défi de belle manière et, à la fin de l'année, ses résultats la plaçaient dans le tiers le plus avancé de la classe, une position qu'elle ne quitterait plus, si ce n'est beaucoup plus tard, à l'école secondaire, durant une courte et difficile période.

Autre source de chagrin, plus durable, c'était que Chomsky, qui avait mis sa vie en péril pour extirper la jeune immigrante des griffes des Hard-H, après une interminable convalescence, avait été dirigé vers une institution spécialisée. Lovelie n'aurait rien su de lui si elle ne l'avait croisé à quelques reprises rue Saint-Hubert. Chomsky se montrait toujours heureux de la revoir et demandait chaque fois de ses nouvelles avec empressement; il était par contre fort discret quand il s'agissait de donner des siennes. Il avait gardé ses attitudes méfiantes et défiantes. Probablement ne fréquentait-il pas la célèbre rue en chaland innocent. La rumeur prétendait qu'Andy Colon, l'ancien chef des Hard-H, ayant été envoyé à l'ombre pour quelques années, Chomsky Deshauteurs avait reconstitué une partie de cette bande, ou au moins son réseau de vol et recel. Lovelie préférait ignorer ces rumeurs. Pour elle, Chomsky ne pouvait avoir un fond méchant. Leurs rencontres étaient toujours d'une extrême brièveté, car elle ne sortait jamais seule, et pour rien au monde elle n'eût voulu donner à penser qu'elle éprouvait de la nostalgie pour son ancienne vie.

Enfin, pour en finir avec les contrariétés sans lesquelles une vie serait incomplète, on ne saurait passer sous silence les attitudes racistes de certaines personnes. Si les Brûlotte avaient ajouté maintes nuances à leurs préjugés sur les gens de couleur, il n'en allait pas de même de quelques commères du quartier, ni des polissons qui traînaient sur les trottoirs. Ces individus n'économisaient pas les regards torves et les remarques blessantes. Pire, il y avait les *skins*, avec leur tête rasée et leurs bottes menaçantes. Grâce à leur accoutrement spectaculaire, on les apercevait de loin et il était facile de les éviter, sauf que leur présence, la conscience même de leur existence, pinçait Lovelie au cœur. Elle ne comprenait pas pourquoi elle devait vivre avec cette crainte, ni pourquoi des gens, peu nombreux en comparaison des autres, mais trop nombreux encore, manifestaient de l'hostilité à l'égard des Noirs. Elle s'éveillait aux questions posées par son identité raciale et réalisait de plus en plus qu'être noire, c'était plus compliqué qu'être blanche.

Lucie était blanche. Nathalie Durocher, la grande amie de Lucie, aussi ! Cela ne faisait aucune différence entre elles trois. Elles n'ignoraient cependant pas la chose et s'en amusaient parfois, se comparaient. Les cheveux de Lucie, par exemple, étaient mousseux et pâles ; ceux de Nathalie, lourds et bruns, faisaient penser à un capuchon de fourrure ; Lovelie, elle, avait les cheveux soie, c'est-à-dire raides sans être tombants, et brillants comme s'ils étaient fabriqués en matière synthétique. Rien d'autre que d'innocents papotages !

Pourquoi n'en était-il pas ainsi avec chacun ? Que s'était-il donc passé avant que Lovelie vînt en ce monde pour que, du fait qu'elle était noire, on lui gardât rancune de fautes qu'elle n'avait pas commises, dont elle ignorait même l'essence ? Malgré tous ses efforts, l'abbé Saint-Louis n'avait pu lui apporter d'explication satisfaisante. Il affirmait que le racisme était une maladie ou un péché, ou une façon d'exprimer la peur, ou carrément une des multiples facettes de la bêtise humaine. Mais pourquoi ? Pourquoi les Noirs ?

Au fil de son questionnement, une petite phrase se forma dans l'esprit de Lovelie : « Ce n'est pas juste ! » C'était une phrase anodine, que les enfants utilisaient souvent pour contester le résultat d'un jeu ou pour se plaindre de la maîtresse. Sauf que l'injustice dont elle prenait conscience était davantage qu'une injustice circonstancielle, qu'une erreur humaine, qu'une mesquinerie ou qu'une mauvaise interprétation ; c'était une injustice qui existait par elle-même, à croire qu'elle avait été voulue par Dieu ! « Oh ! non, corrigeait l'abbé Saint-Louis avec véhémence, Dieu n'a jamais voulu le mal, mais... »

Lovelie avait par contre trop de bons moments dans sa vie pour que son existence fût gâchée par ces quelques aspects déplaisants. Elle passa en quatrième année, puis en cinquième, et ainsi de suite sans anicroche. Si Nathalie était la référence en français — elle dévorait les livres et, d'année en année, réaffirmait avec une conviction croissante son désir de devenir écrivain —, Lovelie dominait sans partage la scène des mathématiques. Quant à Lucie, c'était la bricoleuse, celle qui présentait le mieux ses travaux, qui produisait les plus beaux dessins, les cartes les plus détaillées.

En 1984, on installa des verrières pour abriter et réchauffer les trottoirs de la rue Saint-Hubert, et par le fait même la clientèle. Il y eut un solde hallucinant qui extasia Germaine Brûlotte. Elle y passa de longues heures en compagnie de « ses filles », comme elle disait désormais. Émile Brûlotte n'aimait pas l'entendre parler ainsi, non qu'il ressentît moins d'affection pour Lovelie, mais parce qu'il demeurait conscient que l'enfant pouvait leur être retirée n'importe quand.

Le jour de l'inauguration des verrières, Lovelie aperçut maintes fois Chomsky qui se coulait dans la foule. Elle en éprouva du chagrin car, malgré l'évidence qu'il l'ait lui aussi aperçue, il ne lui avait pas retourné son salut. Elle devinait qu'il était préoccupé par quelque sombre projet.

En juin 1985, Lovelie écrivit à ses parents une lettre dont chaque mot regorgeait de fierté. Elle y annonçait qu'elle venait de terminer son cours primaire avec les honneurs et qu'elle entrait à l'école secondaire, avec sa « sœur » Lucie et leur amie Nathalie.

Les Brûlotte considéraient les polyvalentes comme des lieux de perdition. Depuis la classe maternelle,

Germaine avait regardé grandir sa fille avec l'appréhension que, à peine pubère, elle soit avalée par cette gigantesque bâtisse grise pleine de galopins mal élevés, de filles délurées grimées en péripatéticiennes, qui fumaient et crachaient sur les esplanades malpropres alors qu'ils auraient dû se trouver en classe. Cette vision était peut-être plus sombre que la réalité, mais s'ils en avaient eu les moyens, les Brûlotte eussent sans hésiter opté pour une institution privée. Hélas ! le début des années quatre-vingt fut marqué par une récession terrible. Le chômage prit des proportions endémiques et, forcément, l'industrie du taxi en subit le contrecoup. Émile Brûlotte vit ses revenus rétrécir sans pour autant diminuer son temps de travail. Par bonheur, son expérience le préserva de la catastrophe et, étant donné que sa femme avait toujours géré le budget familial en pratiquant la vertu d'économie, la famille survécut à la crise économique sans dommages irrémédiables. Néanmoins, même s'il n'y avait eu que Lucie, l'école privée demeurait un luxe hors de portée.

Or, la présence de Lovelie leur fit découvrir une possibilité inattendue. Feu Charles Jolicœur, pour des raisons troubles, avait inscrit Lovelie à l'école protestante et, vu qu'elle y réussissait à merveille, les Brûlotte avaient renoncé, année après année, à la transférer à l'école catholique. Dans l'esprit de la grande majorité des Québécois de souche française, l'école protestante, c'était pour les Anglais. Ni Germaine ni Émile ne faisaient exception. Cette perception eût été à peu près juste quelque dix années auparavant, mais l'adoption de la Charte de la langue française, dès le début du premier mandat du Parti québécois en 1977, avait considérablement modifié la donne. La loi 101, ainsi qu'on l'appelait familièrement, imposait aux immigrants d'inscrire leurs enfants dans des écoles francophones.

Lors d'une rencontre avec l'institutrice de Lovelie, les Brûlotte reçurent le dépliant promotionnel d'une école secondaire protestante française située dans leur secteur, non loin de l'hôpital Jean-Talon, l'Académie Corbett.

Le titre ronflant dont s'affublait l'institution ne manqua pas d'attirer Émile et Germaine. Ils furent encore plus impressionnés par l'uniforme obligatoire et par les dimensions réduites de l'école, qui ne comptait guère plus de sept cents élèves. Quand on leur affirma que le caractère protestant de l'école signifiait en réalité qu'on n'y dispensait aucun enseignement confessionnel, quand on leur eut démontré que la clientèle provenait de tous les horizons religieux, et quand le curé Lamothe, désespéré de la dégradation des écoles catholiques, leur eut donné sa bénédiction, la décision fut facile à prendre.

Lovelie et Lucie furent inscrites à l'Académie Corbett et placées en classe enrichie. Nathalie Durocher convainquit à son tour ses parents et, fin août 1985, les trois amies se présentèrent à leur nouvelle école, timides et propres, prêtes à commencer leur cours secondaire.

Première partie

L'Académie

(Du 28 août au 28 septembre 1985)

1

Assemblée houleuse

On avait construit l'Académie Corbett sur le modèle uniforme des écoles anglo-protestantes des années cinquante, pour absorber l'arrivée des familles
immigrantes surtout italiennes, puis grecques, qui dirigeaient massivement leur progéniture vers l'école
anglaise, du temps qu'on leur en offrait le choix.
Après l'avènement au pouvoir du parti de René
Lévesque, l'Académie Corbett avait survécu en chan-
geant de langue.

Elle avait conservé quelques traits de son caractère
anglais. L'architecture, d'abord, dans son insigni-
fiance même, dégageait quelque chose de profondément *blauque*, pour reprendre une expression encore
en cours à l'époque, par laquelle les Québécois dési-
gnaient péjorativement les *Canadians*. À la décharge
de ces derniers, il faut dire que rares étaient les écoles
publiques construites dans la seconde moitié du ving-
tième siècle qui démontraient un quelconque intérêt
plastique.

Passé les portes vitrées de l'entrée principale, le
hall, avec son amplitude et ses couleurs frigides,
avec l'ostentation de ses vitrines chichement garnies
de trophées de pacotille et des photos des premiers fi-
nissants francophones, accentuait l'impression d'une
désolante vacuité culturelle.

À gauche, deux portes ouvraient sur un vaste gymnase dans lequel pendaient, à des pylônes renversés, toute une tribu de paniers à ballon. À droite, des portes symétriques à celles du gymnase, mais fermées, interdisaient l'accès à un auditorium inanimé et cérémonieux, sur la scène duquel il n'y avait même pas de piano.

Enfin, signe le plus évident que les fantômes des fondateurs hantaient encore les murs, le visiteur, ayant gravi les marches pour se rendre dans les bureaux qui fermaient le fond du hall, pouvait intercepter au passage quelques bribes de conversation dans le style montréalais de la langue de Shakespeare, car plusieurs membres du personnel de soutien avaient appris le français comme une seconde, voire une troisième langue, et oubliaient parfois les exigences de leur nouvelle affectation.

Évidemment, tout ça prenait une autre allure quand les élèves occupaient les lieux. Mais en ce mercredi 28 août 1985, vers neuf heures quarante-cinq, au moment où Mozart Valcin se présenta pour donner sa conférence, un frisson de nature inconnue lui parcourut l'échine, qu'il avait fine, longue et courbe. Il passa sa main dans sa barbe marbrée d'argent pour chasser ce début de malaise. Les idées qu'il défendait n'étaient pas toujours bien reçues et ce hall désert ne stimulait guère son enthousiasme. Il faut dire qu'il ne s'adressait qu'à des auditoires captifs. En effet, la commission scolaire, soucieuse à l'extrême de son image, imposait à son personnel des conférences sur le multiculturalisme.

Une vieille secrétaire, grimée telle une tenancière de maison close, lui indiqua que les enseignants l'attendaient dans leur salle de repos.

Mozart Valcin connaissait déjà l'école, y étant venu quelques fois pour tenter de régler des conflits à teneur plus ou moins raciale. La salle des professeurs se trouvait à quelques dizaines de pas, mais la vieille volaille tint quand même à l'accompagner, trottinant et pérorant.

Elle frappa et n'attendit pas de réponse pour ouvrir et glisser la tête à l'intérieur en gloussant telle une enfant en train de faire un mauvais coup.

— Monsieur Liniaris, M. Valcin vient d'arriver.

M. Liniaris était le directeur. Grand, large et bedonnant, la chevelure plus sel que poivre ciselée en panache, le costume gris sans pli, la cravate rouge «Canada», qui s'ourlait sur son bourrelet, sans taches, avec l'épingle aux armoiries de la Commission, il trônait dans un fauteuil opulent vert et or, devant le demi-cercle de ses professeurs, dont les deux tiers au moins le méprisaient cordialement.

On le surnommait «le Colonel» — plus souvent le «con-lonel», d'ailleurs, en sourdine —, en référence au régime totalitaire qui s'était imposé dans son pays d'origine, la Grèce, à la fin des années soixante. Ce surnom, il ne le devait certainement pas à sa façon d'appliquer la discipline, car il était, dans cet aspect de sa fonction comme dans tous les autres, louvoyant et incohérent : d'un colonel, il n'avait que l'obséquiosité.

Certains professeurs étaient assis dans des divans

assortis au fauteuil du directeur. Ce mobilier d'inspiration italienne, s'il jurait dans cette salle terne, était néanmoins des plus confortables et rendait l'ennui des réunions presque supportable.

Ceux et celles qui étaient installés aux tables avaient du papier devant eux et un crayon à la main, voire, pour les plus aguerris, un journal ouvert, histoire de bien montrer que si la direction pouvait leur imposer une présence physique, elle n'exerçait aucun pouvoir sur leurs esprits.

— Faites-le donc entrer, madame Tissot, grinça le directeur avec impatience.

— Je ne pouvais quand même pas vous l'envoyer en sauvage, rétorqua la vieille.

Son regard bondissait d'un professeur à l'autre, évaluant les attitudes de chacun, subodorant les vapeurs d'un conflit qui mijotait. Elle était bien au fait des tensions entre le personnel et la direction, et elle se délectait d'en faire la chronique à ses consœurs des autres écoles.

Le Colonel se leva et acheva lui-même d'ouvrir la porte.

— Bonjour, monsieur Valcin. Bienvenue à l'Académie Corbett. Euh... Veuillez vous asseoir, nous avons justement terminé...

— Ah, non ! fit une voix qui s'éleva de l'extrémité gauche de la table. On n'a pas terminé ! On doit prendre une décision à propos de l'uniforme. Sinon, ils vont encore le porter de travers et ce sera reparti comme l'année dernière !

L'homme qui avait parlé approchait sans doute de la

quarantaine. Il laissait pousser une barbe bien fournie et des cheveux qui l'étaient beaucoup moins, même qu'il était à moitié chauve. Chose certaine, avec ses lunettes et l'allure à la fois désinvolte et désuète de ses vêtements, il avait tout à fait l'air d'un professeur.

Une bonne femme bouffie, affublée d'une coiffure noire gonflée en montgolfière, expira son impatience en un douloureux soupir. Le professeur barbu lui jeta un regard de travers, haussa les épaules en levant les yeux au ciel et relança :

— Moi, personnellement, je n'en ai rien à foutre, de ce maudit uniforme. Mais l'an dernier, on n'a pas arrêté de se plaindre qu'ils le portent la chemise sortie, le pantalon au milieu des fesses, accroché après on ne sait quoi, puis tout ce que vous trouvez pour améliorer la situation, c'est de demander aux profs d'être plus vigilants. Ça va faire ! Ça finit toujours par retomber sur notre dos ! Quand bien même on passerait nos journées entières à leur dire de s'arranger comme du monde, ça donnerait quoi si la direction ne fait rien ?

— Pardon ! Nous faisons quelque chose ! Nous intervenons quand les cas nous sont rapportés selon la procédure, protesta un homme noir dans la trentaine, tiré à quatre épingles, à la carrure athlétique, et qui était l'adjoint du Colonel.

— Non ! Messier a raison ! coupa un autre professeur. La procédure est trop longue. Il faut des interventions directes et une présence plus grande de la direction dans les couloirs. Il faudrait que vous sortiez un peu de vos bureaux ! Surtout Papi !

Bien que prononcée par une voix chantante, cette

réplique se voulait cinglante. L'adjoint réagit aussitôt :

— Ah ! ça, ça… c'est méchant, monsieur Saint-Hugo ! Je permets aux élèves de m'appeler Papi pour les mettre à l'aise…

— Bien voilà ! reprit le barbu Messier. On a un adjoint qui met les élèves à l'aise ! Comment leur reprocher de les prendre, leurs aises ?

— C'est… culturel !

— Oh ! Franchement ! On aura tout entendu, reprit Saint-Hugo.

Ce dernier était assis à droite de son ami Messier. C'était un Haïtien avec une tête ronde, des lunettes rondes, des cheveux et des moustaches piqués de blanc.

Pendant cet échange, le pauvre Mozart Valcin, toujours debout, ne savait trop quoi faire de son corps, coincé entre la masse du Colonel et la porte dans l'ouverture de laquelle la vieille tête dorée de Mme Tissot, visiblement aux anges, ne ratait pas un mot.

Alors un colosse féminin, qui se tenait debout, au fond, parce qu'elle était arrivée un peu en retard, prit la parole — et l'expression était juste, tant la texture rauque et ferme de sa voix faisait se terrer toutes les autres.

— DITES, ON NE POURRAIT PAS REPRENDRE CE DÉBAT PLUS TARD ? ON A UN INVITÉ, LÀ, QUI POIREAUTE…

Messier ne s'en laissa pas imposer.

— Je ne me souviens pas qu'on ait invité monsieur !

La dame répliqua en haussant le ton d'un décibel.

— Je ne sais pas, moi, qui lui a demandé de venir, je suis nouvelle dans la boîte. En tout cas, il est là et on peut lui montrer du respect, non ? Ce n'est pas parce qu'il est noir qu'il faut le traiter comme un vagabond. Vous êtes raciste, vous, ou quoi ?

— Pas du tout !

Messier se tourna vers Saint-Hugo pour chercher du soutien. N'en trouvant guère, il relança :

— C'est vous qui faites du « rétroracisme ».

— Quoi ? Qu'est-ce que c'est que ça, du « rétroracisme » ? Jamais entendu parler…

— Vous voudriez que, sous prétexte que M. Valcin est noir et qu'il doit nous entretenir du racisme, je fasse abstraction du fait que la Commission nous oblige péremptoirement à l'écouter et nous prive du peu de temps que nous avons pour discuter de la discipline ? S'il était blanc, jaune ou rose avec des étoiles vertes, j'aurais exactement les mêmes objections, alors je ne vois pas pourquoi…

— Oh ! Alain ! Ça va ! Laisse tomber !

C'était la bouffie qui avait dit ça. Messier, qui se prénommait Alain, regarda ses collègues du coin de l'œil. Il savait que la majorité partageait son exaspération ; la plupart se terraient dans le confort de la soumission. On connaissait la bouffie ; dans deux mois, elle fondrait en larmes, excédée par l'impertinence et le désintérêt de trop d'élèves. Mais lorsque venait le temps de prendre des mesures concrètes, elle jouait les grandes dames au-dessus de la mêlée.

À côté d'elle, un patriarche, avec des manières surannées de « vieille Europe », demeurait impassible.

Messier était sûr que, après la réunion, il se dépêcherait de lui serrer la main et de le féliciter de son intervention, de l'assurer qu'il était d'accord avec lui, mais qu'il laissait aux jeunes le soin de changer les choses.

Les jeunes… Bien peu avaient leur permanence, donc pas question de s'associer aux fortes têtes. Parmi ceux qui étaient bien en place, hormis les ambitieux qui craignaient de compromettre leurs chances d'améliorer leur situation, et qui pratiquaient le «positivisme», le «bon-ententisme» ou le «constructivisme», autant d'appellations politiquement correctes pour désigner le «léchage de cul», il ne restait plus grand monde pour s'engager dans des démarches structurées et conséquentes.

Et il y avait cette nouvelle bonne femme, difficile à classer, certainement plus toute jeunesse, qui revenait d'un séjour en Afrique, à ce qu'on disait, cette Mme Samson?… non, Moïse, oui, c'était ça, Moïse, qui ne s'était pas gênée pour le traiter de raciste. Si elle croyait l'impressionner… Au moins, elle n'était pas du genre à agir par en dessous.

Sauf qu'il détestait qu'on le traite de raciste. C'était trop facile. La majorité des élèves étaient haïtiens, donc noirs, alors comment aurait-il pu survivre s'il avait été raciste? Il se serait dépêché de demander une mutation, surtout que, malgré son titre pompeux, l'Académie Corbett n'était pas une école des plus faciles ni des plus performantes.

Messier était convaincu qu'il fallait agir avec les Noirs exactement comme avec n'importe qui d'autre, à moins, justement, d'être raciste. Après tout, il était professeur de maths, et les mathématiques ignorent toute distinction de race, de couleur, de langue ou de sexe. Ouais! Il lui faudrait s'attendre à quelques vigoureux duels verbaux avec cette Moïse, cette année!

Mais pour l'heure, il n'y avait guère qu'à se taire et à laisser ce bonhomme Valcin débiter son boniment.

Le directeur lui avait cédé sa place et avait pris celle de Victor Petit, l'adjoint, qui avait pris celle de Condina, dit « l'agent double », effectivement l'antenne de la direction parmi le personnel. À son tour, Condina s'était trouvé une place entre Marie-Josée Duguay, la nouvelle, jeune et outrageusement sexy professeur d'éducation physique, et Nancy Nadler, qui avait déjà une dizaine d'années d'expérience dans l'enseignement de l'anglais et qui n'était pas mal de sa personne non plus. Condina consacrait la bonne moitié de ses journées à essayer d'impressionner les membres attrayants du personnel féminin et, bien évidemment, la jeune Marie-Josée Duguay allait devoir subir l'opération charme.

Donc, Mozart Valcin commença sa conférence. Messier fouilla dans sa serviette, en tira un carnet noir, un crayon, et se mit à griffonner. Tant qu'à perdre l'avant-midi, autant faire avancer son projet de générateur informatisé de problèmes de mathématiques, inspirés de la vie courante, avec lequel il pourrait créer en un tournemain une infinité d'exercices variés et classés selon les besoins. Avec son collègue Edmond, pour qui les ordinateurs n'avaient pas de secrets, il rêvait même de commercialiser le produit. Il se laissa absorber, levant épisodiquement les yeux pour donner l'impression qu'il prenait des notes.

La voix grave et lente du conférencier, à la frontière de la monotonie, constituait un accompagnement sonore quasiment propice au travail intellectuel. Hélas ou heureusement, comme tout professeur digne de ce nom, Messier pouvait se concentrer sur une chose tout en ne perdant pas le contact avec ce qui se passait autour de lui.

« [...] les manifestations d'hostilité envers les Noirs remontent aux origines de la culture judéo-chrétienne, dans laquelle la couleur noire est associée au mal. Les ténèbres d'un côté, la lumière [...] »

Messier arqua un sourcil. Il leva le bras à la manière d'un guerrier brandissant sa lance. Le Colonel se raidit dans son fauteuil. L'adjoint Petit descendit brutalement de la lune. Saint-Hugo réprima un sourire. La Bouffie jeta un coup d'œil au plafond. Mozart Valcin sentit un souffle froid glisser le long de son échine.

— Pouvez-vous attendre que j'aie terminé avant de poser des questions ? essaya-t-il.

— Ah non ! répliqua Messier. Ce serait trop facile ! Il faudrait vous laisser dire n'importe quoi pendant une heure…

— Je ne dis pas n'importe quoi ! Je peux vous citer l'auteur…

— Expliquez-moi plutôt comment il se fait que, si dans la mentalité judéo-chrétienne le noir est tellement associé au mal, les prêtres catholiques portent une soutane noire.

— Et les pasteurs aussi ! de renchérir Saint-Hugo.

— Enfin ! se défendit le conférencier excédé. Je parle en général…

— Ne me dites pas qu'on vous paie pour débiter des généralités ! s'indigna Messier. Vous vous adressez à des enseignants, à des gens instruits, il faut un minimum de cohérence !

— Pour qui nous prend-on ? renchérit son ami Saint-Hugo, dont la voix chantait un ton plus haut.

Une petite dame au nez pointu, qui jusque-là était demeurée coite, se leva brusquement, toute rouge, et d'une voix étranglée, proche des sanglots, cria :

— MOI, J'EN AI MARRE DE CES HISTOIRES DE BLANCS QUI PERSÉCUTENT LES NOIRS. JE N'AI JAMAIS RIEN FAIT À UN NOIR, MOI. COMMENT VOULEZ-VOUS QU'ON AIT UNE BONNE RELATION AVEC LES JEUNES SI ON LEUR ENFONCE CONTINUELLEMENT DANS LA TÊTE QU'ON EST LEUR ENNEMI !

— Mais…

La conjonction de coordination de Mozart Valcin resta suspendue dans le chaos d'un brouhaha général. La petite dame au nez pointu s'enfuit dans les toilettes. Messier, Saint-Hugo et les quelques collègues qui leur étaient d'emblée sympathiques se levèrent à leur tour. Les autres, ayant mis quelques secondes à juger de la direction que prenait l'orage, se rangèrent progressivement du côté du désordre. Le Colonel se dressa sur le socle de son autorité et lança un appel au calme, auquel seules trois recrues au statut précaire prêtèrent attention.

De toute façon, Mozart Valcin avait commencé à

ranger ses affaires. Dès lors, le Colonel ne se préoccupa plus que de lui. Il rêvait de se tailler une place dans les hautes sphères de la Commission ; or, une image de directeur incapable de contrôler son personnel ne pouvait certainement pas l'y aider.

L'adjoint Petit, de son côté, se dirigea illico vers les plus jeunes. Il craignait qu'ils n'aient été contaminés par le virus de l'insoumission craché par les mauvais sujets.

Satisfait de la tournure de l'assemblée, Messier, quant à lui, rigolait en sourdine avec son ami Saint-Hugo. Tout à coup, ce dernier écarquilla les yeux et Messier sentit une présence dans son dos. Il pivota et faillit s'écrouler : Mme Moïse se dressait face à lui et, du haut de son altitude, le foudroyait du regard.

— Vous êtes content de vous ?

Retrouvant aussitôt ses moyens, Messier répondit :

— Ce n'est pas la question, d'être content ou non. On n'a pas à s'en laisser imposer, c'est tout. Croyez-vous qu'il nous apprenne quelque chose sur la symbolique des couleurs ? Et ça n'a rien à voir avec les problèmes…

— Ne me dites pas que vous auriez agi de la même manière avec un Québécois !

— Vous n'avez pas besoin de parler si fort !

— Je parle normalement.

— Ah bon ! Pourtant, nous sommes tous québécois, rétorqua habilement Messier.

— Un Québécois de souche, comme vous, si vous insistez. Vous savez très bien de quoi je parle. C'est déjà assez d'être raciste sans être hypocrite en plus.

Messier se raidit et tenta encore une fois d'utiliser son ami haïtien pour montrer l'évidence de sa rectitude raciale, mais ce dernier semblait incapable de réagir quand Mme Moïse parlait.

— Madame, nous nous connaissons à peine. Vous n'avez pas le droit…

Mme Moïse posa les poings sur ses hanches et fit tinter l'amoncellement de bijoux qui pendaient à son corps, de la ceinture à la tête :

— PAS LE DROIT ! PAS LE DROIT ! ET VOUS, DE QUEL DROIT TRAITEZ-VOUS AINSI CE PAUVRE HOMME ?

— Ce n'est pas à l'homme que je m'en suis pris. C'est au conférencier payé par nos impôts pour nous assommer avec des… avec des…

— AVEC DES QUOI ?

— … avec des ratiocinations !

Mme Moïse resta un instant interdite. Messier espérait qu'elle ne lui demanderait pas d'expliquer le sens du mot, car il n'était pas certain de l'avoir employé à bon escient.

— N'empêche que vous pourriez montrer un peu de sensibilité face aux difficultés que doivent surmonter les gamins et les gamines de race noire dans un monde dominé par des Blancs, enchaîna la dame.

— Ça, c'est une autre paire de manches. J'y suis beaucoup plus sensible que vous ne pouvez le penser. Mais il me semble qu'on pourrait changer de discours un peu, montrer plutôt des Noirs tournés vers l'avenir, qui ne pensent pas qu'à se plaindre du passé. Tenez, pourquoi on n'inviterait pas ce comédien, Normand Brathwaite, par exemple ?

— Ce clown mulâtre ? Il ne représente certainement pas les Noirs !

— Pourquoi pas ? Parce qu'il a de l'avenir ? On ne peut pas être un vrai Noir si on n'est pas dans la merde ?

Le ton montait. Les yeux de Mme Moïse s'agrandissaient, et comme il n'y avait rien de petit dans cette femme, le phénomène en imposait. C'étaient des yeux en bonne santé, d'un blanc impeccable avec des prunelles de charbon qui vous grillaient sur place. Le visage était beau, remarqua Messier pour la première fois, tout en traits fermes et droits. La peau, sans fard, était lisse et nette. Réduite à des proportions courantes, cette femme se serait classée dans les beautés exceptionnelles.

L'interphone interrompit le débat avant qu'il dégénère en bataille de rue.

« Les professeurs sont priés de venir chercher leurs horaires et leurs listes de classe au bureau... » annonça la voix de crécelle de Mme Tissot.

— Ah ! Il était temps ! maugréa Messier.

— Pour ça, vous avez raison, renchérit Mme Moïse.

Les deux protagonistes étaient trop heureux de passer à autre chose. Ils emboîtèrent le pas à leurs collègues.

Il y avait déjà un attroupement au bureau. Les documents étaient étalés sur le comptoir. Pas question pour Mme Moïse d'entrer là-dedans avant que ça s'éclaircisse.

Messier décida d'attendre aussi et de profiter de l'occasion pour tenter d'atténuer le caractère à tout le moins négatif de ce premier échange avec sa nouvelle collègue. Il avait beau ne jamais s'en laisser imposer, reste qu'il ne tenait pas à augmenter indûment le nombre de ses ennemis.

— À propos, demanda-t-il, qu'allez-vous enseigner, au juste ?

— Le français, répondit Mme Moïse. Et la géographie. Je suis titulaire de première.

— Un groupe de première ! Alors, il y a de fortes chances pour que nous nous croisions, j'enseigne les maths au premier cycle.

— Moi, j'aurais préféré une affectation dans une école primaire, mais on prend ce qu'on nous offre, n'est-ce pas ? Surtout quand on revient d'une absence de quatre ans.

— Vous étiez en Afrique, je crois ?

— Au Zaïre. Je peux vous affirmer que les mioches d'ici ne savent pas la chance qu'ils ont. Les adultes non plus, d'ailleurs.

Messier se gourma.

Il cherchait encore sa réplique au moment où le passage vers les documents se dégagea.

— Allons donc cueillir nos « horreurs », plaisanta-t-il en adressant un clin d'œil à Mme Moïse.

Incapable d'évaluer à quel point cette dernière malice était innocente, Mme Moïse pénétra dans le bureau. Ordre alphabétique oblige, elle trouva son enveloppe tout de suite après celle de Messier.

2

La rentrée

(Extrait du journal de Nathalie Durocher, 29 août 1985)

Aujourd'hui, j'en ai beaucoup à raconter, parce que c'était notre première journée à l'école secondaire, et ça fait toute une différence ! J'en profite parce qu'on n'a pas encore de devoirs. Il fallait seulement couvrir les livres, demander à nos parents de signer l'agenda et d'autres papiers. Ma mère a trouvé qu'il y en avait beaucoup, mais c'est fait. Notre nouvelle maîtresse déteste les retards de toute sorte. C'est elle qui le dit, et même si on ne la connaissait pas, on saurait tout de suite qu'on a intérêt à la croire sur parole !

Parce que, ce qu'il y a d'extraordinaire, c'est qu'on la connaissait, notre nouvelle maîtresse ! Pardon, notre professeur titulaire. On la connaît parce qu'elle a été la première maîtresse de Lovelie, à l'école protestante. Dans ce temps-là, Lovelie vivait dans une autre famille. C'étaient des gens très méchants. Je ne sais pas tout ce qu'ils lui ont fait subir, elle n'en parle jamais, mais c'étaient des affaires du genre « abus d'enfant ». Lucie en connaît plus que moi, mais elle n'en parle pas non plus. Avant, ça m'énervait, j'avais l'impression qu'elles me tenaient à l'écart de leurs secrets. J'ai fini par comprendre qu'elles ne parlent jamais de ça entre elles non plus. C'est Lovelie, je pense, qui essaie d'oublier. Je peux comprendre. Je ne suis pas jalouse. Sauf que… en tout cas.

Donc, Mme Moïse, notre professeur titulaire, a été la première maîtresse de Lovelie, pas longtemps, mais assez pour que Lovelie ne l'oublie jamais, surtout que, quand ça a tourné vraiment mal, elle est allée vivre chez elle quelques jours, avant d'être recueillie chez Lucie. Après, Mme Moïse est partie en Afrique et on n'a plus entendu parler d'elle jusqu'à ce matin. Il fallait voir les yeux de Lovelie quand elle l'a reconnue parmi les professeurs! On aurait dit que la Sainte Vierge en personne était descendue du ciel!

Ce matin, j'ai vécu le moment le plus extraordinaire de ma vie. Nous étions dans les premières rangées de l'auditorium. Le directeur, debout sur la scène, a fait un long discours. J'ai essayé d'écouter, mais tout ce qu'on voulait savoir, c'était qui serait notre professeur et si on allait être dans la même classe. Lovelie n'écoutait pas non plus depuis qu'elle avait reconnu Mme Moïse. Lucie faisait de son mieux. M. le directeur avait l'air important d'un président qui s'adresse à la population à la télévision, à la place de l'émission qu'on voulait regarder.

Enfin, il a commencé à appeler les élèves. Si le discours était un supplice, ça, c'était encore plus souffrant, parce qu'on a été nommées dans le dernier groupe. Tout le temps, il fallait garder le silence. C'est bizarre, le silence, plus on est nombreux à le garder, plus on le garde mal!

En regardant les élèves s'aligner en bas à mesure qu'on les appelait, j'ai remarqué que la plupart sont noirs, certainement plus que la moitié. Ma mère n'est pas raciste, mais si elle avait su ça, je ne suis pas sûre qu'elle m'aurait permis de suivre Lucie et Lovelie. Mme Brûlotte n'aurait peut-être pas inscrit sa fille. Tu me diras qu'elle n'est pas raciste, puisqu'elle a presque adopté Lovelie. Pourtant, on l'a entendue une fois qui disait que les Noirs, un à la fois, ils sont très bien, mais qu'en groupe, ils ne savent pas se comporter, il n'y a qu'à regarder les nouvelles pour le constater. Moi et Lucie, on est devenues toutes rouges en entendant cela, parce qu'on jouait avec Lovelie. À sa place, il me semble que j'aurais été fâchée, mais elle a juste haussé les épaules en disant : «C'est pas grave.»

Enfin, on a été appelées. Tous les profs de première étaient partis avec un groupe, sauf Mme Moïse. Lovelie nous a soufflé qu'on allait forcément être toutes les trois dans sa classe. Lucie a été appelée la première, puis Lovelie, puis moi.

On a suivi Mme Moïse jusqu'à la salle 112. La première chose qu'elle nous a dite, c'est de ne pas toucher aux fenêtres, parce qu'elles sont pourries et dangereuses. Elle nous a expliqué les règles et, là, ça écoutait à 100 %, parce qu'il n'y a vraiment pas moyen de faire autrement. Elle est tellement haute qu'il faut toujours garder la tête levée. Si on se pensait grandes parce qu'on entrait au secondaire, on est revenues à la réalité.

Lovelie dit que Mme Moïse est sévère, mais que c'est la meilleure prof qu'on puisse avoir. Lucie pense que ça va bien aller aussi, parce qu'elle se sent bien quand elle sait où on s'en va, et là-dessus en effet on ne peut pas trouver mieux. Moi, je l'avoue, j'ai peur un peu. Qu'est-ce qui va m'arriver quand je serai dans la lune ?

En tout cas… On est dans la classe enrichie. J'étais contente au mois de mai, mais là, je ne suis plus sûre…

Tout ce temps, Mme Moïse n'avait pas l'air de reconnaître Lovelie, même quand elle a pris les présences, et nous autres encore moins. Je voyais bien que Lovelie se posait des questions. Ce n'est qu'à la fin, comme nous sortions, qu'elle lui a mis la main sur l'épaule et a murmuré : « J'ai été très fière quand j'ai vu ton nom sur ma liste, Lovelie. Je te félicite. Et toi aussi, Lucie. Il faut continuer aussi bien au secondaire, n'est-ce pas ! » Et c'est tout. Je ne crois pas qu'elle se souvienne de moi. Ça se comprend, elle ne m'a croisée qu'une ou deux fois et, franchement, je ne suis pas remarquable.

Nos autres profs sont venus faire un petit discours. Le prof de maths s'appelle M. Messier. C'est un vieux barbu et il n'a pas l'air commode. Déjà que ce n'est pas ma matière ! Mme Nadler, le prof d'anglais, nous a parlé seulement en anglais, alors je n'ai rien compris, mais elle semble gentille. Ma préférée est la prof d'éducation physique. Elle est belle et douce, on dirait qu'elle sort d'un roman d'amour. Ça tombe bien, parce que l'éducation physique, moi, ça me fait suer plus qu'autre chose. Il paraît que c'est fait pour ça, d'ailleurs !

3

Un vendredi pas comme les autres

La cantine de l'Académie Corbett, communément appelée la cafétéria, était de dimensions restreintes et le service, lent. Elle avait été conçue avant la construction du métro de Montréal, à une époque où *the Academy* recrutait son effectif dans les rues environnantes et où la plupart de ses élèves rentraient chez eux pour le repas du midi. Maintenant, il en venait de presque tous les quartiers accessibles par métro.

Le trio des meilleures amies, Lovelie, Lucie et Nathalie, mangeait aussi à l'école, même si elles habitaient à un kilomètre à peine. Germaine Brûlotte, qui, avant d'enfanter, faisait le ménage dans un grand hôtel, avait repris du service à son compte, considérant non sans sagesse que ses quasi-adolescentes auraient de moins en moins besoin de maternage. Elle comptait au départ ne travailler que deux jours par semaine, mais passa tout de suite à quatre ! Elle travaillait au noir, bien sûr, tirant ainsi le maximum d'une rémunération sub-prolétarienne.

La mère de Nathalie Durocher, elle, avait toujours conservé son emploi de blanchisseuse à l'hôpital Sainte-Justine.

Donc, les trois amies se rendaient tous les midis à la cafétéria, leur boîte à lunch à la main, car il n'était pas question d'ingurgiter les produits en conserve ou congelés qui constituaient l'ordinaire de la cantine. Les menus se succédaient sans surprises et le vendredi, c'était infailliblement de la... PIZZA ! Or, s'il est des travers qu'on ne pardonnera pas à un bœuf aux légumes, rien ne saurait éteindre l'aura festive collée depuis la nuit des temps modernes au mot PIZZA !

Dès que sonnait la cloche de onze heures quarante, et même un peu avant, les portes des classes s'ouvraient en claquant et c'était la ruée. Des hordes d'affamés pas toujours petits se bousculaient au péril de leur vie pour être les premiers à s'asseoir devant... une galette de pain graveleux, imbibée de liquide rouge, dans lequel naufrageaient des lamelles de saucisson blême, le tout englué dans un déversement de substances laitières modifiées. Qu'importe ! Les jours de temps maussade, cela tournait quasiment à l'émeute. Parfois, Papi l'adjoint se dressait pour endiguer la cavalcade, mais il réussissait tout juste à séparer le courant, comme un arbre mort tombé au milieu d'un rapide.

Une porte de classe, cependant, une seule, s'ouvrait une bonne minute après les autres, laissant tranquillement sortir des élèves calmes qui commençaient par porter ou chercher leurs affaires dans leur casier. Ce n'était pas un groupe d'allergiques à la pizza, ni d'anorexiques pathologiques, ni d'idiots qui ignoraient quel jour de la semaine on était, non, c'était au contraire le groupe du programme enrichi, la salle 112, la classe de Mme Moïse. Et si elle-même, par un hasard quelconque, se trouvait dans le couloir au son de la cloche, c'était tout l'étage qui freinait. Et ce, alors qu'il n'y avait pas deux semaines qu'elle était en poste à l'Académie Corbett, à croire que sa réputation avait pris l'avion avant elle pour traverser l'Atlantique, direction nord-ouest !

Mme Moïse avait été profondément affligée par le comportement décrit plus haut, et elle avait prononcé toute une harangue à ses élèves avant même que ceux-ci ne songeassent à suivre le mouvement.

« ON CROIRAIT DES PETITS AFRICAINS QUI N'ONT RIEN MANGÉ DEPUIS TROIS JOURS ET QUI SE PRÉCIPITENT SUR UN CONVOI DE LA CROIX-ROUGE ! AU MOINS, EUX, ON PEUT LES COMPRENDRE ! ET ENCORE, N'IMAGINEZ PAS QUE C'EST TOUJOURS COMME CE QU'ON VOUS MONTRE À LA TÉLÉ ! LA PLUPART DU TEMPS, ILS FONT LA QUEUE BIEN SAGEMENT, EN PRIANT POUR QUE DIEU LEUR DONNE LA FORCE DE TENIR JUSQU'À LEUR TOUR ! TANDIS QUE VOUS… VOUS DEVRIEZ AVOIR HONTE, VOUS QUI MANGEZ DIX FOIS PLUS QUE CE DONT VOUS AVEZ BESOIN, DE VOUS COMPORTER COMME DES NON-CIVILISÉS ! SANS PARLER DU GASPILLAGE ! »

Ses élèves n'avaient pas le choix d'être honteux, même s'ils n'avaient pas eu le temps de commettre le crime dont elle les accusait. D'ailleurs, à mesure que les premiers jours passaient, ils se rendaient compte que l'Afrique serait le thème de l'année, que la moindre faille dans leur comportement ou dans leur rendement serait jugée à l'aune de l'épouvantable misère du continent noir, et que chacun allait devoir démontrer à chaque instant qu'il méritait la situation choyée que Dieu lui avait accordée en ce monde. « CAR MADAME

NE S'APPELLE PAS MOÏSE POUR RIEN ! » clamait-elle en guise de conclusion. En effet, elle était animée de cette foi qui transporte les montagnes — et Messier d'ironiser que c'était une nécessité dans le cas d'une femme gratifiée d'une si grandiose poitrine.

Donc, les trois amies arrivèrent à la cafétéria alors que la queue atteignait sa longueur maximale. Elles s'étaient apporté un sachet de bâtonnets de carottes pour s'aider à patienter.

Elles remontaient ainsi lentement vers les pizzas tant convoitées, grignotant et papotant, Lovelie entre Lucie et Nathalie. Ce positionnement ne souffrait nulle variation, entre les cours ni aux récréations, et il leur avait valu, dans la bouche de Messier, le surnom de « trio sandwich au chocolat ».

Le prof de maths n'utilisait pas cette expression devant les fillettes, mais seulement dans la salle de repos du personnel, dans l'évidente intention de provoquer Mme Moïse. « Tu n'es pas drôle, Messier ! » réagissait immanquablement cette dernière en levant le sourcil.

Elle n'utilisait déjà plus le pluriel de politesse avec son collègue, sinon devant les élèves, histoire de lui montrer qu'elle était prête à l'affronter sur n'importe quel terrain. Lui, par contre, ne se sentait pas encore capable de la tutoyer. Il commençait d'ailleurs à se demander pourquoi. L'apostropher par son nom de famille, cela lui aurait semblé abusif : même avec ses congénères, il s'abstenait de le faire. Quant à l'appeler par son prénom, Horacine, cela lui aurait donné le sentiment de s'approcher un peu plus près d'elle

le désirait. C'était un prénom au premier
٬ril, mais au fond plutôt doux, Horacine, et
s᠎ ᠎ment harmonisé, sinon aux manières de celle
qui y répondait, du moins au parfum de mangue qui
émanait discrètement de sa personne. C'était ce qu'il
lui semblait, en tout cas. Allons donc! Il s'interdi-
sait d'éprouver quelque désir pour une femme bâtie
comme un lutteur et qui le dépassait d'au moins vingt
centimètres! Et pourtant, selon la loi de Newton, la
force d'attraction d'un corps n'était-elle pas propor-
tionnelle à sa masse?

Ce vendredi-là avait quelque chose de spécial: il
coïncidait avec le treizième jour du mois de septembre. Dès le lundi, l'inéluctable *vendredi treize* avait
été consacré «événement de la semaine». Certains
professeurs entraient dans le jeu; la Bouffie, par
exemple, avait reporté son premier test de biologie
de l'année. «ÇA, CE N'EST PAS CROYABLE!» s'était ex-
clamée Mme Moïse en l'entendant expliquer, entre
deux bouffées de cigarette, que, fondée ou pas, cette
superstition pouvait perturber quelques élèves.

— Que voulez-vous? C'est une croyante, avait
soupiré Messier un matin que, arrivé un peu en avance
pour un cours, il s'était trouvé seul avec sa collègue
dans la salle 112.

— Holà! Faudrait pas confondre la foi et la
crédulité, hein!

— Vous avez raison, c'est plutôt une crédule, admit
Messier, qui ne voulait pas engager les hostilités sur
le champ des croyances religieuses, ni étaler trop
ouvertement le mépris que la Bouffie lui inspirait.

On devine que la question du vendredi treize avait été vite réglée dans la classe des enrichis.

« Je ne veux pas entendre parler de ces sottises. Et quoi encore ? Est-ce qu'on va se remettre à croire aux gris-gris, aux amulettes ? Si je suis malade, est-ce que je vais demander au grand sorcier de m'exécuter une danse ? Au chaman de m'imposer les mains ? Pourquoi ne pas se remettre au vaudou ? »

La dernière partie de son intervention avait fait sursauter quelques élèves noirs de la classe, car elles n'étaient pas rares les familles haïtiennes qui conservaient à l'égard du vaudou une attitude empreinte de prudence, sinon de respect.

— Mme Moïse a raison, disait Lovelie en croquant un bout de carotte. S'il y avait plus de malheurs un vendredi treize que les autres jours, les gens resteraient chez eux.

— Un malheur peut arriver n'importe où, argumenta Nathalie Durocher.

— Je ne me rappelle pas que, la dernière fois, ils aient annoncé aux nouvelles qu'il s'était passé quelque chose de spécial.

— Peut-être qu'ils le cachent pour ne pas effrayer la population !

— Voyons, Nathalie ! intervint Lucie. Ne me dis pas que tu es superstitieuse.

— Non, mais… Ah ! C'est juste pour parler…

— En tout cas, continua Lucie, mon père a eu cinq accidents avec son taxi, et ce n'était jamais un vendredi treize, même que son horoscope n'en avait pas prédit un seul. Ça fait qu'il ne croit plus à rien de tout ça.

— Toi, Lovelie, relança Nathalie, le vaudou, en Haïti, est-ce que tu t'en souviens ?

— Je me rappelle surtout une volée que j'ai reçue de mon père parce que j'avais écorniflé pendant une cérémonie.

— Une cérémonie vaudou ? C'était comment ?

— Ça, je m'en souviens moins bien. Je n'ai pas eu le temps de voir grand-chose. C'était chez des voisins. Il y avait des bonnes femmes à genoux qui marmonnaient des drôles d'affaires. Il y avait des chandelles, et ça puait. Mais mon père est arrivé tout de suite. Il était contre le vaudou, autant que Mme Moïse, je pense bien.

— Il t'a battue ?

— Oui, avec sa ceinture.

— Ouch ! firent les deux fillettes. Combien de coups ?

— Imaginez-vous que je les comptais ? Je suppose qu'il s'est arrêté quand j'ai perdu connaissance.

— Il est donc bien mauvais, ton père !

— Non, même pas ! En Haïti, ce n'est pas comme ici.

Lovelie fit une mine triste.

— C'est la seule fois qu'il m'a vraiment battue. C'est dire comme il trouvait ça grave. À part ça, mon père, il est gentil, il travaille très fort.

— C'est quoi, son métier ?

— Il est comptable… dans une compagnie de café.

Jérémie D'Haïti n'avait rien d'un comptable à part le fait de savoir compter. Il était plutôt l'homme à tout faire de son cousin, Jean-Louis Jeune, dont les affaires se diversifiaient à l'infini et connaissaient des fortunes variables au gré du climat politico-social extrêmement instable qui sévissait en Haïti. Lovelie n'aimait pas parler de sa famille ; cela réveillait trop de vieilles blessures, trop d'angoisses que personne ne savait soulager. Elle ne recevait que de parcimonieuses nouvelles de ses parents, dont l'élément central était chaque fois la déplorable santé d'Elmeryse, sa mère. Elle tourna la tête pour signifier son intention de changer de sujet.

Elle ne s'attendait pas du tout à ce que ce fût si facile, et en même temps si troublant ! Son cœur s'emballa, aussitôt contredit par ses poumons qui s'immobilisèrent dans l'attente, bref, elle éprouva le désarroi absolu que provoque, chez les êtres normaux, une apparition !

Un grand garçon noir venait de prendre place à la suite du trio. Il était beau : le nez taillé droit, les pommettes saillantes, de grands yeux effilés toujours actifs et incapables de dissimulation. Une cicatrice très nette, qui soulignait l'œil gauche, une autre qui formait un hiatus dans la lèvre supérieure, dessinait des ailes d'oiseau en vol plané, une troisième enfin, tel un petit cratère près de la tempe droite, accentuait une expression sauvage, mais non brutale, d'irréductible. C'était Chomsky Deshauteurs.

— Lovelie ! ?

— Chomsky ? !

La surprise était authentique d'un côté comme de l'autre. Lovelie retrouva la première l'usage de la parole.

— Qu'est-ce que tu fais ici ?

— C'est mon école.

— Je ne savais pas. Je ne t'avais pas encore vu. Tu es en quelle année ?

— En deux. Tu ne m'as pas vu parce que… je viens juste de rentrer… J'étais en voyage.

La voix de Chomsky était nimbée de mystère. En vérité, il était dans une classe de cheminement particulier. Il jetait autour des regards méfiants, ce qui, chez lui, confinait au tic. Ses yeux s'attardèrent sur les amies de Lovelie.

— Je te présente Nathalie, mon amie, et ma sœur Lucie.

Chomsky fronça les sourcils.

— Ta sœur ? ! Une Noire peut pas avoir une sœur blanche.

— Sais-tu qui est mon prof titulaire ? demanda Lovelie, ignorant la remarque de Chomsky.

— Comment je le saurais ?

— Tiens-toi bien ! C'est Mme Moïse !

— Hein ! Elle est rendue dans cette école ?

— Ouais ! C'est le prof des enrichis.

Chomsky *tchuippa**. Il respira ensuite profondément, regarda à nouveau autour, craignant sans doute que Mme Moïse n'apparût à brûle-pourpoint pour lui tirer les oreilles.

— Je pense que je n'ai plus faim. C'est trop long. Salut.

De la démarche lente et chaloupée qui était la

---

* Expression créole désignant un son produit en inspirant de l'air entre ses dents et qui exprime le dédain.

sienne, il tourna les talons et se dirigea vers la sortie de la cantine.

— Il est donc bien bête, lui! s'indigna Nathalie Durocher.

— Non, murmura Lovelie, il a l'air bête, mais il est gentil.

— Chomsky… Ce n'est pas lui qui a tué le chef de gang?

— Il n'a tué personne, Lucie. C'est plutôt lui-même qui a failli être tué. Il s'est défendu, et il m'a défendue.

Lucie fronça les sourcils. Six ans auparavant, quand celle qui deviendrait sa «sœur» avait été recueillie par les Brûlotte, on avait jugé qu'elle était trop jeune pour connaître le détail du drame sordide qui avait précédé son arrivée. Cependant, comme tout enfant de son âge, Lucie aspirait à s'exiler de l'éden de l'enfance, et voilà qu'elle se retrouvait, presque du jour au lendemain, dans les contreforts du monde adulte.

Quand Lovelie croisait Chomsky, rue Saint-Hubert, et qu'elle échangeait quelques amabilités avec lui, elle le présentait comme un ami de son école et les copines ne posaient pas de questions. La présence de Chomsky à l'Académie Corbett changeait l'ordre des choses et Lucie se croyait désormais en droit de savoir et de comprendre.

Elle avait par contre assez de jugement pour décider qu'une queue de cafétéria n'était pas l'endroit idéal pour s'entretenir de sujets délicats. La discussion reprit donc sur le vendredi treize, puis papillonna dans tous les sens.

Les fillettes ignoraient que cette idée des effets néfastes du chiffre treize trouve son origine dans les évangiles. À la table de la dernière Cène, où Jésus annonça qu'il serait trahi, s'asseyaient treize convives, le treizième étant Judas, le traître. Cette trahison enclencha la chaîne d'événements qui, le vendredi de la même semaine, conduisit le Christ à la croix. Quoi qu'il en soit, si Lovelie, Lucie ou Nathalie y avaient tenu, elles auraient pu prétendre avoir constaté, ce jour-là, la puissance paranormale du symbole. Bien sûr, leur rencontre avec Chomsky était destinée à se produire tôt ou tard, mais il y eut davantage.

D'habitude, les filles ne traînaient pas à l'école. Elles rentraient à pied et, selon qu'elles s'arrêtaient ou non au dépanneur pour se sucrer le bec, elles se pointaient dans la ruelle de la rue Verrier vers quinze heures quarante au plus tard et grimpaient aussitôt l'escalier qui menait au logement des Brûlotte. Il était rare que Nathalie rentrât directement chez elle.

Ce vendredi treize-là, la sortie des cours fut arrosée par une généreuse averse. Les filles décidèrent de laisser passer le cœur de l'ondée et attendirent sous le porche, serrées les unes contre les autres. Une poignée d'élèves plus grands, qui, craignant de mouiller leurs belles casquettes et de salir leurs chaussures sport encore neuves, attendaient aussi, parlant fort, gesticulant et crachant, mais ne fumant toutefois pas. Le règlement était strict sur ce point, et relativement facile à appliquer, car pour des raisons inconnues les jeunes Haïtiens semblaient peu attirés par la cigarette. Plusieurs élèves du deuxième cycle tardaient systématiquement à rentrer chez eux. Pour beaucoup, cette perspective n'avait rien de stimulant. Enfants de familles démunies, nombreuses, habitant des logements exigus, ils n'avaient pas hâte de retrouver ce monde de petite misère, dans lequel toute vie privée était impossible. Souvent, dans le cas des filles surtout, il fallait accomplir les tâches domestiques, pourvoir aux besoins des plus jeunes et assurer un semblant d'ordre, avec pour seul exutoire le téléphone, si on arrivait à l'accaparer.

Lovelie riait. Mme Moïse avait veillé à ce que la journée fût pleinement employée et, quand elle était fatiguée, Lovelie riait de toutes ses dents pour la moindre drôlerie. Or, Nathalie Durocher avait un talent inné d'imitatrice. Il y avait un garçon, dans la classe, qui s'appelait Gédéon, et dont on se demandait bien comment il avait abouti chez les enrichis. Le matin, il n'avait pas de devoir à présenter, et il avait prétendu que son chien s'était emparé de son cahier alors qu'il l'avait échappé en le rangeant dans son sac. Le malheur pour lui fut que, dès que Mme Moïse eut un moment libre, elle téléphona chez lui et apprit qu'il n'y avait pas de chien dans la maison. Gédéon, plutôt que d'avouer son mensonge, prétendit que, en réalité, c'était sur le chemin de l'école, en fouillant dans son sac pour s'assurer qu'il ne l'avait pas oublié, que son cahier lui avait échappé et que, là, un chien inconnu s'en était emparé. Il avait voulu simplifier l'histoire, quoi ! parce qu'elle avait trop l'air d'un mensonge et qu'il savait que Mme Moïse ne le croirait pas.

— Tu avais raison, s'exclama celle-ci, tellement raison que je ne te crois toujours pas ! Je suppose que c'était un chien noir avec une queue fourchue ?

— Euh… non… C'était un chien avec des oreilles !

— Avec des oreilles ! Oh là là ! On aura tout vu !

— Je veux dire de grandes oreilles !

— Ah ! Et ça t'est arrivé à quelle station du métro, cette aventure ?

— Euh… Beaubien…

Trente et une bouches se transformèrent instantanément en autant d'éclats de rire. Seul le pauvre Gédéon, qui ne comprenait pas encore comment il avait été piégé, qui roulait de gros yeux et cherchait en vain, la babine pendante, une nouvelle façon de protester de son innocence, ne riait pas. Ni Mme Moïse, bien sûr, mais cela sautait aux yeux qu'elle en avait envie.

Il fallait voir comment Nathalie Durocher imitait l'un et l'autre.

— UN CHIEN DANS LE MÉTRO ! TU ME PRENDS POUR QUI, MON GARÇON ?

Et Nathalie de se gonfler le torse, de brandir le doigt et de déverser un orage d'invectives tout à fait dans les notes et les mots de Mme Moïse, fixant le sol comme si elle engueulait une fourmi. Elle était si drôle à voir que même les grands, qui ne connaissaient pas Mme Moïse, cessèrent un instant de houspiller leurs camarades féminines pour regarder son numéro.

Soudain, une fille dégagea son coude de la prise d'un garçon et s'approcha de Lovelie. Elle n'était pas spécialement belle, avec son nez un peu long et pointu et ses yeux minuscules qui lui donnaient un petit air de rongeur, mais elle avait des seins fort invitants sous sa blouse d'uniforme dont les boutonnières résistaient avec la force du désespoir. Quant au pantalon gris, elle l'avait sûrement acheté quelques points trop petit et, évidemment, il ne s'était pas ajusté par le simple fait d'être porté. Ce devait être d'un inconfort épouvantable.

— Lovelie ! prononça la fille après avoir mis un moment à vérifier si elle ne faisait pas erreur sur la personne. Lovelie ! Tu t'appelles Lovelie, non ?

— Oui…

— Tu ne te souviens pas de moi ?

La voix était familière, le visage aussi.

— Charline !

— Oui ! C'est ça ! Tu as grandi ! Tu commences ton secondaire ?

— Oui.

Lovelie ne savait trop quelle attitude adopter. Ses souvenirs de Charline étaient tous plus éprouvants les uns que les autres, sauf le dernier, quand elle lui avait rapporté sa poupée, mais il était si bref. Qu'était devenue Charline depuis ce jour de juin 1980 où elle l'avait attendue à la descente de l'autobus scolaire pour lui rendre ses affaires et lui demander pardon ? Était-elle redevenue méchante ou avait-elle continué à changer dans le bon sens ?

— Ah ! c'est *fresh* de te retrouver ici !

— C'est une bonne école, non ?

— Euh…

Charline jeta un œil de côté, songeant que les garçons, derrière, l'écoutaient. Par conformisme, elle répéta la sentence convenue des élèves qui avaient passé trois ou quatre ans à l'Académie.

— Bof, c'est une école *b. s.*...

Puis, constatant que cette affirmation peinait Lovelie, elle rectifia :

— C'est pas si pire, ouais, c'est correct.

— Tu es en quelle année ?

— En cinq. Euh... j'ai perdu un an, tu sais, quand on a déménagé...

Les deux filles furent gênées tout à coup de sentir leur douloureux passé commun émerger au milieu de camarades qui ne pouvaient le partager. Charline se secoua légèrement pour chasser la morosité.

— Je suis contente de te voir, vrai de vrai ! C'est *cool* de te retrouver.

La pluie cessa presque ; un rayon perça les nuages.

— Je n'en reviens pas comme tu as grandi. Tu es devenue belle ! Oui, je te jure ! En tout cas, si tu as besoin de quelque chose, compte sur moi. Il faudra bien qu'on jase, un de ces jours, avant la fin de l'année !

— Viens-tu, Lovelie ? demanda Lucie, qui se souvenait aussi vaguement de Charline, qui avait été sa voisine.

Lovelie acquiesça, salua. Les trois amies dévalèrent les marches et partirent au trot, sautant les flaques comme dans un jeu de marelle.

4

Sur l'oreiller

La famille Brûlotte habitait au même endroit depuis la naissance de leur fille Lucie, dans le logement du milieu d'une maison à trois paliers typique de Montréal.

Devant le rez-de-chaussée, il y avait un minuscule jardin séparé en deux par un trottoir rudimentaire qui menait à la porte d'entrée des propriétaires. Un érable à sucre accaparait le côté gauche tandis qu'à droite une pelouse chenue récupérait les nutriments négligés par l'arbre ainsi que le peu de soleil que filtrait un escalier tournant. Cet escalier montait jusqu'à une « galerie » qui offrait le choix de deux portes. La première était celle des Brûlotte, la seconde donnait sur un autre escalier, intérieur celui-là, qui grimpait jusqu'à deux logements plus petits, dans lesquels se succédaient de jeunes couples ou des célibataires en transit.

L'arrière était davantage dégagé. Entre la maison et la ruelle pavée, il y avait un rectangle de pierre concassée pour garer une voiture, un potager d'une douzaine de mètres carrés et une aire de jeu. Les propriétaires passaient le gros de l'été sur la Côte-Nord et accordaient aux Brûlotte le privilège d'utiliser cette cour durant les beaux jours. Le père, Émile, appréciait d'avoir son taxi à la sortie de chez lui plutôt qu'au poste qui se trouvait à dix minutes de marche. Germaine, elle, cultivait le potager avec une ardeur et une rigueur qui n'avaient rien à envier à ses nombreux voisins d'origine italienne, dont les tuteurs à tomates révélaient la présence aussi clairement que l'eussent fait autant de drapeaux.

Les filles avaient vécu de bons moments, dans la cour, à s'inventer des jeux, mais ils étaient révolus, ces temps où les ruelles de Montréal résonnaient des cris de centaines d'enfants gouailleurs. Les familles s'étaient réduites et les discriminations mesquines, qui affligent les humains dès le plus jeune âge, avaient achevé d'atomiser les groupes. Ce changement démographique avait eu pour effet pervers de rendre les ruelles plus dangereuses. Autrefois, l'irruption d'un inconnu était aussitôt signalée, alors qu'aujourd'hui on ne connaissait pas la moitié de ses voisins, car les familles réduites étaient aussi davantage mobiles. D'ailleurs, Émile et Germaine Brûlotte avaient souvent songé à s'exiler dans un de ces nombreux développements de banlieue, mais tous deux étaient des enfants du quartier.

Le logement des Brûlotte, qui occupait tout l'étage, comptait officiellement six pièces et demie. Cependant, l'immeuble étant jumelé, il ne comportait pas de fenêtres sur le côté mitoyen et une seule sur l'autre, les pièces du devant étaient doubles. À droite en entrant, il y avait le salon et la salle à manger, et à gauche, la chambre des filles. Elles auraient pu se séparer le territoire, mais elles avaient spontanément installé leurs lits en parallèle au fond, consacrant la partie avant des pièces jumelles à l'étude et au jeu.

La chambre était mieux garnie que ce à quoi on aurait pu s'attendre, connaissant la modeste condition de la famille. Sans tricher sur le budget, tout le luxe que le ménage pouvait s'offrir allait aux filles. Il en avait été de même dès la naissance de Lucie, et quand Lovelie était arrivée, les parents Brûlotte s'étaient appliqués avec une rigueur quasi religieuse à la traiter sur le même pied que leur véritable enfant, bien qu'ils n'aient pas adopté Lovelie légalement — ce n'était pas faute de le vouloir. Personne n'aurait été en droit de leur reprocher d'utiliser à mauvais escient la modeste compensation que leur versait l'État à titre de famille d'accueil, et ils poussaient l'honnêteté jusqu'à en verser une part dans un fonds d'économie au nom de l'enfant.

La chambre, repeinte régulièrement dans des tons pastel où le rose dominait, débordait de gaieté. Les rideaux de la fenêtre, avec leur cantonnière et leurs volants dentelés, évoquaient les chambres de princesse telles qu'on les dessine dans les livres de contes. Les affiches de l'émission *Passe-Partout*, et plus tard celles de vedettes populaires de la chanson et du cinéma, les jeux, les poupées et les livres bien rangés sur les étagères, la dînette en plastique qui servait de table à bricolage, chaque détail contribuait à faire de cette pièce le modèle réduit d'un palais de l'enfance. Dans ses tout premiers séjours, Lovelie avait eu l'impression d'entrer dans une page de livre à colorier, puis elle en avait vu d'autres et elle s'était habituée.

Hélas ! l'enfance est brève et on ne la regrette que longtemps après l'avoir quittée. Toutes ces joliesses leur paraîtraient bientôt ridicules, injurieuses même à l'égard du dérisoire bout d'âge qu'elles avaient parcouru. Déjà, Lovelie ne pouvait plus s'asseoir sur les chaises de la dînette et elle se mettait à genoux pour bricoler.

Et en ce soir du vendredi 13 septembre 1985, elles s'étaient mises au lit avec des humeurs troubles. C'était Lucie qui, depuis le retour de l'école, traînait, dans son regard fuyant, dans ses gestes désinvoltes et dans sa manière de parler, l'ombre d'un souci. Cela n'avait pas échappé à Lovelie et, puisqu'elles partageaient tout, elle s'en était trouvée soucieuse à son tour.

Elles placotaient toujours un bon quart d'heure avant de s'endormir.

— Eh bien! Nous voilà couchées et il n'est rien arrivé d'épouvantable! dit Lovelie, après avoir installé Poupette dans l'angle que formaient son matelas et le mur, et s'être enfoui la tête dans l'oreiller.

— Tu as quand même retrouvé le gars, chose... ski, et Charlotte.

— Le gars, c'est Chomsky, et la fille, c'est Charline... mais je les aurais retrouvés de toute façon un jour ou l'autre. Et ce n'est pas un malheur!

Lucie se tut un moment, gênée, puis poursuivit:

— Je me rappelle un peu Charline. C'est une méchante fille.

— Non... Je pense qu'elle était surtout très malheureuse.

— Elle t'a fait du mal, non?

— Pas seulement elle. Ça fait longtemps, Lucie, c'est oublié.

— Tu es sûre ? Quand tu l'as reconnue, cet après-midi, j'ai bien vu dans tes yeux que, sur le coup, tu as eu peur. Avoue !

— C'est vrai. Ce qui m'est revenu en premier, c'étaient des mauvais souvenirs.

— Tu vois que t'as pas oublié ! Quels mauvais souvenirs ?

Lovelie s'impatienta un peu.

— C'est sûr que je n'ai pas tout oublié, je ne fais pas d'alzheimer. Mais c'est loin et puis j'aime pas penser à ça. C'est passé et on peut rien y changer.

— Je suis ta sœur. On peut parler de tout avec sa sœur.

— Tu n'étais pas ma sœur quand c'est arrivé.

Lovelie sentit sa gorge se serrer, trop tard pour rattraper cette phrase et la ravaler : il est des silences qui, telles les voix, ont un ton révélateur. Celui de Lucie exprimait clairement qu'elle était blessée. Lovelie lui avait rappelé qu'elles n'étaient pas de vraies sœurs, ce qui était le cas dans la réalité, non dans son cœur.

Lovelie poussa sa couverture de flanelle et, en une enjambée, elle se glissa dans le lit de Lucie.

— Oh ! Lucie ! J'ai pas dit ça pour te faire de la peine, tu es ma petite sœur pour toujours, voyons ! Sauf que ça ne nous apporterait rien que du chagrin à toutes les deux de jaser de ces affaires-là. C'est sûr que ça m'a fait un coup de revoir Charline, mais si je peux être… normale avec elle, ça signifierait que c'est vraiment fini, non ?

— Tu lui as pardonné ?

— Oui, ça fait longtemps. C'est elle qui m'avait rapporté ma poupée. Tiens, tu vois, ça, c'est un secret ! Je l'ai jamais révélé à personne. Et elle m'a demandé pardon. Je pensais jamais la revoir.

Elle était roulée en boule contre le dos de Lucie.

— Il faut pas pleurer pour ça…

— Je pleure pas ! protesta Lucie. C'est juste que… il y a aussi ce que le gars, Chomsky, a dit… comment une Noire peut avoir une sœur blanche ?

— Oui, je sais… c'était pas gentil de sa part. Que veux-tu, il est de même, Chomsky. On dirait qu'il a besoin d'avoir l'air mauvais. Il n'a pas une vie facile. Tu ne peux pas comprendre.

— Pourquoi est-ce que je ne pourrais pas comprendre ? Est-ce que tu me trouves sotte ? s'indigna Lucie, à nouveau vexée.

— Bien non, voyons ! Mais tu n'as jamais été séparée de ta famille, et tu n'es pas noire.

— Alors, il a raison, Chomsky.

— Ah ! Lucie ! Pourquoi tu poses toutes ces questions ? Chomsky a dit ce qui lui est passé par la tête. Une Blanche et une Noire ne peuvent pas avoir les mêmes vrais parents, il ne nous apprend rien ! Et puis qu'est-ce que ça peut faire ? Nous autres, on sait bien ce qu'on est ! Pourquoi est-ce que ça te fait de la peine ?

Lucie bougea enfin, se tourna sur le dos et, à travers la noirceur que seule atténuait une veilleuse miniature branchée directement dans une prise, elle fixa le plafond.

— Je n'ai pas de peine. J'ai peur.

— Peur ? De quoi ?

— Je sais pas… peur d'avoir de la peine !

Lovelie soupira.

— Bien là ! Je te comprends de moins en moins.

— Moi, je suis sûre que ton Chomsky, il a pas dit ça pour rien. Il y a beaucoup de Noirs, dans l'école. Il y en a plus que les Blancs et les Chinois ensemble. Mettons qu'ils pensent comme Chomsky…

— Lucie ! Ce n'est pas parce qu'ils sont noirs qu'ils vont tous penser pareil !

L'argument sembla porter. Lucie mit un moment à répondre.

— Non, ça doit pas…

— Écoute, est-ce que je me suis déjà énervée de ce que pensaient tes amies blanches, moi ?

— C'est pas pareil.

— Qu'est-ce qui est pas pareil ?

— On n'allait pas à la même école.

Lovelie ne trouva rien à répliquer. Au fond, elle comprenait le malaise de Lucie, mais pas davantage qu'elle, elle n'aurait pu l'exprimer. C'était un fait : fréquenter la même école changeait beaucoup de choses.

Et c'était aussi un fait que, dans cette école, les Noirs étaient majoritaires. Lovelie laissait entendre que cela n'avait pas d'importance pour elle, et elle ne mentait pas, parce qu'elle n'avait pas encore conscience de l'importance que cela aurait tôt ou tard. À son arrivée en ce pays, elle avait été confinée dans la maison par sa famille d'accueil, qui était haïtienne, et à laquelle appartenait Charline. Puis, le drame éclatant, elle s'était retrouvée dans une famille québécoise fonctionnelle et chaleureuse, où elle avait grandi telle une Montréalaise de naissance, et c'est en se coulant dans le moule de cette famille qu'elle avait appris à apprécier ce pays. Par la force des choses, bien que noire de peau, elle était devenue un peu blanche de cœur. Or, voilà qu'à l'école elle était plongée dans un milieu où les Noirs dominaient.

Elle n'avait rien dit d'un sentiment confus — qu'elle essayait de nier — qu'avait fait germer en elle l'irruption massive de ces jeunes Noirs dans sa vie. À part Charline et Chomsky, elle n'en connaissait aucun, et pourtant leurs gestes, leur démarche dansante, les éclats de leurs voix, leur gaieté sonore et même leurs colères brèves et tonitruantes agitaient les eaux profondes de son âme créole.

— Lucie ? demanda encore Lovelie avant de retourner dans son lit.

— Quoi ?

— C'est pas pour faire des secrets, mais ça pourrait inquiéter ta mère pour rien de savoir que Charline et Chomsky sont dans notre école.

— Ouais…

5

La cote douze

Quand on pénétrait dans le bureau du Colonel, on avait l'impression de ne plus se trouver dans une école tant l'endroit faisait chic. Ce n'était pas pour rien que, quelques années plus tôt, les dépenses somptuaires consacrées par M. Liniaris à son confort personnel avaient joyeusement scandalisé le corps enseignant. Cependant, malgré la cascade de commentaires vipérins, alimentée par Mme Tissot, qui avait éclaboussé toutes les instances de la commission scolaire, l'épaisseur des paravents politiques du directeur de l'Académie Corbett l'avait protégé des regards inquisiteurs.

On ne connaissait nul autre administrateur scolaire de ce niveau qui reposât ses souliers vernis sur un plancher recouvert d'une moquette aussi épaisse ; aucun autre bureau n'avait de rideaux de velours pourpre aux fenêtres, dont les stores assortis demeuraient systématiquement baissés durant les récréations, afin de ne pas voir ce qui se passait dans la cour ; enfin, le bureau ovale en teck, le fauteuil en cuir capitonné, la bibliothèque vitrée et les tableaux accrochés aux murs ne reflétaient en rien la politique d'austérité que le gouvernement, dans son effort pour diminuer le déficit des finances publiques, imposait aux écoles.

Et surtout, la seule pensée de l'existence de cette pièce mettait Messier de fort mauvaise humeur, au point qu'il n'avait jamais pu y mener une discussion sur un ton sinon cordial, tout au moins dépourvu d'acrimonie. On peut donc imaginer qu'en cette fin d'après-midi du mercredi dix-huit septembre, durant lequel il avait enseigné trois périodes consécutives plus un extra de quarante-cinq minutes afin de mater quelques têtes brûlées, il n'avait pas apprécié de trouver dans sa boîte à messages le mémo bleu présigné où la mention *S.V.P., passez me voir* était cochée, sans autre explication. Messier détestait aussi l'arrogance de ces « convocations blanches » et il faillit remettre celle-ci à sa place et rentrer tout de suite chez lui. Néanmoins, vu qu'une autre grosse journée l'attendait le lendemain, il choisit d'expédier illico ce fâcheux contretemps.

— Il est dans son bureau ? demanda-t-il à Mme Tissot, qui avait son air habituel de faire mille choses à la fois.

— Oui, mais je ne sais pas si…

— Merci.

Messier s'engagea dans le court passage qui menait au bureau du Colonel et frappa trois coups vigoureux. Il recommença quinze secondes plus tard. Il avait le poing levé pour une troisième reprise lorsqu'il entendit du mouvement derrière la porte, qui s'ouvrit lentement.

Le Colonel ne fut pas surpris de découvrir Messier.

— Vous m'avez convoqué, dit sèchement ce dernier en brandissant le bout de papier, sans laisser le temps au directeur d'émettre une critique.

Celui-ci soupira avant d'acquiescer.

— Entrez.

«Ah! S'il ne chiale pas à propos de mes manières, c'est qu'il a quelque chose à me demander!» réfléchit Messier.

— Veuillez vous asseoir.

— Ce sera long?

— Seulement quelques minutes.

— De quoi s'agit-il? soupira l'enseignant en se laissant choir dans un des trois fauteuils destinés aux visiteurs.

— Je voudrais vous consulter à propos d'un élève de la «deuxième spéciale», Chomsky Deshauteurs. Vous voyez de qui je parle?

«Consulter! persifla intérieurement Messier. Il a appris un nouveau mot à la mode.» La «deuxième spéciale» — qu'entre eux les professeurs appelaient la «poubelle» — regroupait des élèves qui n'avaient plus leur place dans les classes de cheminement temporaire, sans pour autant posséder les acquis essentiels pour réussir le programme régulier.

— Chomsky Deshauteurs! Évidemment que je le replace. Il est dans un de mes groupes.

— Je sais. En début d'année… vous auriez pu ne pas connaître tous vos élèves…

— Ça dépend d'où l'on place ses priorités, n'est-ce pas? Les miennes, ce sont justement mes élèves. Donc, j'ai une assez bonne idée de ce qu'il y a dans leur tête, et dans celle de ce Chomsky entre autres, même s'il est souvent absent.

— Vous avez consulté son dossier?

— Pas du tout. Je ne consulte jamais les dossiers. Je préfère repartir à zéro et me faire ma propre idée. C'est plus sûr.

— Oui, je connais votre approche, sauf que…

— Qu'est-ce qui se passe avec Deshauteurs? coupa Messier.

— Rien de spécial. Comment le percevez-vous?

« Qu'est-ce qu'il trame, le vieux *criss*? » s'interrogea le professeur.

— C'est un garçon intelligent, intéressé par les maths, les jours où il est en classe. Je le soupçonne d'avoir des activités plus lucratives qu'un cours secondaire, et un projet de vie qui ne nécessite pas de diplômes.

— C'est tout?

— Oui! Dans la classe, il se tient tranquille et il fait le travail que je lui demande, quand il est là, je le répète. Par contre, côté devoirs, il y a du chemin à faire. Pour le reste, je n'ai ni le temps ni les moyens de m'en occuper.

— Est-ce que vous avez une idée des motifs de ses absences?

— Est-ce que vous m'écoutez? De toute façon, c'est votre boulot, ça. Elles sont motivées ou non, ses absences?

Les hélix des oreilles du Colonel rougirent discrètement.

— Euh… oui, fit-il en fouillant dans le dossier qu'il avait ouvert devant lui. Il apporte des billets signés.

— Signés par qui?

— Sa tante, je crois, qui est la personne responsable.

— Si vous avez des doutes, vérifiez !

— C'est probablement en train de se faire, mais il y a tant de cas, vous savez…

« Si tu pensais un peu moins à ton avancement et un peu plus aux tâches pour lesquelles tu es payé, mon gros lardon, ça aiderait ! » se dit Messier en faisant mine de se lever.

— Maintenant que j'ai répondu à vos questions, si vous permettez…

— Un moment, je vous prie, je n'ai pas encore abordé le point principal.

— Bon. Qu'est-ce que c'est ? bougonna Messier en se rassoyant.

— Eh bien ! Mme Stellmazuk et vos collègues qui enseignent en cheminement croient qu'on devrait accorder à ce garçon une cote douze.

Dans la longue liste des personnes que Messier méprisait, Mme Stellmazuk, la conseillère en orientation, qui faisait aussi office de psychologue à rabais, figurait en bonne place.

— Une cote douze ! Ça signifie de sérieux problèmes de comportement, non ?

— C'est cela, oui. Nous avons besoin de l'avis de ses professeurs. Celles de l'an dernier, en cheminement, nous appuient à cent pour cent.

Mme Stellmazuk n'avait pas l'exclusivité de son excellente place sur la liste des « méprisables ». Elle y jouissait de la compagnie de deux amies : les enseignantes de cheminement. Quand Messier parlait de ces dames, il disait « la basse-cour », pour ne pas les traiter ouvertement de dindes.

Il cogita encore dix secondes.

— Et alors ? s'enquit le Colonel.

— Non !

— Non ?

— Non.

— Non comme ça ? Sans raison ?

— Il me semble que c'est à vous de fournir des raisons. Si j'avais jamais pensé que ce garçon méritait une telle cote, je vous en aurais fait part avant.

Et il se leva.

— Ne vous sauvez pas, je vous en prie, nous pouvons en discuter.

— Je ne crois pas. Dans ma classe, ce garçon est calme, poli, et respecte mes consignes. À moins que je ne me trompe, cela ne correspond pas du tout à la description d'un « coté douze ». Que voulez-vous que je vous apprenne de plus ?

— Mais selon Mme Stellmazuk et les enseignantes de l'an dernier, il est irascible, provocateur, agité… L'an dernier, il a même été suspendu pour s'être battu dans la cour !

Messier, debout, sentait la moutarde lui monter au nez, et ce n'était pas de la moutarde américaine.

— Eh bien ! c'était à elles de le coter l'an dernier ! Qu'est-ce que c'est que cette façon de procéder ? C'est grave, une cote douze, vous le savez. Ça marque un jeune, ça le suit…

— … et ça apporte des ressources.

— Pardon ?

— Écoutez, monsieur Messier, vous êtes un excellent prof de maths, et je l'ai été moi aussi, donc vous savez compter, et vous êtes sans doute pragmatique… Il y a, dans l'éducation, des réalités avec lesquelles il faut vivre, même si nous ne les aimons pas. L'une d'entre elles, c'est que le nombre de profs qui nous est alloué est fonction du nombre d'élèves inscrits, et les élèves cotés comptent pour plus que les autres…

Au grand étonnement du Colonel, Messier se mit à rire, d'un rire qui sonnait faux, toutefois.

— Excusez-moi, se reprit le professeur, j'ai cru un instant que vous étiez en train de m'expliquer que vous vouliez coter Chomsky Deshauteurs dans le dessein de réclamer davantage de personnel ! Ce doit être la fatigue qui trouble ma perception…

Le Colonel parvint à peine à camoufler sa gêne.

— Ce n'est pas cela, voyons ! On ne va pas coter des élèves uniquement pour maintenir le personnel à son niveau actuel, même si nos prévisions d'effectifs se sont avérées un rien optimistes. Néanmoins, le fait qu'on nous demande de retrancher la moitié d'un enseignant nous incite à réévaluer certains dossiers…

— Ne comptez pas sur moi !

— Monsieur Messier, cessez de m'interrompre ! Nous ne pourrons jamais nous entendre si nous n'y mettons pas chacun du nôtre…

— Ah ! Là-dessus, je suis d'accord. Nous ne pourrons jamais nous entendre et je n'ai pas envie d'apporter mon concours à une magouille qui me dégoûte. Ça me met trop en *ostie* !

— N'employez pas ce langage dans mon bureau, s'il vous plaît !

— Je m'excuse, je ne devrais pas, en effet. Je vous laisse. Je vais aller sacrer... et vomir chez moi.

Et il sortit, sans claquer la porte puisqu'il s'abstint de la refermer. Mme Tissot le vit traverser le bureau d'un pas furieux et sa langue venimeuse baigna aussitôt dans la salive.

Dans son chic bureau, M. Liniaris demeura interloqué, si parfaitement immobile qu'il ressemblait à une statue de cire dans un décor des célèbres musées.

— Grosse journée, Messier !

Messier leva la tête et se rendit compte qu'il pénétrait dans le stationnement. Mme Moïse marchait à côté de lui. Depuis combien de temps ? Pour ne pas l'avoir aperçue, il fallait vraiment qu'il fût dans tous ses états.

— Tu as l'air d'une sacrée méchante humeur ! lança-t-elle, en adoucissant le ton. Ils te l'ont faite si dure, les mioches, aujourd'hui ?

Touché par ce registre proche de la tendresse, et peut-être un tantinet taquin dont il ne l'imaginait pas capable, Messier se détendit à son tour.

— Excusez-moi. Oui, je suis en maudit, et ce n'est pas la faute des jeunes.

La voiture de Messier était la plus proche. Il s'arrêta. Mme Moïse ralentit le pas pour lui laisser la chance de donner, s'il en avait envie, un cours à ce début de conversation.

— Si ce n'était que des élèves ! continua-t-il.

C'est pour essayer de les aider à devenir honnêtes, responsables et conscients qu'on a choisi ce métier. On ne s'attend pas à ce qu'ils soient sans défauts. Mais qu'est-ce qu'on peut faire avec tous ces adultes pourris ?

— Tu as encore eu un différend avec Liniaris, toi, je me trompe ? dit Mme Moïse en s'immobilisant et en installant sa serviette dans ses bras croisés, ainsi que le font les jeunes filles studieuses.

— Non, vous ne vous trompez pas.

— Est-ce que tu veux en parler ? Sinon, je n'insiste pas.

— Pourquoi pas ? Il risque de vous demander la même chose.

Et Messier, un pied posé sur le pare-chocs de sa voiture, une japonaise en voie de biodégradation, rapporta l'essentiel de son bref entretien avec le directeur. Mme Moïse, droite comme un monument, l'écouta sans l'interrompre. Par respect des personnes et de la déontologie, il s'abstint de nommer l'élève.

— C'est un Haïtien ? s'enquit Mme Moïse, sans vouloir insister.

— Ouais… Ah ! je peux bien vous révéler son nom. De toute façon, la moitié de l'école sera au courant d'ici la fin de la semaine.

— Tu crois ?

— Certain. Le secret, dans une école, ça n'existe tout simplement pas. Il s'appelle Chomsky Deshauteurs !

— Chomsky ! Il me semblait bien, aussi…

— Vous le connaissez ?

— Pour ça, oui ! Du moins, je l'ai connu. Il était dans ma classe la dernière année où j'ai enseigné au primaire. Je l'ai croisé deux ou trois fois dans les corridors. Je n'étais pas certaine que c'était bien lui. De son côté, il m'a reconnue, c'est sûr, et il ne s'est pas attardé, le garnement. Il a changé, en cinq ans. Ou plutôt, il s'est développé, parce qu'il a toujours la même allure.

— Une allure de dur. C'est un air qu'il se donne ?

— Non, c'est un vrai dur. Il n'a pas peur de recevoir des coups, ni de frapper. Côté affectif, il a une fichue carapace. Sauf qu'il n'est pas foncièrement mauvais. Il est inutile d'essayer de le prendre par les sentiments et, pourtant, il a du cœur plus qu'il n'en faut. On croirait que rien ne le touche, mais ça ne l'empêchera pas de faire preuve d'abnégation dans une situation extrême où il n'y a pas de compromis possible.

— Vous le connaissez donc si bien ? demanda Messier.

— Nos rapports, bien que courts, ont été intenses. Je te raconterai, si…

— Et vous lui donneriez une cote douze, vous ?

— J'ignore comment il se comporte maintenant, mais au primaire il n'était pas différent de la description que tu en fais. Il était souvent en retard et « oubliait » tous les devoirs. Par contre, une fois à sa place, il s'absorbait dans le travail. C'est un révolté intelligent. Il aime apprendre et comprendre.

— Je mettrais ma main au feu qu'il est membre d'une bande de rue. Il semble avoir de l'argent plein les poches. Vous verrez à la prochaine journée sans uniforme, il ne porte que des vêtements de marque.

— Ça se pourrait, hélas…

Une brise fraîche qui se levait emporta la dernière syllabe. Le regard de Mme Moïse fixa un point par-delà la tête de Messier et ce dernier s'abandonna à contempler ces yeux parfaits, immenses perles noires incrustées dans la nacre pure. Une mèche boudinée s'agitait sur sa tempe. Comme elle avait fière allure ! Jamais il ne s'était senti si menu devant une femme.

Un éclat de rire retentit loin derrière lui, dans la direction où regardait Mme Moïse, un éclat de rire tonitruant, faux, épais. C'était Condina qui riait d'une de ses propres réparties.

— Voilà Condina, dit Mme Moïse.

— Je sais, on le reconnaît de loin.

— Toujours en train de baratiner, celui-là !

— Vous avez déjà remarqué cela ! Il est avec qui ?

— La petite qui enseigne l'éducation physique.

— Marie-Josée Duguay. Ça ne m'étonne pas.

— Je me demande bien ce qu'elle lui trouve. Elle se cherche un père, ou quoi ?

— Ce serait plutôt lui qui se cherche une paire !

— OH ! MESSIER ! s'indigna Mme Moïse, cependant incapable de s'empêcher de sourire.

— Eh bien ! Quoi ? Je me gênerais ! Cela dit, échanger des platitudes avec cet insignifiant n'arrangera pas mon humeur, alors…

Messier hésita un instant, puis plongea.

— Je connais une charmante terrasse, pas loin. Ça vous tenterait de continuer à jaser en buvant une bière… ou un café ?

— Ni alcool ni caféine, merci. Un jus peut-être, mais pas aujourd'hui. Je donne un cours de danse à dix-sept heures.

— Vous dansez !

— Oui ! Ça t'étonne ?

— Bien… euh… non…

— Et puis écoute, Messier, je n'irai pas prendre un verre avec un type qui me vouvoie. Devant les élèves, d'accord, mais quand on discute, s'il vous plaît, c'est « tu » et c'est Horacine, d'accord ?

— D'accord. À demain… Horacine.

— À demain, Alain.

La voix de Condina était toute proche.

— Eh ! Est-ce qu'on vient d'interrompre quelque chose ? se gaussa ce dernier, voyant Messier et Mme Moïse se séparer.

Messier se contenta de répondre d'une salutation manuelle et se dépêcha de monter dans sa voiture, non sans murmurer un « Sacrement d'épais ! » bien senti.

* * *

— CHOMSKY !

Le garçon s'arrêta… et il s'en voulut tout de suite ! Pourquoi cette voix surgie du passé pouvait-elle encore déclencher chez lui un réflexe d'obéissance ? Il eut l'idée de reprendre sa déambulation et de se perdre, comme si de rien n'était, dans le flot des élèves qui se dirigeaient vers la cantine. Il s'avisa que c'était la chose à ne pas faire. Tôt ou tard, il se retrouverait face à elle, et ce serait pire. Il se retourna, la tête bien haute.

— Ah ! Madame Moïse ! Bonjour ! Comment allez-vous ?

— Tout de même ! fit cette dernière, un peu décontenancée par le beau sourire que le garçon lui adressait. Je croyais que tu faisais semblant de ne pas me reconnaître !

— Moi ? Quelle idée ! Au contraire, ça me fait plaisir de vous revoir.

— Ah ! Vraiment ? Ça me fait plaisir aussi de constater que tu t'es remis de tes blessures.

— Oh ! Oui… je ressens encore des raideurs dans le ventre. Il paraît que ça va passer.

— Et tu es sage ?

— Oh ! Oui, madame ! C'est fini les affaires croches, je me tiens tranquille. C'étaient des erreurs de jeunesse.

Il appuyait son dire en balayant de la main un invisible reliquat et continuait de sourire avec une belle assurance.

— Je suis fort contente d'entendre ça. Je m'inquiétais parce qu'on voit souvent ton nom sur la liste des absences.

Chomsky baissa les yeux et prit un air triste.

— C'est ma tante, vous savez. Elle se fait vieille et elle est malade. Elle a besoin de moi pour l'aider.

— La pauvre ! En tout cas, elle te le rend bien. Ça coûte une fortune, ces vêtements *Michael Machin*.

Mme Moïse pointait du menton les chaussures que portait Chomsky, sur lesquelles le nom d'une vedette de basket-ball s'étalait comme sur un panneau publicitaire. Le garçon jeta un bref coup d'œil pour s'assurer qu'aucun camarade ne s'était arrêté pour les écouter, et chuchota :

— C'est pas des vrais, madame ! Je les achète au marché aux puces.

— Ah bon ! Je me disais, aussi. Je suis contente de voir que tu as changé. Allez, bon appétit !

— Bon appétit à vous, madame. Bonne chance avec vos nouveaux élèves. Vous verrez, c'est une bonne école, ici !

Il tourna les talons et disparut.

Mme Moïse le regarda aller. « Pour avoir changé, tu as changé, mon gars ! Tu es un bien meilleur simulateur ! » se dit-elle. Puis elle se dirigea vers la salle du personnel.

Quand elle en ouvrit la porte, elle fut accueillie par le même éclat de rire qui, la veille, avait interrompu sa conversation avec Messier. Condina plaisantait, avec sa lourdeur habituelle, sur une cuisse de poulet qu'il tenait entre le pouce et l'index. Les collègues de sexe féminin qui, par choix ou par hasard, partageaient sa table, riaient peut-être aussi, mais Mme Moïse se détourna vite de cette vision irritante pour chercher Messier. Ne l'apercevant pas, elle en déduisit qu'elle le trouverait dans la salle contiguë.

Il y était en effet, en compagnie de Saint-Hugo. Les deux hommes avaient l'habitude de prendre ensemble leur repas du midi, malgré des mœurs culinaires diamétralement opposées.

Messier se dépêchait d'acheter un repas chaud à la

cantine et l'engouffrait si vite qu'il oubliait aussitôt sa composition, puis il prenait tout son temps pour siroter un double café en chiquant un bout de paille en plastique, en place et lieu des cigarettes dont il ne faisait plus usage depuis deux ans.

Saint-Hugo, lui, apportait son repas. Il commençait par étendre un napperon, sur lequel il disposait un couvert étincelant. Il s'ouvrait presque toujours l'appétit avec un potage maison gardé chaud dans une bouteille thermos. Le plat principal était le plus souvent constitué de riz au parfum dominant de girofle, garni de haricots rouges, de morceaux de viande archi-cuite, de tranches de plantain, de sections de courgettes, le tout agrémenté de deux ou trois quartiers de pommes de terre. Pour dessert, il dégustait un pouding riche et crémeux accompagné de biscuits aux brisures de chocolat, d'une marque sans nom. Il mangeait ce festin substantiel préparé par sa femme sans faire de bruit ni de miettes, en s'essuyant régulièrement les lèvres avec une serviette de table en tissu.

D'une inaltérable sérénité, Saint-Hugo faisait tout avec une délicate lenteur. On ne l'avait jamais vu en colère et il aurait pu passer pour l'archétype du Noir débonnaire. Qu'est-ce donc qui avait rapproché deux hommes aussi différents ? La réponse était on ne peut plus simple : une haine commune des ineptes de tout acabit qui sévissaient dans le monde scolaire, une haine lumineuse dont le Colonel concentrait les faisceaux à la manière d'une loupe géante. Ses sentiments anti-*establishment*, Saint-Hugo avait appris cependant à ne les exprimer qu'en présence de personnes sûres, mais il faisait des progrès, ironisait Messier.

Or, justement, Saint-Hugo était en train de se régaler de la démarche du Colonel, relatée par son ami, concernant la cote douze de Chomsky Deshauteurs, quand Mme Moïse fit irruption devant eux.

— Bonjour, Alain.

— Bonjour, madame… bonjour, Horacine.

Étonné, Saint-Hugo s'arrêta un instant de mastiquer.

— Écoute, enchaîna la grande femme sans autre forme de préambule, je voudrais t'entretenir de quelque chose, à propos de notre conversation d'hier. Quand tu auras deux minutes…

— J'ai une période libre en fin de journée.

— Je te retrouverai dans ma classe.

— C'est beau ! Je ferai un saut.

— Bon après-midi, messieurs.

Et elle partit aussi prestement qu'elle était venue. Messier la suivit des yeux, puis se tourna machinalement vers Saint-Hugo et sourcilla. Ce dernier le fixait avec un air narquois.

— Horacine ! badina-t-il. Vous êtes devenus intimes… Quel genre de conversation avez-vous donc eue hier ?

— Oh ! attention ! rétorqua Messier. On a discuté de ce que je viens de te raconter, rien de plus ! Strictement professionnel !

— Je n'en doute pas, vieux ! C'est juste que tu es la première personne dans cette école, à ma connaissance, qui l'appelle par son prénom…

— Et alors ?

— Alors rien, rien du tout !

— Tu as vu comme elle est bâtie ? Tu ne t'imagines tout de même pas que… que…

— Je n'imagine rien !

— J'espère.

— C'est vrai qu'elle est charpentée pour les gros travaux, mais elle conserve un assez juste équilibre dans les proportions.

— Savais-tu qu'elle danse ?

Saint-Hugo béa de la bouche.

— Danse… dans le sens de… ?

— Pas dans le sens de « elle danse à votre table », évidemment, *tarlais* ! Elle donne des cours de danse.

— Mais encore ?

— Est-ce que je sais, moi ?

Saint-Hugo faillit pouffer de rire, ce qui eût été malvenu vu qu'il venait de poser sur sa langue un monticule de riz.

— Tu es sur la défensive, dit-il après avoir avalé.

— Moi ? Pas du tout.

— De toute façon, tu as le droit.

— Le droit de quoi ?

— Euh… de tutoyer qui tu veux !

Messier n'en voulut pas à son collègue de lui avoir quelque peu tiré la pipe, surtout qu'il savait pouvoir compter sur sa discrétion absolue — ce n'était pas lui qui alimentait la mère Tissot en rumeurs.

Mme Moïse était dans sa classe, assise à son pupitre en train de corriger, quand Messier s'y présenta au milieu de la dernière période.

— De quoi voulez… Pardon ! Je me reprends, je vais m'habituer. De quoi voulais-tu me parler ?

— Ce n'est pas grand-chose, mais après ce que tu m'as raconté, je préfère ne pas partager cette information avec n'importe qui.

— Oh ! Pour ce qui est de Saint-Hugo, tu n'as rien à craindre.

— Je ne pensais pas à lui en particulier. Une salle commune, ce n'est pas l'endroit pour aborder des choses confidentielles.

— Juste. Il faut se méfier des oreilles à tête chercheuse ! Tu m'intrigues !

— Lovelie D'Haïti, tu la replaces ?

— Bien sûr !

— Elle se débrouille en maths ?

— C'est encore trop tôt pour se faire une idée ferme, mais ses premiers résultats sont très forts. Et elle est tout à fait mignonne, ce qui ne gâte rien.

— C'est une enfant adorable. Je l'ai connue quand elle avait six ans. Elle a traversé de terribles épreuves.

— Dans quel genre ?

— Je n'entrerai pas dans les détails, sauf qu'à la rencontre de parents, tu constateras qu'elle vit dans une famille d'accueil, la famille de Lucie Brûlotte. Quant à savoir ce qui l'a amenée là, imagine le pire et tu ne seras pas très loin de la réalité.

— Ça ne paraît pas. Elle semble sereine.

— Je crois qu'elle l'est. Entendons-nous : elle a souffert, mais elle est passée outre, si tu saisis.

— Je vois très bien. Ce que je ne vois pas, cependant, c'est où tu veux en venir. N'y avait-il pas un rapport avec Chomsky Deshauteurs ?

— Oui. C'est que les deux se connaissent. Je te l'ai dit, je ne veux pas entrer dans les détails. J'ignore quels ont été leurs rapports pendant mon séjour en Afrique. J'ai parlé à Chomsky, hier. Il s'est montré très poli, charmant même.

— À la bonne heure !

— Attention ! Je ne suis pas tombée de la dernière pluie ! Le gamin aura appris à se construire une façade.

— Vous… tu les connais mieux que moi. La psychologie, ce n'est pas tellement dans mes cordes. Je suis prof de maths et je n'ai pas d'autres prétentions que de développer leur sens logique le plus possible.

— Ah bon ! fit Mme Moïse visiblement déconfite par cette dernière réplique. J'avais cru comprendre que tu t'impliquais à fond…

— Je m'implique ! Mais je suis conscient de mes limites.

— Je vois. Est-ce que je peux au moins te demander d'ouvrir l'œil ? Je ne tiens pas à alerter l'état-major, qui me semble avoir les sabots pas mal gros. Es-tu d'accord là-dessus ?

— Oui. Je n'ai pas l'habitude de jouer aux espions, mais je vais faire l'effort, parce que c'est toi… et si tu me promets de ne pas en souffler mot à l'administration sans qu'on en discute avant.

— Je n'en ai même pas parlé à M. Petit.

— Surtout pas à lui !

— Bon ! Qu'est-ce que tu lui reproches ?

— Un adjoint qui se fait appeler Papi par les élèves n'a aucune crédibilité à mes yeux. En voilà un qui ne saisit pas les limites de son rôle. Il aurait dû être travailleur social.

— Mais c'est culturel, ça. Il essaie simplement de mettre les élèves noirs à l'aise.

— Ça y est ! Tu tombes encore dans le « rétro-racisme » ! Il n'y a pas des élèves noirs, des élèves blancs et des élèves jaunes, il y a des élèves qui vont bien, d'autres qui ont des difficultés…

— Tu ne peux quand même pas nier la réalité.

— Non, sauf que…

Ils étaient lancés. Une heure et quart plus tard, ils n'avaient toujours pas réussi à se mettre d'accord, ils avaient pris du retard dans leur ouvrage et ils avaient recommencé à se vouvoyer, ce qui ne changea pas grand-chose puisqu'ils ne s'adressèrent à peu près pas la parole dans les jours suivants.

6

Les premières règles

(Extrait du journal de Nathalie Durocher,
22 septembre 1985)

Quelque chose en moi a changé. Ce matin, je me suis réveillée parce que j'étais mouillée. J'ai eu la sensation d'être redevenue une petite fille. J'étais aussi désolée que Cannelle, une des marionnettes de l'émission Passe-Partout. *Dans un épisode, elle fait pipi au lit. Eh bien, non! je n'étais pas retombée en enfance. C'est même plutôt le contraire. Ce n'était pas de l'urine qu'il y avait dans mon lit, c'était du sang! Une flaque de sang grande comme une pizza!*

Je n'ai jamais eu si peur de ma vie! Je suis devenue toute froide. J'ai failli perdre connaissance. J'ai appelé ma mère en criant. Je l'ai réveillée. Elle est arrivée en vitesse en attachant sa robe de chambre.

« Pour l'amour du ciel, qu'est-ce qu'il y a? » m'a-t-elle demandé. Puis Jean-Paul, son chum, *s'est pointé derrière.*

C'est un bon gars, Jean-Paul. Il ne vient que les fins de semaine. Il ne fume pas. Il n'est pas achalant. Des fois, il m'emmène à mon cours de guitare.

Là, il avait l'air aussi inquiet que maman. Tout à coup, je me suis rendu compte que je n'avais mal nulle part et une petite lumière s'est allumée dans ma tête.

Maman a fait : « Ho, ho ! » Elle s'est tournée vers Jean-Paul et il a compris qu'il ne pouvait pas être utile dans les circonstances.

« Eh bien ! Ça m'a tout l'air que je n'ai plus de petite fille ! » a-t-elle dit en fermant la porte. Elle a défait les draps. Elle semblait trouver ça drôle. Elle parlait sans arrêt. « C'est un grand jour ! » Je n'en suis pas sûre. Il y a des filles qui sont excitées de raconter ça. Moi, je ne vois pas ce que ça peut m'apporter d'intéressant, vu que je ne suis pas pressée d'avoir un bébé. Je ne sais même pas si j'en voudrai un jour. Et puis il faudrait que je commence par trouver un amoureux. Je ne suis pas sûre d'en vouloir un.

Je savais ce que sont les menstruations et que ça devait commencer tôt ou tard, mais il me semble qu'on pourrait être averties. Quelques gouttes avant le déluge, je ne sais pas, n'importe quel signe ! C'est pas drôle de se réveiller dans son sang ! N'importe qui paniquerait ! Ça aurait pu arriver dans la classe ! Pendant un cours de Mme Moïse : flouche ! Déjà qu'elle est souvent sur mon dos. Je suppose qu'elle comprendrait, elle est forcément passée par là — quoique des fois, je me demande si elle n'est pas un homme déguisé en femme ! Mais devant les gars de la classe ! Oh ! mon Dieu ! Rien que d'y penser, je rougis !

Lovelie, elle, a eu son tour. Elle est en avance sur nous. Elle a déjà ses seins ! Et des vrais ! Je les ai touchés, et Lucie aussi. On voulait juste voir. Ils sont gros, je dirais… entre une orange et un pamplemousse. S'ils continuent à pousser à ce train-là, d'après ma mère, elle va se retrouver avec des melons! Mais Lovelie est grande, aussi. Elle me dépasse d'une tête. Elle n'a pas l'air d'une fille de douze ans. Jean-Paul, qui s'occupe des dossiers des patients à Sainte-Justine, a son idée là-dessus. Il prétend qu'elle est peut-être plus âgée que les papiers le montrent, parce qu'en Haïti, ils ne sont pas organisés comme ici, et il y a souvent des erreurs.

En tout cas, c'est Lucie la plus petite de la classe. Elle tient de son père. Sa mère est grande et grosse et son père est un petit maigre! Maman dit qu'on n'a jamais vu un couple si mal assorti. (Pourtant, ils ne sont pas séparés, eux.) Lovelie, moi et Lucie, quand on se place en ordre de grandeur, ça fait comme un escalier!

Il y en a qui taquinent Lucie sur sa taille: «Qu'est-ce que tu fais dans une école secondaire?» Ou encore: «Lovelie, t'as amené ta petite poupée blanche!» Lucie dit que ce n'est pas grave, mais moi, ça m'écœure. Lovelie les envoie promener en créole, sauf qu'elle ne le parle pas souvent, et quand ils répondent, elle ne comprend pas la moitié de ce qu'ils gueulent. C'est aussi bien comme ça.

Maintenant, je pense qu'on aura la paix, à cause de ce qui s'est passé jeudi dernier. On était dans la cour. Ce qui est plate, dans cette école, c'est que les filles ne jouent à rien, la plupart des gars non plus, d'ailleurs. Les premiers jours, on apportait nos élastiques, mais on s'est senties ridicules. Alors, on fait comme les autres, on se promène. Il y a toujours des gars qui viennent nous embêter. Ils se plantent devant nous pour nous barrer le chemin et nous crient des noms.

On vire de bord et, bien sûr, ils recommencent.

Or, tout à coup, qui est-ce qu'on voit ? Chomsky ! Eh bien ! je ne sais pas ce qu'il leur a baragouiné, mais ils se sont dépêchés d'aller achaler quelqu'un d'autre. Il est costaud, Chomsky.

Tant mieux s'il nous a débarrassées des emmerdeurs. Mais, soudain, c'était comme si, moi et Lucie, on n'existait plus pour Lovelie ! Tout de suite, elle lui a dit un beau bonjour souriant et ils se sont mis à marcher devant, nous autres suivant derrière comme... comme des suiveuses, quoi !

Il fallait les voir ! C'était tout juste s'ils ne se tenaient pas la main ! On ne comprenait pas ce qu'ils se disaient, pas parce qu'ils parlaient créole, mais parce qu'ils ne parlaient pas assez fort. C'est pire.

Quand Chomsky est parti, il lui a fait un salut avec les doigts de la main écartés... un peu comme s'il appuyait sur un bouton... Difficile de décrire le geste... Ils font ça, les gars, des simagrées avec leurs mains, c'est une mode. Leur conversation n'a pas duré longtemps, peut-être deux, trois, même pas cinq minutes. Ce n'est pas une question de temps, mais plutôt de « comment » on s'est senties pendant ces minutes-là.

Bon ! Je voulais raconter mes premières règles, et voilà que je parle de Lovelie et de son Chomsky. Nathalie Durocher, tu n'as pas de suite dans les idées ! Mme Moïse a raison : il faut que j'apprenne à m'organiser.

Pour en revenir à ce que ça nous a fait... c'est que toutes les trois, jusque-là, on se sentait inséparables.

Lovelie, Nathalie, Lucie : les trois « ies », comme dit M. Brûlotte. Ce n'est plus vrai.

Lucie trouve que j'exagère. Peut-être. N'empêche, elle ne peut pas nier qu'il y a des affaires qui changent.

7

Pauvre Charline !

Les élèves de première et de deuxième secondaire, qui n'avaient pas le droit de quitter les limites de l'Académie durant le repas du midi, étaient cependant tenus de sortir dans la cour, à moins d'être inscrits à une activité supervisée, ou que le temps fût impraticable. C'était le cas en ce mercredi 25 septembre et lesdits élèves avaient le privilège de demeurer au réfectoire pour jouer, étudier ou placoter. De même, le gymnase était accessible à la grandeur pour accueillir librement le maximum de mordus du basket-ball. Les habitués pouvaient aussi se rendre à la bibliothèque.

Lucie, Nathalie et Lovelie avaient découvert que ce lieu, s'il ne constituait pas le havre de tranquillité auquel on est en droit de s'attendre, exerçait du moins un effet rebutant sur les polissons qui les avaient choisies comme têtes de Turc. Il fallait réserver sa place le matin, avant le début des classes, et les trois amies n'y manquaient pas. Nathalie avait même soumis sa candidature au poste bénévole de monitrice.

Elles avaient terminé leur repas et étaient sur le point de quitter la cantine quand Lovelie aperçut Charline qui cherchait une place où poser son plateau. Depuis leurs brèves retrouvailles, Lovelie s'était confortée dans son idée d'adopter avec Charline une attitude qui faisait abstraction du passé. Elle la salua donc.

— Hé ! Charline ! Allo !

La grande jeune fille s'arrêta et se tourna, surprise. Elle sourit.

— Ah ! Salut, toi !

Constatant que les trois amies partaient, elle demanda :

— Vous avez terminé ? Je peux prendre la place ?

— Bien sûr, répondit Lovelie. Tu es toute seule ?

— Ouais… Mes amis sont sortis acheter du poulet frit. Toi, comment ça va ?

— Viens-tu, Lovelie ? coupa Lucie.

— Super, merci ! répondit Lovelie à Charline.

Et elle amorça le mouvement de suivre ses amies puis, répondant à un appel dont elle n'aurait pu déterminer ni la nature ni l'origine, elle se ravisa.

— Allez-y. Je vous rejoins dans cinq minutes.

Lucie et Nathalie demeurèrent figées un bref instant. Charline aussi, d'ailleurs.

Lovelie se rassit. Dans l'assiette de Charline, il y avait un bloc de pâté chinois enduit d'une sauce brune. Contrairement aux plus jeunes, les élèves du deuxième cycle avaient le droit de quitter l'école à l'heure du repas. Or, n'importe quel morceau de poulet aux hormones cuit dans de la vieille graisse valait mieux que ce pâté.

— Tu n'aimes pas le poulet frit ? demanda Lovelie, tandis que Lucie et Nathalie se résignaient à la laisser.

Charline sourit.

— Les gars me tapent sur les nerfs, ces temps-ci. Je n'avais pas le goût de dîner avec eux.

Lovelie hocha la tête.

— Nous autres aussi, il y a des gars qu'on aimerait envoyer sur une autre planète.

— Je n'en doute pas. Et ils ne s'améliorent pas en vieillissant, je te jure. En plus, ils s'imaginent qu'ils sont irrésistibles.

— Tu n'as pas de *chum*?

Charline baissa les yeux et sectionna le coin de sa pitance, qui se détacha sans s'écrouler, la purée de pommes de terre, le maïs et le bœuf haché formant une structure moléculaire d'une rigidité étonnante.

— Non.

Cette réponse laconique découragea chez Lovelie toute velléité d'approfondir le sujet.

— Ton frère Charlot, qu'est-ce qu'il fait de bon?

— Rien, vraiment rien! Il est au Mont-Saint-Antoine.

— C'est un collège privé?

— Pas exactement, ironisa Charline.

Lovelie attendit un instant un développement qui ne vint pas.

— Ce n'est pas une bonne école?

Charline soupira en mâchant.

— Le problème, c'est qu'on n'y va pas par choix… Il est du genre mou. Il s'est fait embarquer dans une *gang*.

— Il vendait de la drogue?

— Charlot? Voyons donc! Bien trop compliqué! Charlot sait faire une chose dans la vie: jouer à des jeux vidéo. Alors il s'est fait recruter dans une arcade. C'était une *gang* qui volait les dépanneurs, pas des tablettes de chocolat, la caisse plutôt, tu vois. Charlot les attendait à l'extérieur. Ils lui confiaient ce qu'ils avaient volé, et lui venait cacher ça chez nous.

— Ta mère ne disait rien ?

— Ma mère ? Depuis la mort de notre père, elle n'est plus bonne à grand-chose. Moi, je me doutais qu'il faisait des affaires croches, mais j'ai assez de m'occuper de Surprenant. Qu'est-ce que j'aurais pu faire ? Il se fichait de moi. Enfin, un vol a mal tourné, il y a eu des coups de feu et mon épais de frère, au lieu de prendre ses jambes à son cou, il a voulu voir ça, comme si c'était un spectacle ! Résultat : il s'est fait embarquer avec les autres. La police est descendue chez nous, ils ont fouillé sa chambre et trouvé une grosse somme d'argent. Et le pire, des bandes vidéo !

— Des bandes vidéo ? !

— Oui, ces idiots-là, ils emportaient toujours les cassettes des caméras de surveillance des commerces qu'ils volaient et, plutôt que de les détruire, ils demandaient à Charlot de faire des montages et ils se les faisaient jouer dans leurs *partys*. Con comme ça, t'es aussi bien d'être honnête ! Le procès a été court. Les plus vieux sont en prison. Charlot, parce qu'il ne participait jamais directement à l'action, s'est retrouvé au Mont-Saint-Antoine, pour y finir son secondaire.

Charline avait terminé son pâté chinois et attaquait maintenant une salade de fruits servie dans un gobelet de styromousse.

— Et Surprenant, lui ? continua Lovelie.

— Surprenant… Il est propre, en général, il

marche, il parle assez pour dire ce qu'il veut et ce qu'il ne veut pas. Il a sept ans faits, mais dans la tête, il a juste trois ans. La semaine, il va dans un centre spécialisé, le reste du temps, il ne faut pas le perdre de vue. Ma mère croit encore que quelque chose finira par débloquer dans sa cervelle. Ce n'est pas ce que les docteurs disent. En attendant, c'est moi qui m'en occupe parce que ma mère n'en mène pas large. Elle passe son temps à se plaindre. Une chance que p'pa avait des assurances, parce que je me demande bien de quoi on vivrait. Au moins, elle s'occupe de l'argent.

Lovelie regardait et écoutait Charline. Elle, autrefois tellement arrogante, cruelle, perfide, lui faisait pitié.

— L'autre jour, tu avais l'air de t'amuser avec tes amis.

Charline regarda dans le vide.

— Je n'ai pas d'amis. Je fais semblant.

— Je ne comprends pas…

— Imagine la vie plate que je mène à la maison. C'est seulement à l'école que je peux rire un peu, alors…

Charline grattait le fond du gobelet avec sa cuiller de plastique pour y récupérer les dernières gouttes de sirop. Le temps gris qui sévissait à l'extérieur semblait pénétrer par les grandes fenêtres et mouiller davantage de tristesse l'étonnante confession de Charline. Lovelie avait l'âme en compote.

— Pauvre toi ! soupira-t-elle, faute de trouver mieux.

— Pourquoi me plains-tu ? Tu sais mieux que

personne que je n'ai que ce que je mérite. J'ai été tellement égoïste, tellement insensible au malheur des autres, qu'il est juste que je sois malheureuse à mon tour.

Mathématiquement, comme eût dit M. Messier, Charline avait une dette incommensurable envers la vie, mais Lovelie sentait d'instinct que ce n'était tout simplement pas ainsi que les choses devaient se passer. Le poids des actes humains ne pouvait pas être transposé dans les termes d'une équation mathématique. Si tel était le cas, elle-même n'aurait plus qu'à s'asseoir et à attendre le bonheur ; elle pourrait s'arroger le droit d'être compensée durant le restant de ses jours pour les souffrances morales et physiques qu'elle avait endurées.

— Je t'ai pardonné, moi ! dit-elle spontanément.

— Vraiment ?

— Oui. Je me rappelle quand tu m'as rapporté ma poupée. Je l'ai encore. J'y tiens comme à la prunelle de mes yeux, même si ce n'est plus de mon âge de jouer avec ça. C'est certain que tu m'as causé bien des misères, sauf que la dernière chose que tu m'as faite, c'était un plaisir. J'y ai pensé longtemps. Je m'étais habituée à l'idée que tu étais méchante, tu n'étais pas obligée de me rapporter ma poupée et de me demander pardon. Tu ne pouvais pas savoir qu'on allait se revoir. Tu l'as fait parce que, au fond, tu es bonne.

— C'était la moindre des choses…

— Tu sais, Charline, je me rends bien compte que j'ai vécu des… affaires, plus d'affaires que, mettons, Lucie et Nathalie n'en vivront dans leur vie.

C'est pareil pour toi. Ça porte à réfléchir. Je trouve les élèves de ma classe tellement… jeunes ! En tout cas, j'ai compris qu'une personne qui est bonne peut quand même faire des choses méchantes. Mais une personne qui est méchante, vraiment méchante, ne pourra jamais faire quelque chose de bon.

— *'Stie* que tu es intelligente !

Lovelie se raidit un peu, ce juron lui rappelant les mauvais moments de Charline. Sauf que le ton de la jeune fille était sincèrement admiratif.

— Je ne sais pas si tu as raison, continua Charline, je ne suis même pas sûre de bien te comprendre, mais ça fait du bien à entendre.

— Tu ne devrais pas dire des gros mots qui font de la peine à Dieu. Dieu aussi t'a pardonné, tu sais.

— Comment je le saurais ?

— Moi, je t'ai pardonné, et je suis petite. Alors lui qui est si grand, si plein d'amour, comment pourrait-il faire autrement ?

— C'est une façon de voir. Es-tu devenue catholique ? Vas-tu à la messe ? Tu as l'air de bien connaître la religion.

— M. et Mme Brûlotte sont de bons catholiques, et je vois souvent l'abbé Saint-Louis. Mais je suis restée à l'école protestante. Je n'ai pas le choix de penser que le bon Dieu est le même pour tout le monde. Toi ?

— Moi ?

Charline regarda autour pour s'assurer que personne ne les écoutait.

— Je peux te le dire si tu ne le répètes pas, c'est

une école de *mangeux* de Bible, ici, et j'ai pas envie de me faire lapider. Dieu, je suis même plus sûre qu'il existe !

— Hein !

C'était la première fois de sa vie que Lovelie entendait quelqu'un remettre en question l'existence de Dieu. Elle pensait que les athées vivaient ailleurs, dans un monde autre que le sien.

— Voyons, Charline ! Comment peux-tu dire ça ?

— Je regarde le monde, Lovelie. As-tu l'impression que tout ça a été créé par un génie plein de bonté et d'amour ? Oui, tu vas me parler des étoiles dans le ciel, des petits oiseaux, des fleurs, mais les étoiles, c'est des bombes, les oiseaux sont aussi cruels que les humains, et il y a des fleurs qui sont laides et qui puent.

— Dieu nous aide ! Il m'a aidée, moi, à sortir de tu sais quoi.

— Ouais ? Et si c'est lui qui t'en a sortie, c'est pas lui qui t'avait mise dedans, peut-être ? Ça ne tient pas debout.

— Il nous envoie des épreuves.

— Pourquoi il n'en envoie pas à tout le monde ? Ceux qui se fichent de lui ne souffrent pas plus que les autres.

— Comment peux-tu penser des choses aussi…

— Ce n'est pas si terrible. Écoute, autrefois, quand il y avait des sécheresses, les gens faisaient des prières, des sacrifices aux dieux pour qu'il pleuve. Et il finissait bien par pleuvoir. Sauf qu'il ne pleut jamais à une seule place, il pleut sur des régions immenses, et il pleut aussi sur les païens qui adorent des vaches ou sur les bandits qui ne connaissent pas Dieu !

— Bien sûr, mais…

— Oh ! écoute, je ne veux pas t'influencer. Chacun fait comme il pense, c'est ma philosophie. Et toi, au moins, tu agis en chrétienne. Tandis que la bande de *morons* de cette maudite Académie deviennent des « trous de cul » aussitôt qu'ils referment leur maudite Bible !

— Tu es dure.

— Peut-être. Excuse-moi si je te choque, tu n'es pas obligée de m'écouter, tu ne me dois certainement rien, au contraire.

— Non, c'est correct. Je crois que tu te sens seule et malheureuse.

— Seule, c'est sûr. Malheureuse, ça dépend. Tu ne devrais pas aller rejoindre tes amies, maintenant ?

— Oui. À la prochaine.

Lovelie se leva et se rendit à la bibliothèque sans se presser, son coupon d'autorisation à la main. Elle était troublée, pas tant par le fait que Charline eût vraisemblablement perdu la foi, plutôt par le mépris qu'elle éprouvait pour les élèves de l'Académie. Jusqu'à cette heure, elle avait été convaincue que cette école était la meilleure possible, et elle le pensait encore, mais elle ne pouvait plus ignorer que tout n'était pas si parfait. En passant devant le bureau, elle aperçut un des garnements qui la harcelaient, assis sur une chaise, le regard mauvais, dans l'attente d'être sanctionné pour une quelconque bêtise.

La bibliothèque était pleine. Elle retrouva Lucie et

Nathalie installées à une table du fond.

— Eh bien ! Vous en avez jasé un coup, dit Lucie.

— Qu'est-ce qu'elle raconte de bon ? demanda Nathalie.

— Oh ! rien de spécial. Elle s'occupe beaucoup de son petit frère. Il est attardé.

La mine de Lovelie en disait cependant davantage qu'elle ne l'aurait voulu. Le malheur de Charline l'habitait et n'allait plus la quitter de la journée.

Deuxième partie

Le *dechoukaj*

(Du 29 septembre 1985 au 7 février 1986)

1

Reflux

Quelque six ans auparavant, après que Chomsky eut convenablement guéri du vilain coup de couteau qu'il avait reçu et qu'il eut recommencé à arpenter les rues et les ruelles de son territoire, il avait eu la consolation de découvrir que son fait d'armes lui valait une notoriété de qualité variable.

Si les habitants du quartier, ignorants du détail de l'affaire, ne lui ménageaient pas les regards torves, par contre, les professionnels qui étaient intervenus à un moment ou l'autre lui vouaient désormais une affection teintée de paternalisme, à croire que son geste l'avait définitivement rangé de leur côté.

Les policiers, par exemple, qui l'interpellaient dans ses flâneries, rue Saint-Hubert, au lieu de l'admonester, se détendaient sitôt qu'ils l'identifiaient, plaisantaient puis le laissaient filer avec un clin d'œil : « Pas de bêtises, hein ! mon Chomsky ! Tu sais ce que ça donne ! » Lui qui n'avait envie d'être le Chomsky de personne, et surtout pas des flics, s'était senti fort agacé de cette complicité à sens unique, jusqu'à ce qu'il comprît le parti qu'il pouvait en tirer.

Dès qu'il fut en état de reprendre les classes, on l'inscrivit dans une petite école au ratio maître-élèves privilégié, bénéficiant du soutien de psycho-éducateurs. Leur attitude n'avait vraiment aucun rapport avec celle de Mme Moïse. Celle-ci le confrontait sans cesse, le harcelait, le poussait à ses extrémités, exigeait le meilleur de lui-même. Ceux-là se réjouissaient du moindre de ses efforts, reculaient dès qu'ils le sentaient rébarbatif, évitaient à tout prix de le brusquer et déployaient une énergie titanesque pour sonder le tréfonds de son âme. Lui, qui n'avait surtout pas envie d'être sondé, s'était méfié de cette sollicitude non sollicitée jusqu'à ce qu'il comprenne comment l'utiliser.

Il y avait jusqu'aux prêtres de la paroisse Saint-Armand-de-Montréal qui changeaient de trottoir pour venir à sa rencontre, le saluer affectueusement et renouveler toutes sortes d'offres de soutien moral. Le jeune prêtre haïtien, l'abbé Saint-Louis, l'agaçait particulièrement, car le rusé filou le sentait capable de décrypter ses manières faussement affables, et cet agacement perdurait, car Chomsky n'avait toujours pas trouvé de moyens d'utiliser un prêtre.

Bref, le rôle salutaire que Chomsky, au péril de sa vie, avait joué dans celle de Lovelie D'Haïti avait fait de lui un héros local, même que, sans la loi qui protégeait l'identité des mineurs, il en serait devenu un national. Ce statut lui aurait peut-être évité de renouer avec le crime, comme quoi la loi la mieux intentionnée aura toujours quelque effet pervers.

Nul ne revient inchangé d'un séjour dans l'antichambre de la mort, un garçon de dix ans pas davantage que quiconque. Durant sa convalescence, Chomsky avait gagné, en maturité, plusieurs longueurs d'avance sur son âge. Il avait compris qu'afficher sa révolte, défier l'autorité ou se marteler les pectoraux pour intimider autrui ne menait qu'à des affrontements aussi douloureux qu'infructueux. Cependant, il continuait de refuser qu'on eût un jour décidé de l'envoyer dans ce pays; il gardait dans son âme juvénile l'amertume de se voir imposer une vie dont il ne voulait pas. La sensation d'exclusion causée par sa condition de Noir dans une société blanche ne s'atténuait pas non plus, et il demeurait convaincu que les promesses d'une vie heureuse et honnête, fruit de l'instruction, n'étaient que mirages entretenus afin de le soumettre et de l'exploiter.

Toutefois, là où sa réputation avait atteint les plus hauts sommets, c'était chez les voyous en herbe qui, ainsi que lui-même, avaient gravité autour des Hard-H. Les membres en règle de la bande, à commencer par Master C, le chef suprême, ayant presque tous été écroués, et les autres s'étant évanouis dans la jungle urbaine, ces jeunes, qui ne demandaient au fond qu'à mal faire, avaient sombré dans un pitoyable désœuvrement. Ils avaient été formés pour voler des objets de valeur dans des opérations planifiées par le chef en personne. Piquer de la pacotille dans les dépanneurs ou taxer les écoliers leur semblait, avec raison, des activités au-dessous de leur compétence et fort peu lucratives.

Ainsi, quand était réapparu dans les rues celui qui avait osé affronter Master C et qui, dans sa défaite, avait néanmoins réussi à le blesser — sa propre blessure avait été bien pire, mais elle ajoutait à sa gloire —, ils s'étaient tout naturellement placés sous sa gouverne.

Sans le décider formellement, Chomsky s'était retrouvé chef de bande et, sans le décider davantage, cette bande avait repris le nom des Hard-H. Au début, il aurait fallu une formidable perspicacité pour deviner dans cette poignée de gamins un regroupement de criminels d'habitude. Pourtant, petit à petit, Chomsky avait systématisé le pillage en douceur des centaines de commerces de la rue Saint-Hubert et des environs. Lui-même se contentait de repérer, dans les magasins, les articles les plus faciles à dérober. Il constituait ensuite une équipe à laquelle il expliquait comment s'emparer de l'objet désigné, et de nul autre — il ne tolérait aucune improvisation.

En mai 1981, la vieille tante qui l'hébergeait se vit enfin octroyer le logement à prix modique qu'elle demandait depuis son arrivée au pays. Avec Chomsky, et deux enfants plus jeunes, plus un homme qui était peut-être le père de ces enfants, et qui n'avait pas le droit d'habiter avec eux, car le nombre eût alors excédé la capacité reconnue du logement, elle emménagea dans un cinq pièces et demie, au rez-de-chaussée d'un immeuble faisant partie d'un complexe construit dans les années soixante-dix, à l'angle des rues Émile-Journault et Papineau.

Chomsky dormait dans la même chambre que ses cousins et cousines, et ne jouissait donc pas de la moindre parcelle d'intimité. Par contre, à chaque logement était attribuée, au sous-sol, une remise d'environ deux mètres sur quatre, destinée à ranger des bicyclettes, par exemple. Chomsky n'avait pas de bicyclette, les autres non plus. La tante aurait-elle eu les moyens de leur en procurer, elle eût trouvé cela trop dangereux. La remise ne contenait que quelques valises remplies des vêtements d'hiver. La tante n'y descendait jamais : si d'aventure elle avait eu quelque chose à y chercher, elle aurait demandé à Chomsky. L'homme n'y allait pas non plus : il n'en avait pas le temps, il ne rentrait que pour dormir, dans la chambre qui lui était réservée, et encore, pas tous les jours. Quand il découchait, Chomsky lui volait son lit. Quant aux plus jeunes, n'en parlons pas. Donc, Chomsky avait la remise à sa disposition, et elle recela bien vite un copieux inventaire d'objets volés.

En cas de coup dur, il était conscient que, à la première fouille, la police trouverait plus que le nécessaire pour l'inculper, mais il n'avait pas d'autre possibilité. Par conséquent, il avait la sagesse de ne parler de sa cachette à quiconque et il ne rencontrait jamais ses collaborateurs à proximité des immeubles.

Un observateur impartial et objectif eût été forcé d'admettre que, pour un gamin de quinze ans, Chomsky faisait un escroc on ne peut plus convenable ! Il avait compris que le meilleur gangster sera toujours celui qui aura l'air le plus honnête. Ses subalternes lui étaient parfaitement soumis, même quand il s'agissait de freiner leurs ardeurs. L'histoire de la bande dans laquelle s'était perdu Charlot Jolicœur était connue de tous et faisait un anti-modèle idéal. Une action rigoureusement préparée semble facile après coup, et la tentation est forte de recommencer au plus tôt afin de propulser ses gains à la hausse. Voilà le piège !

Il refusait aussi de se lancer dans le trafic de la drogue, non pas pour des principes moraux, plutôt parce que cela l'eût forcé à s'inféoder à des organisations plus puissantes et plus violentes. Pas question non plus de toucher à la prostitution, pour les mêmes raisons, sans doute, mais aussi à cause d'un sincère dédain. Sa vision de la bande était très claire : elle fonctionnait en parfaite autarcie et fournissait à ses membres des revenus de loin supérieurs à ceux qu'ils eussent pu obtenir par des moyens honnêtes, et la discrétion de son action la mettait à l'abri des concurrents revanchards.

Chomsky évitait de réunir tous les membres à la fois, et certains ne se connaissaient même pas entre eux. Le dimanche après-midi constituait un moment de choix : ceux qui avaient des parents soupçonneux fabriquaient facilement des prétextes, et le métro était peu achalandé. Ils se rejoignaient dans une station différente à chaque rendez-vous et s'installaient dans le wagon de queue. Ils s'y trouvaient seuls la plupart du temps, car la compagnie des adolescents noirs n'est guère recherchée par les passagers sans histoire.

En ce premier dimanche d'octobre, Chomsky commença par la routine, c'est-à-dire la récolte de la semaine.

Serginald Joseph avait fait équipe avec Stevenson Dejean pour rafler une douzaine de cassettes dans un magasin de disques. Anormalement long et dégingandé, Serginald attirait tous les regards sur lui quand il entrait dans un établissement, ce qui permettait à ce petit nerf de Stevenson d'opérer en paix.

Manouchka Charles et Billex Varthélus, eux, avaient produit leur numéro habituel. Elle avait un physique de *pin up* tandis que lui faisait plutôt penser à ce mammifère marin au corps épais et allongé, qu'on appelle morse, sans les défenses. Ils jouaient des rôles de frère et sœur en quête d'un cadeau pour papi. Ils s'attaquaient toujours à des vendeurs masculins repérés par Chomsky. Billex devait jouer l'épais, le lent à comprendre, ce qui ne constituait pas tout à fait une composition, et elle, la belle futée qui prenait sans cesse le vendeur à témoin de son exaspération à l'égard de son frère. La stratégie consistait à amener le vendeur à étaler, afin de comparer, le plus de marchandise possible. Lorsque la confusion atteignait son comble et que le vendeur oubliait son regard dans le corsage de la prétendue sœur, Billex s'emparait de l'objet convoité, un appareil photo ce jour-là, et le glissait juste à côté, sur un présentoir quelconque. Quelques instants plus tard entrait Ralph Pierre pour acheter des piles, ce qu'il faisait en client pressé, et, au passage, il fourrait l'appareil dans la grande poche de son blouson, tandis que les deux autres se remettaient à cuisiner le vendeur. Si celui-ci venait à s'apercevoir qu'un appareil avait disparu, il soupçonnait tout de suite le frère et la sœur, mais il devait bien se rendre compte qu'ils n'avaient rien dissimulé sur eux, surtout si Manouchka, les bras au ciel et la poitrine brandie, l'invitait à pratiquer sur elle une fouille exhaustive. « Puisque c'est comme ça, on va aller magasiner ailleurs ! » concluait-elle, offusquée.

L'appareil en question valait au détail près de cinq cents dollars, et Chomsky félicita ses acolytes. Puis il changea d'attitude, posa un regard sévère sur Betsy Mirabel. À l'instar de Manouchka, Betsy mettait aussi les coutures de ses vêtements à rude épreuve, sauf que dans son cas, c'était par un vigoureux embonpoint. La grosse fille avait son rôle à jouer, dans ce genre de coup. Avec Stevenson, qu'elle tenait par la main comme un petit frère, elle passait innocemment sur le trottoir au moment où Ralph Pierre sortait du magasin. Ce dernier laissait tomber le fruit du larcin dans son sac entrouvert. Dès lors, elle devait se dépêcher de quitter les lieux et d'aller cacher l'appareil. Mais cette fois-là…

— Quoi ? fit-elle en fronçant le sourcil derrière ses lunettes de corne dont les branches s'écartaient à la limite du ridicule.

— Tu devais tout de suite rejoindre Serginald pour qu'il cache le stock en attendant la réunion.

— Ben quoi ? C'est ça que j'ai fait !

— Parle moins fort.

— On est tout seuls ! Et puis c'est toi qui… qui…

— Betsy, t'es pas allée tout de suite rejoindre Serginald.

— O.K.! O.K.! J'ai arrêté au dépanneur. J'avais un p'tit creux. Y a rien là ! C'est pas une affaire de crier sur moi !

— Je crie pas. C'était pas dans le plan d'arrêter au dépanneur. Et c'était encore moins dans le plan de piquer trois tablettes de chocolat !

— C'est ça ! On vole un kodak de cinq cents

piasses, puis on n'a pas le droit de voler une cochonnerie à cinquante *cennes* ! C'est quoi, la logique ?

Le visage de Chomsky se plissa et il souffla entre ses dents :

— La logique, c'est que si t'avais été prise, tu nous aurais fait perdre l'affaire, et peut-être mis dans de gros troubles.

— J'me suis-tu faite *pogner*, là ? Non !

— Écoute, Betsy, on n'est pas à l'école ici. Je m'appelle pas Papi, alors ça sert à rien d'argumenter. Tu descends à la prochaine station, tu rentres chez vous, puis t'oublies qu'on existe jusqu'à ce que je te rappelle… si je te rappelle.

— J'irai bien où je voudrai, pour commencer.

Le métro ralentissait.

— Descends.

— Hé ! On est dans un pays libre, *'stie* !

Chomsky passa aux grands moyens. Il fit un clin d'œil aux autres, qui étaient préparés. Billex, assis à côté de Betsy, se souleva et se laissa retomber sur ses cuisses. Avant qu'elle ait songé à se débattre, Stevenson lui avait arraché une chaussure du pied et l'avait lancée par les portes qui s'ouvraient. Billex libéra la fille, impuissante et enragée.

— Dépêche, dit Chomsky.

Ralph obstruait la fermeture des portes. Ce fut assez drôle de voir la grosse fille courir sur un pied pour récupérer sa chaussure, sous le regard amusé des autres. Le temps qu'elle la remette, les portes s'étaient refermées et le train redémarrait. Elle vociféra des injures furieuses tout en adressant à ses ex-complices une alternance de bras d'honneur et de majeurs vengeurs.

Dans le wagon voisin, les passagers hochaient la tête en signe de découragement. Seul au fond, un jeune homme élégant, un jeune homme noir, à bien y regarder, mais pâle à croire qu'il n'y avait pas eu d'été pour lui, vêtu sobrement d'un veston beige ainsi que d'un t-shirt et d'un pantalon anthracite, demeurait impassible.

Chomsky s'était assis de manière que Serginald, par sa taille, l'empêchât d'être vu de l'autre wagon, et d'y voir par le fait même.

— Ça a été une erreur d'enrôler cette fille, dit-il.

— Penses-tu vraiment la rappeler? demanda Serginald.

— Ça m'étonnerait, mais je veux pas couper le cordon complètement, elle pourrait ouvrir sa grande gueule. Elle va à la même école que moi.

— Me semblait que tu prenais jamais du monde de ton école.

— Elle n'y était pas quand je l'ai recrutée. Elle avait pas ce caractère-là non plus. Ça change, les jeunes, déplora-t-il, comme s'il avait lui-même cinquante ans.

Puis il passa aux autres affaires. Ralph Pierre avait trouvé un acheteur pour une jolie montre en or volée trois semaines auparavant. On vendait autant que possible à des particuliers, car les receleurs professionnels payaient trop chichement. On discuta aussi d'une expansion vers le sud, avenue Mont-Royal, voire rue Sainte-Catherine. Stevenson parla même de

Place Versailles, mais Chomsky craignait les centres commerciaux, parce qu'en plus de quitter la boutique, il fallait encore sortir du centre.

Vers seize heures, Chomsky descendit à la station Crémazie. Il n'utilisait jamais les escaliers roulants, qui lui donnaient l'impression de se transformer en cible ambulante, tandis qu'il est si facile de n'avoir l'air de rien en grimpant les marches deux à deux. C'est malaisé de se rendre invisible quand on appartient déjà à une minorité visible !

Il eut pourtant l'impression d'être suivi. Un autre pas faisait écho au sien. Il ne ralentit ni n'accéléra, ne se retourna surtout pas pour vérifier.

Une demi-douzaine de personnes attendaient l'autobus, qui devait amener Chomsky jusqu'au coin de Christophe-Colomb et Émile-Journault. De là, il ferait le reste à pied. Il prit silencieusement sa place dans la file et sentit aussitôt quelqu'un s'installer derrière lui.

— Pas facile de *dealer* avec des jeunes, hein !

La voix lui était vaguement familière. Chomsky se retourna. Son intuition ne l'avait pas trompé, il avait été suivi. Un jeune homme noir au teint clair, le crâne rasé, tout aussi dégingandé que Serginald, quoique plus court, vêtu d'un veston beige ainsi que d'un t-shirt et d'un pantalon anthracite, le fixait sans broncher.

— C'est à moi que vous parlez, monsieur ? répondit Chomsky, la surprise passée.

— À qui d'autre, Chomsky Deshauteurs ?

— Comment vous savez mon nom ?

— Ho ! Arrête, mon frère ! Ça fait longtemps qu'on s'est vus, mais j'ai pas changé tant que ça. Je suis sûr que tu me reconnais. Aie pas peur. Je veux seulement discuter un peu avec toi.

Chomsky détourna la tête. L'autobus arrivait. Bien sûr qu'il reconnaissait celui qui venait de l'interpeller. Cinq ans n'avaient pas été assez pour l'oublier, dix ans n'eussent pas suffi non plus ni cinquante. Efface-t-on jamais de sa mémoire quelqu'un qui a failli vous tuer ? L'image d'Andy Colon, furieux d'avoir été blessé, se dandinant devant lui, exécutant des moulinets avec un couteau brandi, était gravée dans son esprit. C'était son ultime souvenir de l'ancien chef des Hard-H. Ce souvenir s'éteignait brutalement dans celui d'une explosion de douleur au thorax, dans celui d'un choc aigu qui l'avait projeté dans une nuit rouge, dont il s'était éveillé au bout de trois secondes du temps de sa conscience, au bout de trois jours du temps terrestre.

Il avait passé et repassé le film de cette scène dans son esprit, pour résoudre l'énigme. Comment se faisait-il qu'il n'ait pas vu venir le coup ? Question naïve. Blessure d'orgueil aussi, non pas tant d'avoir été vaincu que d'avoir eu la bêtise de ne pas fuir, d'avoir engagé le combat avec plus fort et plus expérimenté que lui.

— Je viens en frère, je te jure, poursuivit Andy Colon, tandis que l'autobus, immobilisé, ouvrait ses portes.

Ils montèrent. Les trois quarts des places étaient

inoccupées. Chomsky s'assit à l'arrière, sur une banquette double. L'ex-Master C prit place à ses côtés, comme s'il avait été invité. Chomsky se tassa pour éviter que leurs bras ne se touchent. Il était résigné à sa présence, à l'écouter, et il essayait de ne rien laisser paraître des éruptions de crainte et de rage qui échauffaient son sang.

Il regarda dehors. Les alentours de la station Crémazie n'ont jamais inspiré les créateurs de cartes postales et pour cause : pas de verdure, pas d'architecture digne de ce nom, des immeubles à bureaux parmi les plus moches, du brun, du gris et des voitures. Néanmoins, si le grand défaut de l'automne est de vieillir trop vite, la lumière de ses premiers jours inspire une sorte de nonchalance jubilatoire, même dans les quartiers de Montréal où il n'y a pas d'érables pour la faire éclater. Il faisait beau. Le chauffeur sifflotait en attendant de repartir. Chomsky respira mieux ; il décida de prendre le taureau par les cornes.

— Si tu cherches une vengeance, compte pas sur moi. Je me tiens tranquille, maintenant. Quand j'ai un problème, je vais à la police…

— Ho ! Qui parle de ça ? Je sors à peine de prison, j'ai pas envie d'y retourner, mon frère. Et je suis pas là pour me venger. C'est le passé, tout ça. Je t'en veux même pas. C'est ma faute, après tout. T'étais trop jeune. Il y avait trop de jeunes dans la *gang*, d'ailleurs, trop de preuves aussi. Je me serais fait prendre de toute façon. On travaillait en amateurs. J'étais trop visible, tu comprends ? Bien sûr, que tu comprends, rien qu'à voir comment tu t'habilles. C'est propre, c'est discret. Parle-moi pas des petites frappes qui se déguisent comme pour aller au carnaval, qui se font quasiment tatouer le mot « déliquant » dans le front !

Andy Colon rigola de sa propre remarque. Chomsky demeura impassible.

— C'est dur, la prison, reprit l'importun, mais on y apprend des choses. Et je vais te dire, je suis pas mal impressionné par ta manière de mener ta bande !

— De quoi tu parles ? protesta Chomsky sans se détourner de la fenêtre. Je te dis que je me tiens tranquille, maintenant.

— Mais oui, mais oui… sauf que le monde est petit, et oublie pas que c'est dans mon ancien territoire que tu opères. C'est pas par hasard que j'étais dans le même métro que vous autres, cet après-midi. Et cherche pas à savoir qui a ouvert son bec, c'est personne, personne qui s'en est rendu compte. Arrête de jouer à la cachette, O.K., mon frère ?

— Qu'est-ce que tu veux ? Une cote ? Va falloir que tu viennes la chercher.

— Hé ! Pourquoi t'es agressif, là ? On parle tranquillement. Je suis de ton bord !

Andy Colon parlait doucement en effet, mais Chomsky savait qu'il ne fallait pas s'y fier. Les portes de l'autobus se fermèrent en expirant et le véhicule entreprit son bonhomme de chemin.

— Écoute, continua le repris de justice, on est entre Haïtiens, là, on ne va pas se nuire. On est une minorité dans cette maudite ville de racistes. S'il faut qu'on se batte entre nous, on n'a aucune chance, *man*, aucune !

— D'abord, fous-moi la paix.

— Je te dis qu'on peut s'entraider.

— Je vois pas comment.

— Eh bien, regarde la réalité ! Tu fais une excellente *job*, c'est vrai, mais ça pourra pas durer. Veux, veux pas, vous allez finir par vous faire repérer, il faudra chercher d'autres territoires. Toi-même, t'auras pas toujours quatorze ans...

— Sans blague ? J'en ai quinze !

— Quinze, donc. Tu seras pas toujours un ado...

— Je le sais ! Tu veux me donner un cours de morale, ou quoi ? ronchonna Chomsky en *tchuippant*.

— Non ! C'est pour te dire que tu ne te contenteras pas toujours des *pinottes* que tu ramasses maintenant.

— Qu'est-ce que t'en sais ?

— Voyons, mon frère, on fait ce métier-là pour devenir riche, sinon, le risque en vaut pas la peine ! Bientôt, tu désireras un appartement, un char... C'est pas en volant des babioles une par une dans les magasins que tu pourras te payer ça. Moi, j'ai des contacts et j'ai tout mon temps.

— Tant mieux pour toi. Profites-en.

— Sauf que j'ai besoin de monde. Après tout, c'est un peu ma *gang*, que tu as reprise. Je t'en veux pas ! Au contraire, je suis content que ça ait continué... Tu descends pas ?

L'autobus était arrivé au coin d'Émile-Journault. Ainsi, Andy Colon savait où Chomsky habitait.

— Je connais du monde dans ton immeuble, confirma Andy Colon. Mais t'as raison, c'est mieux qu'on nous voie pas ensemble. Je te propose une association, Chomsky. Toi, tu continues comme avant. Moi, de mon côté, j'organise des gros coups et, au moment où je suis prêt, je te contacte et on passe à l'action.

— Ensuite, tu vas obliger les filles à faire les putes…

— Non ! Je te jure ! J'oblige plus. J'aide seulement les filles qui veulent. Il y en a plus qu'on croit, tu sais, parce que c'est payant… et dangereux. Elles ont besoin de protection. De toute façon, c'est pas ton domaine. Je te le répète, pour toi, ça change rien. Tu continues tes affaires, et je te fais signe pour les gros coups.

— Je descends ici, dit Chomsky en amorçant le mouvement de se lever.

Andy Colon posa sa main sur son coude pour le retenir. Il y eut une confrontation à peine exprimée dans les regards. Andy Colon retira sa main.

— Avant qu'on se quitte, dis-moi un peu ce que tu en penses.

— J'y ai pas pensé encore.

— C'est que j'ai déjà un super coup en plan.

Chomsky hésita : son premier réflexe était de planter là Andy Colon et de maintenir sa ligne de conduite, de refuser toute offre d'association. Par contre, il n'avait pas envie de s'en faire un ennemi. Il s'agissait de déterminer laquelle des deux options comportait le moins d'inconvénients, et il avait environ dix secondes pour se décider.

— Ça ressemble à quoi, ton coup ? interrogea-t-il.

— Une quinzaine d'ordinateurs.

Chomsky descendit quelques arrêts plus loin et remonta la rue Christophe-Colomb vers le sud, puis emprunta Émile-Journault vers l'est. Il n'avait plus qu'à longer la limite du domaine Saint-Sulpice pour atteindre les immeubles à loyer modique. La vue des cottages et des duplex tout neufs, propres et dégagés, avec leurs parterres gazonnés et fleuris, lui grattait toujours un peu le cœur. L'image de ce bien-être tranquille et confortable le provoquait.

Il arriva à son immeuble. Sur l'esplanade en béton, des fillettes jouaient aux élastiques ; un peu plus loin, des garçons se tiraillaient. Il y avait bien, dans des enclos de ciment, quelques tentatives de jardin, des arbrisseaux qui vivotaient. Un jour, ils produiraient peut-être de l'ombre, mais comme, en général, les arbres poussent moins vite que les humains, les enfants des immeubles ne connaîtraient jamais que la terne rugosité de la pierre. S'étonnera-t-on qu'ils deviennent des « petits durs » !

— Allo, Chomsky ! fit une voix de crécelle.

Il salua de la main. Il était populaire parmi les enfants. Il aimait leur offrir des friandises. Qu'ils fussent noirs ou blancs, il ne faisait pas de différence. Il ne s'était jamais demandé, parce qu'il n'en était pas tout à fait conscient, pourquoi ses frustrations raciales s'effaçaient dès qu'il avait affaire à plus jeune que lui. Il retourna les poches de son blouson pour montrer qu'il n'avait rien ce jour-là. De toute manière, il n'avait pas la tête à jouer les pères Noël.

Son esprit était tout entier occupé par le retour d'Andy Colon. Ce n'était vraiment pas une bonne nouvelle.

2

Entre le passé et l'avenir

Cet après-midi-là, une dizaine de minutes après la reprise des classes, l'adjoint Petit invita, par l'interphone, toutes les classes de première à se rendre à l'auditorium. La chose était prévue : l'Académie Corbett recevait une équipe de conférenciers.

Car il arrivait aux huiles et aux légumes de la Commission de fricoter quelque projet qui ferait bonne figure dans leur curriculum vitæ et donnerait l'illusion que leurs personnes et fonctions avaient une utilité réelle.

— Messier ! Pourquoi faut-il toujours que tu sois négatif ? interrogea et déplora à la fois Mme Moïse.

— Parce que c'est exactement ce qui se passe ! L'abus sexuel est un thème à la mode, alors ils se donnent bonne conscience en organisant une tournée de conférences. Puis après, on n'en entendra plus parler.

— Ça ne peut pas nuire !

— Non, mais il y a des coûts, tu comprends ? Même si les conférenciers sont bénévoles, il y a des salaires, du temps, des ressources qui se dilapident là-dedans. Encore s'il n'y avait que cette conférence ! C'est toute cette machine qui tourne même quand elle ne produit rien qui me scandalise. Si dans ta classe tu soupçonnes un cas d'abus sexuel, à qui tu t'adresses ? Hein ?

— Bien… euh… la D.P.J. ?

— Voilà ! Ici, dans l'école, on n'a personne !

— On a Mme Stellmazuk.

— Ouais… quand tu auras eu affaire à elle une fois, on s'en reparlera. Ça ne risque pas d'arriver bientôt, note, elle est trop occupée par la vente de chocolat.

— Oh ! Messier…

— Désolé, c'est ce que je pense. Du moins une petite partie de ce que je pense, car je doute que tu aies envie d'entendre le reste.

— En effet… SILENCE, DERRIÈRE !

Dans la masse grouillante de tous ces élèves de première à peine sortis de l'enfance qui se déplaçaient dans un ordre approximatif, le groupe de Mme Moïse se détachait par la rectitude impeccable de ses deux rangées. Ils étaient drôles à voir, ces petits soldats à l'uniforme porté selon la règle, silencieux et attentifs au moindre mouvement de leur professeur titulaire. Messier, qui conduisait le groupe auquel il aurait dû enseigner à ce moment-là, se contentait de l'empêcher de s'éparpiller. Les autres profs auraient bien voulu imposer la même discipline que Mme Moïse, mais ils n'en étaient pas capables.

À l'auditorium, on fit asseoir les enfants par classe dans les premières rangées et, après moult « chut ! », la conférence put commencer.

Les conférenciers étaient au nombre de quatre, un travailleur social, un psy, l'infirmière de l'école et une policière. Aussitôt qu'elle fut assise, entre Lucie et Nathalie, cela va de soi, Lovelie, ignorant les grands tableaux colorés et explicites qui servaient de fond de scène, n'eut plus d'yeux que pour la policière en question. Femme de bonne taille, d'apparence solide, avec sur son nez un peu fort mais pas vilain, des lunettes de corne qu'elle ajustait souvent, pour passer ensuite la main dans sa chevelure touffue, elle portait l'uniforme bleu et noir de la police, toutefois sans le lourd équipement. À cause de cet uniforme, Lovelie mit plusieurs secondes à se rappeler où et quand elle avait rencontré cette femme. Puis toutes les images lui revinrent en bloc. Toutes les émotions aussi.

Julie Juillet ne portait pas l'uniforme quand elle avait recueilli le témoignage de Lovelie, au printemps 1980. Si elle le portait aujourd'hui, c'était pour redorer un peu l'image de la police, qui n'était pas toujours favorable dans l'esprit des jeunes Haïtiens.

Cette première rencontre avait eu lieu à l'hôpital, juste après que Chomsky eut rouvert les yeux, la rassurant un peu, malgré qu'elle se sentît coupable, encore, coupable de tout, y compris de ce qu'on lui avait fait, à elle.

Julie Juillet entama sa part de la conférence, qui traitait bien entendu des aspects judiciaires du problème, et le son de sa voix donna plus de chair encore aux souvenirs de Lovelie. Elle se rappela comment cette voix l'avait patiemment réconfortée et avec quelle chaleur elle l'avait amenée à dire presque tout, dans le respect total et inconditionnel de ses limites. À six ans, malgré une habileté langagière en avance sur son âge, Lovelie ne savait pas parler. Répondre, s'excuser, mentir, se taire et baisser les yeux, oui. Par contre, exprimer ce qu'elle ressentait, vivait, éprouvait : non, surtout pas avec un adulte.

À mesure que la conférence se déroulait, Lovelie voyait à quel point elle avait changé. Quand le psychologue aborda les difficultés qu'ont les victimes à se confier, elle réagit comme les autres élèves, avec une sorte d'étonnement, à croire qu'elle ne les avait pas elle-même vécues. C'était si loin qu'elle ne comprenait plus pourquoi c'était si difficile.

Julie Juillet raconta ensuite l'histoire d'une fillette de dix ans à qui son tuteur avait fait croire que le pénis était un instrument donné aux hommes pour châtier les enfants, et que les douloureuses pénétrations qu'il lui infligeait n'avaient d'autre but que de l'aider à s'amender, à devenir une enfant plus sage. Un jour où elle s'était levée particulièrement meurtrie, elle avait mentionné à une copine par quel instrument elle avait été punie — pour Dieu sait quoi ! — et c'était ainsi que l'affaire était parvenue à des oreilles adultes. Julie Juillet avait expliqué combien il avait été ardu de faire comprendre à l'enfant que ce n'était pas sur ses actes à elle que la police l'interrogeait, mais sur ceux de son tuteur et qu'il n'y avait aucun risque qu'elle fût encore punie, d'une manière ou d'une autre. Et surtout, il y a, dans l'acte de dénoncer un proche, pour l'enfant, le renoncement à une vie familiale normale, un grand pas vers l'inconnu.

Gédéon, le garçon qui avait prétendu s'être fait bouffer son cahier par un chien dans le métro, leva la main, ce qui fit froncer le sourcil à Mme Moïse et soupirer les filles, car on ne s'attendait guère à ce qu'il posât une question pertinente.

— Pourquoi t'as pas de fusil ?

— Vous ! gronda Mme Moïse.

— Vous… vous avez pas de fusil. Pourquoi ?

Julie Juillet, conciliante, répondit aussitôt :

— D'abord, si j'avais une arme, ce serait un revolver, et quel besoin aurais-je donc d'une arme dans une école ? De toute façon, je n'en porte presque jamais. Je suis une enquêteuse spécialisée dans les crimes à caractère sexuel et mon rôle est d'amener les victimes à raconter le plus de faits possible. Ça n'aiderait pas du tout de porter une arme à feu à la ceinture, d'accord ? Et quand vient le moment d'arrêter un suspect tel que l'homme dont je parlais à l'instant, des agents m'accompagnent.

Lovelie leva la main à son tour. La policière la regarda et tout de suite l'enfant eut la certitude d'être reconnue.

— Oui ? fit simplement Julie Juillet.

— Pourquoi vous avez choisi cette spécialité-là ?

— Pourquoi…

Julie Juillet parut un instant décontenancée, non pas tant par la question, mais par celle qui la posait. Spontanément, elle aurait voulu lui dire que c'était parce qu'elle avait elle-même, dans son enfance, été frappée par ce malheur, envahie par ce démon qui ressurgissait sans cesse pour rouvrir ses cicatrices. C'était pour exterminer ce démon, pour l'éliminer de sa propre existence qu'elle avait choisi de le pourchasser partout où il sévissait.

Elle ne doutait pas que cette petite fille qu'elle avait rencontrée jadis, et qui avait tant grandi, eût été en mesure d'apprécier l'authenticité d'une telle réponse. Il en allait autrement de l'ensemble des enfants.

— Pourquoi… réfléchit encore Julie Juillet. Eh bien ! d'abord, pourquoi devient-on policière ? Il peut y avoir différentes raisons. La plus importante est sans doute le désir de protéger les plus faibles. Hélas ! on nous appelle généralement trop tard. Il s'agit alors de trouver ceux qui leur ont fait du mal et de les amener devant la justice. Or, s'il y a une chose que tous les criminels sexuels ont en commun, c'est qu'ils s'en prennent aux plus faibles qu'eux. Donc, dans cette spécialité, on est sûr d'être toujours du côté du plus faible, et pour moi, c'est le plus important. Bien sûr, je suis souvent confrontée à des… situations très difficiles à supporter, mais je ne doute jamais de la nécessité de ma mission, vous comprenez ?

Ils avaient l'air de comprendre. Un moment de silence, comme un souffle de gravité, passa. Gédéon leva la main et, sans attendre, demanda :

— C'est quelle sorte de fusil que vous avez ?

Mme Moïse leva les yeux au ciel tandis que le silence se démantibulait en dizaines d'onomatopées impatientes.

Lovelie, elle, demeura silencieuse. Elle ne cessait de contempler la policière. Elle trouvait son uniforme magnifique. Le bleu apaisant de la chemise dégageait l'impression d'une force tranquille. L'infirmière de l'école, elle, ne portait pas d'uniforme. C'était une femme courte avec des joues rondes et de petites

lunettes. Lovelie ne l'avait vue qu'une fois auparavant, quand elle était passée dans la classe pour expliquer son rôle auprès des élèves. Elle avait l'air vraiment gentille, elle aussi. Lovelie prenait soudain
conscience qu'elle n'avait rien ressenti de particulier,
durant son exposé, alors qu'elle aurait dû, puisqu'en
principe elle rêvait depuis toujours de devenir infirmière. Au fond, n'était-ce pas plutôt le rêve de son
père? Elle l'entendait encore lui expliquer qu'il l'en-
voyait à Montréal pour ça, pour aller à l'école et faire
une infirmière. Sa voix ronde, son visage fatigué, la
caresse pudique de sa main sur sa joue, comme tout
cela était flou à présent.

Et surtout, elle n'arrivait plus à se voir elle-même
dans les blanches robes des gardes-malades.

La période de questions terminée, les enfants
purent approcher les conférenciers avec une relative
liberté. Lovelie eut la chance de se trouver quelques
secondes un peu à l'écart des autres, en compagnie
de Julie Juillet. La policière venait de se débarrasser
de Gédéon qui la harcelait de ses questions non
pertinentes sur les armes. Il avait été fort déçu
d'apprendre que la plupart des policiers, à l'heure de
prendre leur retraite, n'avaient jamais fait usage de
leur arme ailleurs que dans les salles d'exercice.

— Est-ce que vous vous souvenez de moi,
madame? demanda Lovelie d'une voix timide.

— À vrai dire, je ne me rappelle pas ton nom, mais
tout le reste, oui.

— Je m'appelle Lovelie D'Haïti.

— Ah! oui… Ai-je donc tant vieilli pour oublier un

nom pareil ? Tu as beaucoup grandi, tu es une jeune femme maintenant, mais ta frimousse est inoubliable, et tes yeux ! Comment vas-tu ?

— Je vais très bien, madame.

— Ça m'en a tout l'air, en effet ! Vis-tu toujours avec la famille qui t'avait accueillie ?

— Oui, madame.

Julie Juillet fronça un sourcil suspicieux.

— Tu n'aurais pas une question à me poser, par hasard ?

— Est-ce qu'il faut être forte pour entrer dans la police ?

— Forte ? Dans la tête, sans doute. Pour ce qui est des muscles, cela se travaille. Le métier t'intéresse ?

— Oui. Comment on fait ?

— Il faut commencer par terminer ton cours secondaire. Après, c'est selon...

Ce soir-là, au moment de se mettre au lit, Lovelie se montra peu loquace. Lucie, dans le lit d'à côté, eut la sensation d'une autre maille qui filait dans le tissu de leur intimité. Elle avait bien tort. Si sa presque sœur ne se sentait pas l'âme à la conversation, c'était qu'elle songeait trop.

Lovelie s'endormit sur des visions d'elle-même dans un bel uniforme bleu et noir.

3

Le péché de l'abbé Saint-Louis

Quand l'abbé Saint-Louis était allé rencontrer Lovelie, dans le recoin du sous-sol des Jolicœur qui servait de chambre à l'enfant, il lui avait laissé sa carte de visite avec l'assurance qu'elle pourrait l'appeler chaque fois qu'elle en ressentirait le besoin. Elle n'eut pas le loisir de se précipiter sur cette invitation, mais, après sa libération, elle conserva l'habitude de visiter l'abbé.

Ce dernier était son unique lien avec le pays haïtien. Il acheminait toujours les lettres qu'elle écrivait avec persévérance et lui rapportait les réponses tardives et minces, qui ne rassasiaient jamais la faim que Lovelie avait de retrouver les siens, serait-ce par le biais de l'écriture. Il la consolait du mieux qu'il le pouvait.

Le climat social ne cessait de se détériorer, là-bas. Toujours aussi cruel, l'appareil de répression dont Bébé Doc avait hérité de son père ne parvenait cependant plus à étouffer les colères et les frustrations du peuple, ni à maintenir un semblant d'ordre. D'aucuns, déjà, se risquaient à prédire la chute prochaine du régime. En attendant ce grand soir, la survie devenait la préoccupation presque unique des familles. Les parents de Lovelie, sans aucun doute, se délectaient des nouvelles heureuses qu'ils recevaient d'elle, mais ils devaient consacrer le gros de leur énergie à s'abriter des bourrasques de l'histoire.

Ce fut plus ou moins ce que l'abbé lui raconta en ce vendredi précédant le long week-end de l'Action de grâce. Assis derrière son bureau, il la fixait avec cet air d'impuissance et de sérénité confondues qui lui donnait un charme certain, les mains à demi jointes posées devant lui. En réalité, il contemplait Lovelie, qui croissait à merveille.

L'abbé parla, car, dans les silences prolongés ainsi que dans des sables mouvants, il se débattait contre des émois malsains.

— Tu ne leur écris pas, cette semaine?

— Je n'ai pas eu le temps.

L'abbé écarquilla les yeux. Lovelie! Manquer de temps pour écrire à sa famille! Impensable!

— Je comprends, reprit-il, il y a plus de travail à l'école secondaire, surtout avec un professeur tel que Mme Moïse.

— Ouais…

— Tu es bien évasive! Est-ce que quelque chose te tracasse?

— Non…

— Lovelie, allons…

— Bien, ça me tracasse pas vraiment, c'est juste que…

— Est-ce le fait d'avoir retrouvé Charline qui te trouble?

— Vous le savez?

— Tu me l'as dit!

— Ah oui? C'est vrai que j'y pense. J'ai parlé avec elle, l'autre jour. Elle a de drôles d'idées que vous aimeriez pas.

— Elle ne cherche pas à te nuire, j'espère ?

— Oh non ! Pas du tout. Elle n'est plus méchante. Elle fait plutôt pitié. C'est elle qui s'occupe de tout dans la maison.

— Je sais. Les ragots circulent. Son grand frère a fait des bêtises, n'est-ce pas ? Ah ! Ces bandes de voyous sont un fléau digne des dix plaies d'Égypte. Mais toi, tu n'en veux plus à Charline ?

— *Pantoute…*

L'abbé s'amusa d'entendre cette expression typique assez rare dans la bouche de ses congénères.

— Je lui en ai jamais vraiment voulu, continua Lovelie. J'ai eu peur d'elle, par exemple. Plus maintenant. Elle, elle regrette encore.

— Il semble que la mort de son père l'ait libérée des griffes du Malin.

— D'après vous, c'est correct que je devienne son amie ?

— Le pardon est une grande vertu chrétienne et je ne peux que t'encourager à le pratiquer. La seule mise en garde que je dois peut-être t'adresser, c'est de ne pas oublier que Charline est plus âgée que toi. Elle n'est pas au même stade de son évolution.

— Je suis plus une petite fille.

— Bien sûr que non, mais cinq ans, entre la puberté et l'adolescence, c'est une énorme différence.

— C'est elle qui a choisi de me parler. Elle doit pas me trouver si jeune !

— Ce n'est pas d'elle dont je me préoccupe, c'est de toi. Je crains que… toute chose doit arriver à son heure, tu comprends ?

— Non. Je vois pas quelle chose peut arriver. C'est sûr qu'elle sera pas mon amie de la même manière que Lucie et Nathalie. On ne va pas jouer ensemble.

L'abbé Saint-Louis décida secrètement d'abandonner le sujet. Ce qu'il cherchait à dire ne lui semblait plus tout à fait clair. D'ailleurs, n'était-ce en réalité que son propos qui lui échappait? N'était-ce pas un peu aussi son rapport avec Lovelie qui dérapait? Il admettait depuis longtemps déjà qu'il n'avait pas la manière avec les enfants. Oh! pour les câliner, les mettre à l'aise, pas de problème! C'était quand il fallait s'aventurer plus avant dans leur psyché qu'il perdait pied. Il était chaque fois décontenancé de découvrir une telle complexité là où il s'attendait à ne trouver qu'un abécédaire de l'émotivité.

— Il y a une autre affaire aussi, qui me fait me poser des questions, ajouta Lovelie.

— Quoi donc?

Elle chercha les mots justes.

— Est-ce que je suis obligée de faire une infirmière?

— Hein!? Euh… Non. Bien sûr que non! Personne n'est obligé de choisir une carrière plutôt qu'une autre. Pourquoi me demandes-tu ça, Lovelie?

— Bien, c'est parce que… je pense que j'aurais envie de devenir une police, plus tard.

— Une policière!

— Ouais. Ça se peut, maintenant.

— Sans doute! Il n'y a plus beaucoup de métiers réservés à un sexe en particulier. Une policière… Et ça t'a pris tout d'un coup?

— Ouais !

— Il y a bien eu un événement qui a provoqué ce… revirement, non ?

Lovelie parla brièvement de la conférence qui avait eu lieu à l'école, en omettant toutefois de mentionner qu'elle avait reconnu Julie Juillet.

— J'aimais déjà ça, la police, à la télévision, ajouta-t-elle. Mais là, je l'ai rencontrée en personne. Je me suis vue dans l'uniforme…

— Il y a beaucoup plus que l'uniforme…

— Je le sais ! Il y a de l'action, du danger, et puis on peut sauver des gens !

— C'est un beau métier, en effet. De toute façon, tu as bien le temps d'y penser. Tu commences à peine ton secondaire.

— C'est certain… C'est juste que…

— Tu songes à tes parents ?

— Oui ! fit Lovelie, étonnée et soulagée que l'abbé ait deviné. J'ai promis à mon père de devenir une infirmière.

— Promis… Tu avais quel âge ? Six ans ?

— À peu près…

— Écoute, ne te tracasse pas avec ça. L'important, c'est de bien étudier. Tes parents t'ont envoyée ici d'abord pour que tu t'instruises et, au fond, c'est là l'esprit de la promesse que tu leur as faite, et que tu es en train de tenir. Le moment venu, il sera bien temps de leur expliquer tes choix.

Lovelie sembla tout à coup classer le conseil de l'abbé quelque part dans sa tête et changea d'air.

— Et vous savez ce qu'elle m'a dit ?

— Non.

Une fille en pleine puberté ne converse pas sans bouger et Lovelie pas davantage qu'une autre. Elle s'était avancée dans son fauteuil et avait appuyé le coude gauche sur le bureau. Elle arrivait de l'école et portait la chemise réglementaire, dont le premier bouton s'était détaché. En se penchant, elle révéla sans s'en rendre compte les premiers centimètres d'un sillon mammaire que bien des femmes adultes eussent exhibé avec fierté.

L'abbé leva vite les yeux, pas assez cependant pour que l'image du pape Jean-Paul II, dont le portrait semblait perpétuellement le bénir, puisse chasser la fugace et troublante apparition de cette chair explosive.

— Il paraît, poursuivait Lovelie, qu'il manque de polices noires, à Montréal, qu'ils en cherchent et qu'ils vont en demander encore pendant plusieurs années.

— Oui, j'ai lu ça dans les journaux.

— Vous trouvez pas que c'est important ?

— Quoi ?

— De choisir un métier d'avenir !

— Oh oui ! C'est sûr…

L'abbé s'astreignit à regarder Lovelie dans les yeux. Hélas ! Il ne s'agissait pas d'yeux ordinaires ! Ils n'étaient d'aucun secours pour calmer le feu couvant, au contraire, ils étaient incendiaires, surtout quand Lovelie faisait cette mine dubitative, qui montrait qu'elle percevait l'inconfort de son interlocuteur. Innocente, elle attribuait ces flous dans la conversation aux trop nombreuses préoccupations de l'abbé.

Ce dernier raccompagna la jeune fille à la porte du presbytère. Toujours, elle lui faisait la bise avant de se sauver. La conscience du prêtre lui enjoignait, depuis longtemps déjà, de mettre un terme à cette pratique au départ innocente. Comment l'aurait-il pu ? Et puis qu'est-ce que cela changerait ? Ce minuscule contact charnel n'était que la pointe de l'iceberg, un iceberg pas du tout glacé.

L'abbé demeura devant la porte vitrée, silencieux, encore imprégné de Lovelie, de la fraîche odeur de son innocence, de l'image affolante de ses fesses bondissant sous la jupe qui survolait les marches, de la grâce de sa main qui, telle une ultime bénédiction, le saluait avant de disparaître derrière le chèvrefeuille.

Un tout autre genre de vision l'attendait lorsqu'il se retourna. Sœur Saint-Georges occupait l'autre bout du passage obscur. Son costume était gris, les boucles de ses cheveux étaient grises, ses dents étaient grises, ses lunettes étaient grises, et son regard, qui le visait, était gris aussi, gris orage ! L'abbé Saint-Louis ne l'aimait pas, mais elle était plus ancienne que lui dans ce presbytère et, étant donné l'état des vocations religieuses, quand elle n'aurait plus la force de servir, elle ne serait pas remplacée. Il gardait donc ses sentiments par-devers lui.

La vieille bougonneuse ne l'aimait probablement pas davantage. Il ne la croyait pas raciste ; c'est la perturbation de la routine, provoquée par la venue du vicaire, cinq années plus tôt, qui avait indisposé la nonne et qui l'avait amenée à s'attarder à ses défauts, à en insupporter le moindre. De là à lui en chercher des gros, il n'y avait qu'un pas, qu'elle avait franchi, sans égard aux préceptes fondamentaux de la charité chrétienne.

Et dès les premiers mois, elle avait été convaincue que le petit abbé éprouvait pour Lovelie des sentiments qui débordaient le cadre de son ministère. Elle avait une riche expérience des faiblesses des prêtres face aux tentations de la chair — après tout, elle lavait leurs draps — et elle les pressentait de loin. Maintenant que la fillette prenait forme de femme, ce qui, pour un esprit fondu au creuset de la Grande Noirceur, signifiait à peu près «forme satanique», elle flairait l'odeur putride du péché.

— Qu'y a-t-il, ma sœur? demanda l'abbé, mal à l'aise.

Elle commença par ne rien répondre, malgré le flot de reproches que ses lèvres tremblantes contenaient de peine et de misère.

— N'oubliez pas votre messe de dix-sept heures, marmonna-t-elle enfin.

— Pourquoi l'oublierais-je? Ce n'est pas dans mes habitudes.

— Vous pourriez être distrait.

— Distrait par quoi? Depuis quand suis-je distrait, ma sœur?

En effet, l'abbé Saint-Louis était irréprochable sur le plan de l'exactitude. Il mettait un zèle méticuleux à ne pas accréditer les reproches que l'on adressait à ses compatriotes, pas toujours à tort, de fonctionner à «l'heure haïtienne».

— J'ai des yeux pour voir, monsieur l'abbé.

— Que voulez-vous dire ? Que voyez-vous donc ?

Le prêtre se sentait très nerveux, tout à coup.

— Méfiez-vous de la présomption, sœur Saint-Georges, ce n'est pas chrétien !

Il n'avait pas attendu la réponse, car il la craignait. Il se rendit compte que, dans sa contre-offensive, il y avait déjà l'admission d'une défaite, puisqu'elle supposait qu'il connaissait la nature de la présomption en question.

— Et rien ne vous autorise à me surveiller ! ajouta-t-il en essayant de retrouver un peu d'ascendant.

— Je ne vous surveille pas ! Je venais seulement vous dire que M. le curé ne sera pas là pour le souper. Il reste du bouilli que vous pourrez réchauffer.

— Ah ! Euh… merci, ça ira. Il était excellent ce bouilli, d'ailleurs.

— Moi, je vais rentrer, si vous n'avez besoin de rien.

— Non, allez-y, je vous en prie.

La nonne, courte et lourde, se déplaça en direction du portemanteau. L'abbé, qui se tenait sur son chemin, recula tout de suite, comme s'il avait craint qu'elle le mît en échec.

Sœur Saint-Georges, à qui ce réflexe n'échappa pas, y trouva un encouragement pour placer le dernier mot :

— On dira ce qu'on voudra, mais le bon vieux confessionnal, c'est difficile à battre.

Elle prit son manteau, qui était gris. L'abbé s'avança pour l'aider à le passer ; elle déclina l'offre d'un geste martial.

L'abbé, si loin de Lovelie tout à coup, observa la religieuse informe qui descendait une marche à la fois, en se tenant fermement à la rampe. Si loin de Lovelie, et pourtant si près ! En faisant allusion au confessionnal, sœur Saint-Georges voulait probablement lui suggérer un lieu plus… discret, pour ne pas dire décent, pour s'entretenir avec sa protégée. Mais une allusion au confessionnal était aussi une allusion au péché.

Le péché est le produit du démon, sinon le démon lui-même. Sœur Saint-Georges eût mieux fait de se taire. Ne savait-elle pas qu'il suffit de nommer le démon pour qu'il se manifeste ? Et qu'il en va de même du péché ? Si elle ne l'avait pas nommé, elle avait tout au moins suggéré son existence, et c'était peut-être pire. Elle avait ouvert la porte du doute, l'entrée de prédilection du Malin.

Difficile de déterminer, entre la sombre joie de l'avilissement et la resplendissante horreur de la culpabilité, ce que ressentit l'abbé quand il se rendit compte, par-delà toute dénégation raisonnable, qu'il subissait une érection !

4

Le cadeau de Chomsky

Messier avait l'habitude de consigner par écrit les observations qu'il faisait sur les élèves en cours d'année, les fluctuations dans leur travail ou leur comportement, de même que chaque intervention personnelle, positive ou négative. Au retour du congé de l'Action de grâce, il nota donc, dans la section de son cartable réservée à Chomsky Deshauteurs, que ce dernier n'avait été absent que deux fois au cours des trois dernières semaines.

Il en glissa un mot à Saint-Hugo, qui se moqua de lui. Qu'est-ce que cela voulait dire, «dans les trois dernières semaines»? Son ami lui rappela combien lui-même ridiculisait les commentateurs sportifs qui produisaient ce genre de statistique. Telle moyenne dans les onze derniers matchs! Pourquoi onze? Pourquoi pas treize? C'était utiliser les chiffres pour leur faire dire ce qu'on veut.

N'empêche qu'on pouvait au moins noter une amélioration. La dernière semaine n'avait-elle pas été, pour le garçon, la première complète depuis le début de l'année, et sans doute depuis bien avant si l'on remontait au-delà des dernières grandes vacances?

Si l'adjoint Papi se félicitait de ce progrès, à croire qu'il s'imaginait y être pour quelque chose, Mme Moïse, quant à elle, doutait que ce fût là le signe d'un changement significatif dans l'attitude du principal intéressé face aux études et à la vie en général. Et Messier abondait dans son sens. La brouille entre les deux professeurs s'étant dissipée, ce dernier s'était invité dans la classe de sa collègue, avec quelques élèves qui avaient besoin de récupérer en mathématiques. Ayant distribué des exercices et donné quelques explications individuelles, il avait profité de ce que la demi-douzaine d'élèves trimait pour parler à Mme Moïse, à voix basse, de Chomsky.

— Eh bien ! Voilà justement une partie de l'explication à cette soudaine assiduité, dit Mme Moïse, le visage tourné vers les fenêtres.

Les vitres sales ne parvenaient pas tout à fait à ternir l'éclat d'un ciel d'octobre exemplaire. Le profil de Mme Moïse s'y découpait avec une netteté photographique ; les teintes chaudes de sa robe répondaient à merveille à celles des quelques arbres dont on apercevait les frondaisons entre les maisons du quartier. Messier s'ébroua l'esprit et porta son regard dans la direction que lui indiquait sa collègue.

Chomsky et Lovelie marchaient côte à côte sur l'allée pavée qui ceinturait le terrain de football. Lovelie retenait avec les pouces les courroies de son sac à dos. Chomsky, la casquette de travers, avait les mains dans les poches. Son chandail d'uniforme était complètement sorti.

— Regarde-moi comment il porte son pantalon ! dit Mme Moïse. La ceinture au milieu des fesses et les accordéons sur les chaussures... Comment il ferait s'il fallait qu'il se mette à courir sans préavis ?

— Bof! répondit Messier. Ceux après qui il courrait, ou qui lui courraient après, porteraient les leurs de la même manière, alors je suppose qu'au bout du compte les forces s'annuleraient!

— Pourvu que ce ne soit pas la police!

— Ha! ha! Si jamais tu vois courir un flic, arrange-toi pour filmer la scène. Tu vas vendre ça une fortune!

— Très drôle…

— Je ne plaisante pas!

De toute façon, Chomsky n'avait aucune envie de courir. Il avait aperçu la silhouette de Mme Moïse à la fenêtre. Il prenait donc son air le plus décontracté, retardant le moment de poser le geste qui, croyait-il, rendrait cette journée mémorable.

Lovelie aussi savait qu'ils passaient sous les fenêtres de sa classe, mais elle ne s'en préoccupait guère, bercée qu'elle était par la voix caressante du garçon.

— J'ai pensé à toi toute la fin de semaine, lui serinait-il. À cause de toi, c'est rendu que je m'ennuie quasiment de l'école.

— Faut pas exagérer! rigola Lovelie.

— Ho! J'exagère pas! Presque pas! Avant, je venais parce que j'étais obligé, c'est tout, tandis que, maintenant, je viens pour te voir. C'est plus pareil.

— C'est sûr que l'école est obligatoire, mais il faut pas penser comme ça. On prépare notre avenir.

— Notre avenir… répéta Chomsky en haussant les épaules. Quel avenir? Toi, peut-être, moi… si je finis mon secondaire, ce sera à quel âge? Et tu crois que ma tante me payera le cégep et l'université? Ça lui prend tout son petit change pour acheter un sac de riz. Qu'est-ce que je vais faire, hein? Travailler comme un nègre, oui! C'est ça qu'ils disent ici, c'est ça qu'ils veulent qu'on fasse. C'est tout juste s'ils nous laissent conduire les taxis. J'ai pas envie.

— Justement! Avec des diplômes, on peut faire quelque chose qu'on choisit.

— Tu crois? Regarde cette école. Pourquoi tu penses qu'elle est pleine d'Haïtiens? C'est parce que dans les autres écoles, les Noirs se font écœurer. Regarde les grosses compagnies: elles appartiennent toutes à des Blancs, c'est les Blancs qui ont les bons emplois. Fais-toi pas d'illusions, quand tu te présenteras avec ton beau diplôme, tout ce qu'ils considéreront, c'est que tu es une Négresse, puis tu vas passer après les autres. Ça a toujours été comme ça.

Lovelie, qui ne voyait pas les choses sous cet angle, n'était pas en mesure de formuler les arguments qui lui passaient par l'esprit. De toute façon, elle n'avait pas envie de discuter. Elle sentait que les opinions de Chomsky prenaient racine ailleurs que dans une analyse objective de la société, qu'il entretenait en lui une frustration permanente qu'aucun raisonnement ne pourrait guérir. Elle ne voulait pas gâcher le plaisir qu'elle avait de déambuler en sa compagnie, un plaisir pour lequel elle avait encore contrarié sa sœur, en ne l'accompagnant pas à la bibliothèque. Nathalie, elle, était en récupération de mathématiques.

— Tu veux devenir infirmière, toi, non? demanda Chomsky, sur un ton adouci, car il était conscient d'avoir un peu peiné son amie.

— Euh… oui, peut-être autre chose aussi. J'ai le temps d'y penser.

— Ah! Autre chose comme quoi?

— Oh! je ne sais pas, il y a tellement de possibilités. Il faut tout regarder!

Petit mensonge par abstention! Ce n'était pas dans les habitudes de Lovelie; elle l'avait fait spontanément et elle le regrettait déjà un peu, pas assez cependant pour rectifier son propos.

Chomsky ne chercha pas à en savoir davantage. Ils arrivaient au bout de la cour. Ils tournèrent à droite, suivant l'allée pavée qui, contournant l'aile est de l'immeuble, permettait de passer de la cour nord à la cour sud. Il y avait des surveillants, mais ils se tenaient généralement près des portes. La façade de cette extrémité était par ailleurs aveugle, ce qui faisait du passage entre les deux cours une sorte de zone franche. C'était là que les mauvais coups se complotaient et que les comptes se réglaient. Quand une bataille éclatait, la rumeur s'emportait telle une bourrasque de neige et, bien vite, de tous les coins, toute affaire cessante, c'était la cavalcade hurlante pour assister aux meilleurs échanges. Tout ça n'était pas loin de ressembler à une émeute, et les racistes du quartier en profitaient pour étayer leurs préjugés.

Ces comportements excessifs, qui sont le lot de tout groupe de jeunes confiné et laissé à peu près à lui-même, étaient exacerbés dans ce cas par les images des vagues émeutières qui déferlaient sur Haïti. Le pays faisait désormais les manchettes plusieurs fois par semaine; cette effervescence suscitait maints

espoirs, maintes inquiétudes aussi, et elle transparais-
sait dans les attitudes des jeunes de la même manière
que l'effet du vent sur la surface des eaux. Dès huit
heures du matin, si on n'avait pas écouté les nouvelles la veille, on pouvait en déduire le sens et l'importance rien qu'au son des couloirs, qui se transfor-
maient en microcosmes des rues de Port-au-Prince.
Les discussions ne s'embarrassaient pas de nuances
et chacun avait une anecdote plus grosse que l'autre à
raconter. « DECHOUKAJ ! DECHOUKAJ ! » se mettait parfois à scander un groupe, et il n'était pas rare qu'il
entraînât tout un étage à sa suite.

« PILLAGE ! PILLAGE ! » C'était un autre cri, moins
drôle, et ce fut celui-là qu'entendirent les deux amis
en même temps que l'école entière. Chomsky emmena Lovelie à l'écart. Le *piaj*, c'était un nouveau
« jeu » inventé spontanément par des têtes un peu trop
chaudes. Il consistait à se jeter sur quelques élèves
choisis, pas parmi les plus féroces, on s'en doute, et
à les dépouiller de leurs affaires, avec l'intention de
les leur rendre aussitôt après, en principe. Encore une
fois, cela ressemblait à des scènes de l'actualité, heureusement avec des conséquences beaucoup moins
graves. D'abord, les élèves, en général, n'avaient pas
d'objets de valeur en leur possession, et, malgré des
amoncellements spectaculaires de jeunes corps, on
ne déplorait jamais plus que quelques ecchymoses.

— Bandes d'idiots ! murmura Chomsky entre ses
lèvres.

Déjà, l'arrivée au grand galop de l'adjoint Papi,
puis de nulle autre que Mme Moïse, qui avait tout

vu de sa fenêtre, annonçait la fin du pseudo-carnage. Cela faisait l'affaire de Chomsky. Même avec l'aide des surveillants, ils en auraient jusqu'à la cloche pour récupérer les affaires des victimes, identifier les premiers coupables, les expédier au bureau et engueuler tout le reste. Pendant ce temps, lui, il serait tranquille avec Lovelie.

— J'ai un cadeau pour toi ! dit-il en glissant la main dans sa poche.

— Pour moi ? En quel honneur ? C'est pas ma fête.

— En l'honneur de rien. T'es trop grande pour avoir une montre comme ça.

Lovelie regarda son poignet. Elle était jolie, sa montre analogique en plastique bleu, à l'effigie de *Big Bird*. Les Brûlotte la lui avaient offerte pour son huitième anniversaire. Lucie en possédait une semblable, sauf qu'elle était rose. Chomsky n'avait pas tort, cela faisait jeune.

— Regarde ! dit Chomsky.

Une autre montre étincelait dans le soleil. Le boîtier et le bracelet étaient en métal doré. Elle ne comportait pas d'aiguilles, juste une fenêtre pour afficher les chiffres et des boutons sur le côté pour les différentes fonctions.

— Ça, c'est une vraie montre ! continua Chomsky, tandis que Lovelie écarquillait les yeux. Elle fait le chronomètre, l'alarme, tout. Vois comme elle est pesante. Une bonne montre, c'est pesant.

Lovelie la prit dans sa main. En effet, elle était lourde, et pourtant délicate. N'importe quelle fille en aurait eu envie.

— Mets-la, proposa Chomsky.

— C'est une montre qui coûte cher ! dit Lovelie en réponse à l'invitation du garçon.

— Hé ! Quand c'est un cadeau, on ne demande pas le prix !

— Je sais bien, mais tu peux pas me faire un cadeau comme ça. C'est trop ! Tu as besoin de ton argent pour autre chose.

— Disons que… je l'ai eue pas cher.

Des petites lumières s'allumèrent dans l'esprit de Lovelie. Elle tendit la montre à Chomsky.

— Je sais comment tu l'as eue. J'en veux pas.

— Quoi ! Tu fais la fine gueule ! Bon, d'accord, si j'ai pas la facture, j'ai quand même travaillé pour l'avoir, pour toi.

— Tu es très gentil, Chomsky, mais c'est mal de voler, et je veux pas que…

— Qui te dit que je l'ai volée ?

— Je suis pas idiote, Chomsky.

— Faut pas croire tout ce qu'on raconte !

— Je te regarde aller, sur la *plaza*. Je sais bien pourquoi, des fois, tu fais semblant de pas me voir.

— C'est quoi, voler ? réagit Chomsky en levant les bras. Les magasins, tu crois qu'ils nous volent pas, eux ? Ils exploitent le pauvre monde et ils font des super profits.

— Même si c'était vrai, c'est pas une excuse. Il faut imiter ceux qui font le bien, pas ceux qui font le mal.

— Ouais, les pasteurs prêchent ça. Et après le sermon, ils ramassent l'argent.

Lovelie détourna la tête. Elle avait le cœur gros.

— Tu peux faire ce que tu veux. Moi, je ne serai jamais une voleuse.

— Eh! Qui te demande d'être une voleuse? Je t'offre un cadeau, c'est tout!

— J'en veux pas.

Sur ces mots, Lovelie s'éloigna à grands pas.

Chomsky resta interdit un moment. Puis il s'approcha du mur et s'y adossa, l'air indifférent; il tourna sa casquette pour rabattre la visière sur ses yeux. La première cloche sonna. Les cours se vidèrent lentement. Chomsky attendit sans broncher que passent les cinq minutes avant la sonnerie du début des classes. Puis il se redressa et se dirigea vers la sortie, coupant par la pelouse où les mouettes prenaient en criant la place des jeunes. Dans sa poche, Chomsky avait le poing crispé sur la montre qu'avait dédaignée Lovelie. Il éprouvait un sentiment amer dont la nature exacte lui échappait.

Au même instant, Mme Moïse commençait à donner une dictée, exercice calmant par excellence. Elle vit Chomsky quitter l'école. Lovelie avait l'air si sombre que l'implacable maîtresse faillit trébucher dans son texte.

— *Get'*! fit Chomsky en arrivant à l'arrêt d'autobus.

Et, d'un geste rageur, il jeta la montre dans la poubelle plantée à côté de l'abri.

5

Le désarroi

(Extrait du journal de Nathalie Durocher, 25 octobre 1985)

Ça va mal! Qu'est-ce qui se passe avec moi? Demain, c'est lundi et, pour la première fois de ma vie, je veux faire croire à ma mère que je suis malade. Ça ne sera pas facile. Comme elle travaille dans un hôpital, elle se prend parfois pour une infirmière. Je ne veux pas aller à l'école. Depuis la prématernelle, jamais je n'ai fait d'histoires pour l'école : j'aimais ça! Moins les maths, mais je me débrouillais quand même.

J'aimais ma classe, les profs, mes amies, les récréations, tout. Maintenant, je n'aime plus rien. Au début, je me disais que c'était normal, parce qu'une école secondaire, ce n'est pas du tout pareil. Il faut s'adapter. J'ai l'impression que je ne m'adapterai jamais. Au lieu d'aller en s'améliorant, c'est pire de jour en jour.

En maths, c'est épouvantable. Pour le premier bulletin, ce sera beau si j'arrive à obtenir cinquante pour cent! Ce n'est pas de ma faute, je ne comprends rien. J'essaie de mon mieux d'écouter quand M. Messier explique, mais il va trop vite — ou bien c'est sa voix. Après deux minutes, j'ai perdu le fil et je ne sais plus de quoi il parle. Forcément, je me mets à rêvasser. Avec lui, c'est explication, travail, test, et on passe au module suivant. Les petits jeux pour apprendre en s'amusant, ce n'est pas son genre. Ce n'est pas qu'il soit méchant. Il me convoque en récupération et il prend le temps de m'expliquer mes erreurs. Mais... on dirait que les chiffres, ça m'engourdit. Je deviens gourde, quoi! J'ai appris que la monnaie d'Haïti, c'est la gourde! Drôle, non? Moi, ce sont les mots que j'aime.

Lovelie trouve que M. Messier est facile à suivre, elle, elle comprend tout rien qu'en ouvrant son livre! Lucie n'a pas de misère non plus. On fait nos devoirs ensemble et c'est sûr que ça m'aide. Sauf que quand je me retrouve devant ma feuille pour un test, je me mêle dans mes démarches, je me trompe en calculant, même avec la calculatrice.

Avec Mme Moïse, ça ne va pas très bien non plus. Elle ne m'aime pas, je le sais. Lucie dit que je me fais des idées, que Mme Moïse est juste avec tout le monde. Entre dire cela et dire que je ne suis pas correcte, il n'y a pas une grande différence! Lucie, c'est ma meilleure amie! Et je suis sa meilleure amie. Elle ne prend même pas ma défense. Elle pourrait faire semblant, au moins.

Pour Lovelie aussi, Mme Moïse, c'est le bon Dieu! Et pas besoin de demander si Mme Moïse aime Lovelie... elles sont noires toutes les deux. Sauf que Lucie, elle est loin d'être noire, et Mme Moïse l'aime autant. C'est vrai que tout le monde aime Lucie. Fine, délicate, propre et rose. On dirait qu'elle a encore huit ans.

Tandis que moi… la tête que j'ai! D'abord, je suis trop pâle, alors quand j'ai un bouton qui pousse, ça se voit de l'autre côté de la rue. Et s'il n'y en avait qu'un… J'ai la peau grasse. Il faudrait que je me lave aux demi-heures! Mes cheveux sont ternes, et, le pire du pire, j'ai des pellicules. Ça ne paraît pas sur la chemise blanche de l'uniforme, mais attention si je porte le cardigan bourgogne! Qu'est-ce que je ferai cet hiver? Ma mère dit que c'est la croissance qui fait ça et que ça va s'arranger. En attendant, je fais dur.

Et puis, je suis placée dans l'avant-dernière rangée. C'est là que Mme Moïse m'a mise le premier jour et je n'ai pas bougé depuis, même si je lui ai demandé de me rapprocher. Elle a répondu : « Ce n'est pas la place qui fait l'élève. » Elle en a changé d'autres, pourtant. Gédéon, par exemple, qui s'est retrouvé juste à côté de moi, et c'est au moins la troisième fois qu'il change de place. Elle ne sait plus où le mettre et je la comprends. Comme grand tarlais, *il ne se fait pas pire. Des fois, il est tellement* niaiseux *qu'il est drôle! Vendredi, je l'entends qui fait un bruit de phoque, je le regarde : l'épais s'était rentré un rouleau de papier blanc dans chaque narine, pour imiter des défenses. Et il fallait voir les yeux qu'il faisait…*

Je n'ai pas pu m'empêcher d'avoir le fou rire. Et, comme tous ceux qui ont ri, je me suis retrouvée avec une copie. Il paraît que si on apprécie les sottises de Gédéon, il est équitable qu'on partage sa punition. C'est peut-être vrai, sauf qu'il sera bientôt vingt-deux heures et même si je commençais tout de suite cette damnée copie, je n'en ferais pas le quart, je m'endormirais dessus.

Je sais bien que j'ai trop attendu, mais je n'ai pas que ça à faire! Le vendredi soir, on n'en parle pas. Le samedi matin, c'est mon cours de guitare. Après, je suis allée chez mon père. On y va en alternance, Sébastien et moi, parce que depuis qu'il vit avec sa nouvelle blonde, il ne reste qu'une chambre, vu que sa petite fille, Natacha (ce n'est pas la fille de mon père), prend l'autre. C'est un chou! Pour moi, c'est ma petite sœur. Elle est toujours contente de me voir parce que je joue beaucoup avec elle. Je l'adore.

Donc, je suis rentrée cet après-midi, et j'ai travaillé sur mon projet de géographie. Mon sujet, c'est la planète Uranus. Ce n'est pas difficile, j'ai toute la documentation qu'il faut, ce sont les dessins qui me prennent du temps. Au primaire, je travaillais toujours avec Lucie. Moi, j'écrivais, elle s'occupait de la présentation. Mais Mme Moïse, qui nous enseigne aussi la géographie, ne veut pas qu'on travaille en équipe, pour le moment. Ensuite, j'avais des maths et de l'anglais à finir. Tout ça pour dire que je ne suis pas si paresseuse, sauf que j'ai rien qu'une tête.

En tout cas, je ne l'ai pas faite, cette maudite copie, et Mme Moïse va être furieuse. Elle va encore m'accuser d'être désorganisée et me garder en retenue, peut-être bien appeler ma mère. Ça, ça n'est jamais arrivé. Je ne veux même pas que ma mère sache que j'ai attrapé une copie.

Alors le mieux, c'est de rester à la maison demain. Ma mère travaille, j'aurai tout le temps. Le dimanche soir, on mange toujours du poulet et des frites. Je me suis bourrée comme une cochonne. Maman m'a dit d'arrêter, que j'allais me rendre malade. Jean-Paul a dit : « C'est normal, elle est en pleine croissance. »

D'ailleurs, ça commence à gargouiller dans mon ventre. J'espère que je n'ai pas exagéré.

6

La soirée des parents

— Bonsoir, Mme Brûlotte.

Mme Moïse avait une bonne mémoire des physionomies, même s'il fallait en être fort dépourvu pour ne pas reconnaître l'immense Germaine Brûlotte si on l'avait rencontrée une fois. Or, les deux femmes s'étaient connues cinq ans auparavant, lorsque Lovelie avait été placée.

Elles s'étaient ensuite retrouvées en début d'année, lors de la soirée où les parents étaient invités à faire connaissance avec les enseignants et les programmes, de même qu'à élire les membres de leur comité, pour les quelques «participationnistes» que cela intéressait. Ce soir-là, Mme Moïse avait fait asseoir les parents tels des élèves, et, ainsi qu'à des élèves, leur avait plutôt enseigné ce qu'elle considérait être les fondements d'une éducation responsable, et comme des élèves encore, les parents étaient sortis de la classe pénétrés du sentiment qu'il valait mieux avoir cette maîtresse-là de son bord. Ceux qui, sans excuse valable, avaient omis de venir, par exemple le père de Gédéon, étaient désormais à même de témoigner du fait que la voix de Mme Moïse ne s'édulcorait aucunement en voyageant dans les fils téléphoniques.

Donc, si les autres profs écarquillaient de grands yeux en découvrant que Germaine Brûlotte était à la fois la mère de cette rose miniature appelée Lucie et, par presque adoption, de la magnifique et noire Lovelie, Mme Moïse, quant à elle, l'accueillait à la manière d'une vieille connaissance. Heureusement que les deux femmes se tenaient en bonne estime, sans quoi leur confrontation eût tout de suite fait penser à un combat de sumo, et les fondations de l'école en eussent tremblé, ainsi que s'en amusèrent sans vergogne Messier et Saint-Hugo, le lendemain. Mme Moïse, qui flairait le racisme à cent kilomètres, pardonnait à Germaine Brûlotte d'en avoir souffert, et d'en souffrir encore malgré tout secrètement. Elle choisissait de voir d'abord la générosité dans la bonne femme. Germaine, de son côté, au-delà de la couleur, appréciait le caractère matriarcal de l'institutrice, dans lequel elle reconnaissait son propre atavisme de mère québécoise. Une Germaine, ainsi que la taquinait son petit mari, c'est, selon l'adage, une femme qui gère et qui mène !

— Si on commençait par Lucie ? suggéra Mme Moïse.

Lucie réussissait haut la main dans toutes les matières. Elle était sage et polie, tout en participant avec enthousiasme lorsque la chose était requise. Et son nom figurait au tableau d'honneur. D'année en année, Germaine n'avait jamais entendu que ce genre de commentaires, mais elle se sentit néanmoins gonfler d'orgueil.

— Et Lovelie ?

— Lovelie va très bien. Elle a même la meilleure moyenne générale de toutes les classes de première ! Et son comportement est aussi exemplaire que celui de Lucie. Ce sont des filles très bien élevées. Félicitations !

Germaine gonfla davantage et il s'en fallut de peu qu'un vacuum ne se créât quelque part dans l'école. Elle était, en un sens, plus fière encore de Lovelie que de Lucie, qui, après tout, avait de qui tenir, même si, physiquement, elle ressemblait à son père, tandis que dans le cas de Lovelie, enfin... hormis la couleur de sa peau, on ne savait à peu près rien de son bagage génétique ni de son éducation préscolaire. Germaine se sentait donc le droit d'imputer à son propre génie maternel la part majeure des succès de l'enfant. Elle ne parla cependant pas de ce sentiment à Mme Moïse, craignant qu'il ne fût mal interprété.

— Et à la maison, ça va ? poursuivit Mme Moïse.

La question piqua Germaine qui dégonfla aussitôt, et il s'en fallut de peu qu'un courant d'air ne fît voler les feuilles étalées sur le bureau.

— Pourquoi demandez-vous ça ? Elle s'est plainte ?

— Non, non ! Je ne pensais pas du tout à ce genre de choses, je sais que vous êtes une bonne famille. J'essaie seulement de regarder au-delà des résultats scolaires, de prévenir. N'avez-vous pas remarqué de changement d'humeur ?

Germaine baissa les yeux, telle une élève prise en défaut.

— Bien... pour être franche, oui.

— Lovelie ou Lucie ?

— Surtout Lovelie, mais les deux sont tellement proches que ça ne se peut pas que ça n'affecte pas Lucie.

— Évidemment. Et qu'est-ce que vous remarquez ?

— C'est dur à expliquer. C'est pas des grosses affaires. C'est peut-être seulement la puberté qui fait ça. On dirait qu'elle a des tracas.

— Est-ce qu'elle vous parle de sa vie à l'école ?

— Au début, oui. Elle était tellement contente de vous avoir comme prof, Lucie aussi. Elles sont encore contentes, elles ne disent jamais un mot contre vous. Mais… on ne cache rien à une mère. Il y a de quoi qui se passe, c'est certain. J'ai posé la question à Lucie. Elle n'avait rien à dire. Elle ne doit pas savoir non plus, ma fille me dit tout.

Germaine Brûlotte ne perçut pas, sur les lèvres de Mme Moïse, le rictus sceptique que cette dernière réprima.

— Bon, continua la maman, c'est sûr que ce qui arrive dans son pays, ça l'inquiète. C'est normal, elle s'inquiète de sa famille. Elle n'a pas beaucoup de nouvelles. Mais s'il n'y avait que ça…

— Elle ne ferait pas tant de mystère, n'est-ce pas ? Au fond, n'avez-vous pas surtout l'impression qu'elle s'éloigne de vous ?

— On peut dire ça, oui. Oh ! Tout le monde sait que quand les jeunes arrivent au secondaire, bien des choses changent, c'est normal. Vous, si vous me posez ces questions-là… avez-vous remarqué quelque chose ?

— Il y a des informations que je devrais partager avec vous. Mais je ne veux pas vous inquiéter inutilement.

— C'est déjà fait, allez-y donc !

— Bon. D'abord, il est sûr que les troubles en Haïti, dans une école à forte majorité haïtienne, affectent les élèves. J'en parle en classe presque tous les jours, pour calmer les esprits, et mes collègues de même, sauf que je n'ai pas besoin de vous expliquer que nous n'avons aucun contrôle sur les événements et que notre pouvoir de rassurer est limité.

— Vous avez mentionné des informations à partager…

— J'y arrive. Il y a des hasards contre lesquels on ne peut pas se prémunir. Vous souvenez-vous de Charline Jolicœur ?

— Certain, que je m'en souviens !

— Elle est en cinquième secondaire, maintenant… ici.

— Charline Jolicœur, dans cette école ! ?

— En personne, la fille de vos anciens voisins qui ont fait tant de mal à Lovelie.

— Oh mon Dieu ! fit Germaine Brûlotte en rougissant. Si jamais cette chienne la touche, je…

— Ne nous énervons pas. Lovelie n'a rien à redouter. Charline n'est plus du tout la fille cruelle qu'elle était. Je me suis renseignée et je garderai l'œil ouvert. Ce n'est d'ailleurs pas ce qu'il y a de plus préoccupant.

— Quoi encore ?

— Il y a un garçon dans le décor.

— Un garçon ? ! Elle est trop jeune ! Ah non, par exemple ! Il n'est pas question qu'elle commence à sortir ! Franchement, à douze ans !

— Je suis tout à fait d'accord avec vous. Des parents qui laissent sortir leur fille à cet âge sont indignes de l'être. Voyez-moi ces gamines dans la rue, maquillées et pomponnées comme des… enfin, vous me comprenez. C'est à se demander si les parents ont encore un peu de morale, ou de bon sens, dans cette société.

— Oh ! Il ne faut pas mettre tous les Québécois dans le même sac ! C'est vrai qu'il y en a qui n'ont pas d'allure, mais c'est comme ça partout.

— Ce n'est pas du tout ce que je voulais…

— Vous autres, vous chialez contre les préjugés, mais vous faites pareil aussitôt que vous débarquez du bateau !

— Madame Brûlotte, je parlais de la société occidentale en général, pas des Québécois en particulier ! Enfin, il n'y a qu'à ouvrir la télé pour voir ces clips américains pleins de petites chattes en chaleur qui se tortillent…

— Bien, vous saurez que chez nous, on n'a pas le câble ! Alors si les filles voient des affaires, c'est ailleurs ! Et puis… et puis…

Germaine Brûlotte souffla quelques coups et laissa sa pression redescendre. Elle était aussi surprise que son interlocutrice de ce brusque accès d'indignation.

— Revenons à notre affaire, si vous voulez bien, profita Mme Moïse, radoucie à son tour. Lovelie est très en avance sur son âge, physiquement et plus encore psychologiquement. Et elle a déjà un projet de vie, ce qui est exceptionnel. Elle est déterminée à poursuivre ses études et à devenir infirmière. C'est une mission pour elle, et il faudrait vraiment quelque chose de majeur pour l'en détourner. Je serais bien étonnée qu'elle songe à gaspiller son énergie dans des amourettes.

— Eh bien d'abord, c'est quoi, cette histoire de garçon ?

— Il s'agit de ce garçon qui était dans ma classe d'accueil en même temps qu'elle, au primaire, et qui a failli se faire tuer…

— Ah oui ! Trotsky ?

— Chomsky.

— C'était un petit bandit, ça, quand même ! *Coudon*, est-ce qu'on a fait la bonne affaire en inscrivant nos enfants dans cette *académie ?*

— Sûrement ! Mais c'est une école publique. Dites-vous que dans une polyvalente de deux mille élèves, on n'en saurait pas tant.

— Est-ce qu'ils se tiennent ensemble ?

— Se tenir ensemble, c'est beaucoup dire. Je les ai vus se parler.

— Avec Lucie ?

— Sans Lucie. Seuls.

— J'aime pas ça, *pantoute*. Qu'est-ce que je devrais faire, d'après vous ?

— Ma foi, rien ! Jusqu'à maintenant, ça ne semble pas nuire à ses études. Selon ce que j'entends, à la maison, à part un certain changement d'attitude, il n'y a rien de notable à signaler. Alors on ne peut guère que demeurer attentives et se tenir au courant. Elle finira bien par se dévoiler, à vous ou à moi. Pour le moment, mieux vaut faire comme si on n'avait rien remarqué.

— Facile à dire… Je pourrais en discuter avec l'abbé Saint-Louis.

— Il est encore ici, lui ! s'étonna, Mme Moïse.

— Pourquoi est-ce que ça vous surprend ?

— Oh, je croyais qu'il voulait retourner au pays. C'est vrai que par les temps qui courent… Avant de vous laisser partir, permettez-moi de vous expliquer ce qui m'inquiète le plus. Ce n'est pas tant que Lovelie tombe stupidement amoureuse et qu'elle fasse des folies, non. Je me méfie plutôt de son tempérament généreux. Elle est très sensible aux autres. Je l'avais connue comme ça et elle n'a pas changé, à mon avis. C'est une belle qualité. Le danger, ce serait qu'elle se mette sur les épaules un fardeau plus lourd que ce qu'elles peuvent supporter. Il faudrait qu'elle comprenne que, dans certaines circonstances de la vie, un peu d'égoïsme n'est pas un péché.

Aline Durocher remarqua tout de suite l'air soucieux qu'avait Germaine Brûlotte en sortant de la classe. Les deux femmes se définissaient comme des « amies de poussette », en ce sens que, voisines depuis des années, elles avaient eu leurs filles à peu près en même temps et s'étaient liées en les promenant ensemble de parcs en cliniques.

Aline se leva, puisqu'elle suivait immédiatement Germaine dans la queue qui s'étirait devant la porte de Mme Moïse, dont la classe, ce soir-là, était de loin la plus fréquentée de l'école.

— Ça va, Germaine ? s'inquiéta Aline.

Debout côte à côte, les deux femmes composaient

un tableau drolatique, quelque chose comme le chiffre 10 dessiné par un artiste fantaisiste. Germaine, ronde et colorée, contrastait avec Aline, longue et mate, qui n'avait pas besoin de se présenter aux professeurs tant sa fille lui ressemblait. Aline était de ces femmes sans beauté digne de mention, mais d'une frêle et sobre élégance, l'air toujours un peu malade sans jamais l'être pour la peine. Elle avait gardé les cheveux longs, pour son âge, sans chercher à masquer les zestes de gris qui relevaient ses boucles abondantes. Elle eût sans doute beaucoup plu dans le milieu existentialiste des années cinquante, si elle était née plus tôt, et ailleurs.

Elle était en proie à une cruelle angoisse en serrant la main de Mme Moïse. Si Germaine, avec ses filles irréprochables, avait cet air en sortant, à quoi devait-elle s'attendre, elle qui avait reçu le choc de sa vie en parcourant le bulletin de Nathalie ?

— Ça ne va pas du tout, avec Nathalie ! confirma d'ailleurs l'enseignante.

— J'ai bien vu ça ! acquiesça piteusement la maman.

— Vous avez été surprise ?

— C'est la première fois qu'elle m'apporte de telles notes. Oh ! c'est vrai qu'elle n'est pas aussi studieuse que ses amies. Elle est rêveuse, un peu désordonnée. C'est une artiste !

Aline Durocher échappa un rire nerveux, craignant qu'une telle affirmation, dans sa bouche, ait quelque chose de prétentieux.

— À la maison, vous n'avez pas remarqué de changement ? demanda Mme Moïse.

— Euh… non. Vous savez, son père et moi, nous sommes séparés. C'est sûr que ça a été un moment difficile pour elle et son petit frère. J'ai un nouvel ami depuis presque un an. Sur le coup, elle n'a pas aimé voir son père remplacé, mais elle a compris que j'ai ma vie à vivre, moi aussi, et maintenant, ils s'entendent très bien tous les deux. Jean-Paul ne se prend pas pour son père. C'est important, non ?

Mme Moïse fit une moue qui indiquait qu'elle ne se sentait pas autorisée à émettre une opinion sur cette question.

— Elle couve peut-être un virus, proposa encore Aline. Lundi dernier, je lui ai permis de rester à la maison parce qu'elle se plaignait d'avoir mal au ventre.

D'instinct, Mme Moïse s'abstint de parler de la copie que Nathalie devait lui remettre ce jour-là.

— Je ne vous demande pas de lui chercher des excuses, dit-elle plutôt. Il s'agit de trouver une façon de redresser la situation. En français, d'ailleurs, ce n'est pas la catastrophe. Si elle faisait un effort pour éviter les fautes d'inattention et pour apprendre ses règles de grammaire, ce serait un progrès, parce qu'elle a une bonne plume. Au fond, tous les problèmes viennent de son manque d'attention et d'organisation.

— Est-ce que vous ne pourriez pas la changer de place ?

— On pourrait toujours, mais il y a vingt-neuf élèves dans cette classe, alors s'il fallait trouver la place idéale pour chacun…

L'entretien dura une dizaine de minutes, au bout desquelles nulle solution concrète n'avait été proposée. La mère s'engagea à parler à la fille. L'enseignante promit de ne pas laisser tomber son élève.

Aline Durocher retrouva son amie Germaine dans le couloir en affichant une mine bien basse. Les deux femmes parcoururent à pied la distance entre l'Académie Corbett et la rue Verrier, se demandant à maintes reprises si elles ne s'étaient pas trompées dans leur choix d'école.

— Je pense que je risque d'avoir des problèmes avec les parents québécois ! dit Horacine Moïse après avoir disposé devant elle les morceaux de poulet, la sauce et les frites.

— Ah ! rétorqua narquoisement Messier.

Les deux profs étaient attablés dans le décor rouge et blanc d'un comptoir de poulet frit. À vingt heures trente, Messier s'était présenté devant la classe de sa collègue, déterminé à l'entraîner dans une brasserie où un groupe sélect de collègues avaient l'habitude, les soirs de rencontre, d'aller boire deux ou trois bières pour faire passer la longue journée. Il avait constaté qu'il restait encore quelques parents devant la porte de la titulaire de la classe enrichie et avait vite compris que celle-ci n'avait pas l'intention de prendre prétexte de l'horaire officiel pour les expédier. Il avait hésité un moment, puis, comme les autres s'impatientaient, leur avait fait savoir qu'il les rejoindrait plus tard.

Il avait attendu presque une demi-heure sans cesser de se demander par quel virus il avait été contaminé pour poireauter ainsi dans l'attente d'une bonne femme qui travaillait sur du temps non-rémunéré et qui, au bout du compte, finirait probablement par l'éconduire. Puis, las, il s'était planté dans le cadre de la porte pour lui tirer sa révérence, à cette Horacine de malheur, et l'abandonner à ses excès de zèle. C'était elle qui l'avait interpellé avant qu'il ouvrît la bouche. Justement, le parent avec lequel elle s'entretenait n'avait pas eu la chance de rencontrer le prof de maths, et Messier n'osa pas refuser de dire quelques mots. Une fois installé, il n'avait plus trouvé le moyen de s'extirper de ce piège.

Il passait neuf heures trente, et il n'y avait plus qu'eux dans l'école, avec le concierge du soir, quand Messier avait enfin pu lancer son invitation.

— Ah non ! C'est gentil de m'avoir attendue, mais je ne bois pas d'alcool et j'ai une faim de loup. J'ai tout juste eu le temps de croquer une pomme, avait répondu Mme Moïse.

— On sert du *ginger ale*, dans les brasseries, et des repas aussi !

— J'ai un goût de poulet frit qui me harcèle depuis deux heures et dans ces cas-là, moi, il faut que je cède sinon je vais en rêver toute la nuit.

Et voilà. C'est ainsi que Messier, à travers les vapeurs d'un café médiocre, contemplait la magnifique dentition d'Horacine Moïse qui déchirait la grasse panure d'un pilon aux reliefs étranges.

— Sais-tu pourquoi, dans une guerre entre les

deux puissances, la Chine l'emporterait sur les États-Unis ?

— Hon…

— Parce que le général Tao est nettement meilleur que le colonel Sanders !

— … comprends pas, mâchouilla Horacine. Pourquoi le *général* Mao ?

— Tao, le général Tao ! C'est une recette chinoise de poulet frit.

— Ah bon… Jamais goûté. Ça ressemble à ça ?

— Pas du tout, c'est bien plus savoureux. Et là, je ne te laisse pas le choix. Un de ces jours, je vais t'inviter dans le quartier chinois pour que tu y goûtes.

— On verra.

Elle trempa une frite dans la sauce.

— Tu te sers, si tu en veux, oui ! offrit-elle.

— Je ne mange pas le soir.

— T'aurais préféré une bonne bière, hein ! Tu n'étais pas obligé de m'accompagner.

— Au fond, ça fait mon affaire, j'essaie d'arrêter.

« MAUDIT MENTEUR ! » s'invectiva Messier en son for intérieur.

— Alors, qu'est-ce qui te tracasse, à propos des parents québécois ? relança-t-il en maudissant cette fois son incapacité à imaginer un autre sujet de conversation que ce damné boulot.

— Je ne sais trop… ils sont compliqués. Avec les Haïtiens, c'est simple, tu les grondes gentiment, ou moins gentiment si ça s'impose, et tu peux être sûr que ça va retomber sur les gamins. En fait, il faut plutôt freiner leurs ardeurs et leur faire comprendre qu'il y a d'autres moyens que de taper dessus…

— Bien sûr, on peut leur arracher les cheveux, les ongles…

— Hé ! Déconne pas, tu veux ? C'est vrai qu'ils sont souvent trop durs, mais au moins, les rôles sont clairs et les mioches savent ce qui les attend, et ce qu'on attend d'eux.

— Ça ne donne pourtant pas toujours des résultats extraordinaires.

— Non, à cause des conditions sociales. Si tu crois que c'est facile d'élever des enfants à la demi-douzaine dans un cinq et demie, quand il faut travailler soixante heures par semaine à petit salaire, et qu'on a souvent si peu d'instruction qu'on arrive à peine à lire un bulletin. S'ils avaient le même niveau de vie que les Québécois de souche, on pourrait comparer. Attends la prochaine génération, tu verras.

— Tous les petits Québécois ne sont pas élevés dans la ouate !

— Non, mais quand même… Regarde Nathalie Durocher. Elle est loin d'être sotte, la gamine. Tout ce dont elle a besoin, si tu veux mon avis, c'est de se faire brasser un peu. Sauf que la mère, oh ! elle ne sait pas quoi dire, ne sait pas quoi faire, elle cherche des raisons… Le père, je ne sais pas, le nouveau conjoint de madame a pour principe de ne pas s'en mêler… Dans une famille haïtienne, ce serait l'oncle, le cousin ou le voisin du dessus, quelqu'un qui a un rapport établi avec la famille, qui s'en occuperait.

— Ça ne changerait rien.

— Tu crois ?

— Ça ne servirait qu'à la rendre plus malheureuse.

Du revers de sa longue main, dont la peau était
aussi lisse que le glaçage d'un chocolat fin, Horacine
Moïse écarta les reliefs de son repas.

— Malheureuse ? ! Vous êtes incroyables ! Comment une gamine qui mange à sa faim, qui a sa chambre, de jolis vêtements, une famille recomposée,
d'accord, néanmoins une famille, comment peut-elle
être malheureuse ? Vous êtes compliqués…

— D'abord, s'il vous plaît ! Je ne suis pas tous
les Québécois, et tous les Québécois ne sont pas
moi. Tu traites de racistes ceux qui mettent tous les
Noirs dans le même sac. Ne fais donc pas pareil,
veux-tu ?

En baissant les yeux, elle vida d'un long trait de
paille la dernière des trois boîtes de jus de fruits
qu'elle avait achetées avec le poulet. Des fossettes se
formèrent au creux de ses joues tandis que ses lèvres
se contractaient. Messier se sentit tout chose.

— Un point pour toi, concéda-t-elle après avoir
aspiré l'ultime goutte.

— Tu es fatiguée ?

— Assez. Ça se voit tant que ça ?

— Non, mais c'est bien la première fois que tu
m'accordes un point.

À présent, elle s'essuyait les lèvres. Le moindre de
ses gestes avait l'élégance charnue de la démesure
tropicale.

— J'en ai tout un, hein ? Eh !

Messier s'était laissé partir dans d'inavouables rêveries.

— Oui ! Tout un quoi ? se rattrapa-t-il.

— Tout un caractère, tiens ! Qu'est-ce que tu crois ?

— Bien sûr, oui, enfin non…

— Oui ou non ? Allez, laisse tomber, ce n'est pas nécessaire de faire semblant, je me connais… et franchement, je me demande ce que tu trouves de tellement plaisant à ma compagnie pour m'avoir attendue tout ce temps. Tu n'aurais pas une petite idée derrière la tête, par hasard ?

— Moi ? Quelle idée ?

— Celle de t'envoyer une grosse Négresse, par exemple.

— MADAME MOÏSE ! Vous me prenez pour qui ? Jamais une telle pensée ne m'a traversé l'esprit.

« En tout cas, pas en ces termes », rajouta-t-il pour lui-même. Il continua, avec un clin d'œil :

— Quoique… maintenant que tu en parles…

— Ho ! Modérez vos fantasmes, monsieur Messier.

— Eh quoi ! Nous sommes majeurs et vaccinés tous les deux, et célibataires, à ce que je sache. Tu n'as pas fait vœu de chasteté, toujours ?

— Non, seulement je n'ai pas d'énergie à perdre avec les hommes, surtout pas en milieu de travail.

— Pour ça, je pense exactement comme toi.

— À la bonne heure, je suis contente que ce soit clair. Je t'avoue que ça me tracassait un peu. Et tu vois, je t'accorde un autre point : je veux bien y goûter, à ton maréchal Tarot. J'aime bien parler d'éducation avec toi. Ça m'aide à comprendre la profession de votre point de vue.

Messier leva le sourcil :

— Horacine Moïse !

7

Le regard de Charline

Le 25 octobre 1985 fut sombre. Fit-il beau ou mauvais, chaud ou froid ? Messier eût dit : « Seuls les malheureux qui se sont mariés ce jour-là s'en souviennent ! » Messier affectionnait cette boutade. Il n'avait pourtant pas la tête à badiner ce vendredi-là, pour la raison qu'il avait gâché sa nuit à se demander s'il avait vraiment envie de sauter Horacine Moïse, tout en sachant que cette perspective, à peine apparue dans son esprit, avait été repoussée *sine die* par la principale intéressée. Rien de grave jusque-là.

Le climat intérieur de l'école était anormalement calme. Même dans les groupes difficiles, on notait un effort d'attention, une inhabituelle bonne volonté. C'était l'effet immédiat et hélas éphémère de la soirée des parents. Beaucoup d'élèves gardaient un souvenir cuisant du retour des leurs. Gédéon, pour sa part, exhibait fièrement des écorchures bien roses sur ses avant-bras, preuves qu'il avait, dans une certaine mesure, réussi à éviter le pire. D'autres élèves, dont les parents étaient rentrés trop tard, appréhendaient la fin de semaine et cherchaient par tous les moyens à rapporter à la maison une bonne note, un compliment d'un prof, n'importe quoi qui pût faire douter le parent de ce qu'il avait entendu la veille.

Journée sombre aussi pour Nathalie Durocher. Oh !

Elle n'avait certainement pas une seule ecchymose fraîche sur le corps, même pas une rougeur digne de ce nom ! Sa mère n'était pas rentrée enragée et prête à frapper tout ce qui bougeait, non. Elle était rentrée déçue, désemparée, chargée de questions. Or, Nathalie était vide de réponses. Elle ne pouvait que s'engager à faire mieux, mais elle avait déjà l'impression de fournir un maximum d'efforts, d'avoir atteint la limite de ses possibilités. Et en plus, elle se sentait désormais menteuse. Elle savait que les choses ne s'amélioreraient pas, qu'elle serait incapable de tenir ses promesses et que, à Noël, sa mère serait encore plus déçue. Elle en souffrait à l'avance. Et l'onde de choc n'avait pas encore touché son père !

Ses amies étaient de peu de secours. Ni l'une ni l'autre n'avaient envie de se soucier du troisième membre d'un trio qui traversait des heures difficiles et, de toute manière, qu'auraient-elles pu comprendre, elles qui, malgré les aléas de leur vie affective, avaient des bulletins en or ? Plus Nathalie songeait à tout ça, plus elle s'enlisait dans sa morosité. À l'image du cours des saisons, elle se préparait un novembre détestable, puis un hiver impitoyable, et, même en plissant les yeux, le printemps demeurait hors champ.

De son côté, Lucie, pour une rare fois, avait eu de la difficulté à se concentrer. Sa mère la tracassait. Elle s'était attendue à la retrouver de superbe humeur, la veille au soir, mais ses félicitations manquaient de conviction. Il était évident que sa mère avait une crotte sur le cœur. Si Germaine Brûlotte se plaisait à affirmer que sa fille n'avait pas de secret pour elle, l'inverse serait désormais davantage vrai. Lucie arrivait à l'âge auquel les parents perdent leur aura d'êtres suprêmes. Elle découvrait que sa mère était ronde d'esprit autant que de corps et que la dissimulation était un art dont elle ne connaissait l'existence que par la pratique que d'autres en avaient faite, parfois à ses dépens. Peut-être que cette ombre dans le ton de sa voix n'avait rien à voir avec l'école, mais il était difficile d'échafauder une autre hypothèse. Que s'était-il donc passé entre le moment où, confiante et radieuse, elle était partie à la rencontre des profs et son retour avec le sourcil qui lui fronçait malgré elle ?

Lovelie éprouvait les mêmes sentiments que Lucie concernant Germaine Brûlotte. Sauf qu'elle avait une petite idée de ce qui perturbait les humeurs de la matrone, et cela ne la rassérénait pas le moins du monde. Si Germaine Brûlotte avait appris quelque chose à propos de ses nouvelles amitiés, de la bouche de Mme Moïse ou de quelqu'un d'autre, le pire était à prévoir. Elle le devinait pour la simple raison qu'elle redoutait cette fatalité depuis un moment déjà. Cela dit, pourquoi n'avait-elle jamais imaginé que cette information serait reçue positivement, ou juste avec indifférence ? Sans doute parce qu'elle-même n'était pas tout à fait sûre que c'était une bonne chose. Que cherchait-elle en acceptant de renouer avec Charline ? D'ailleurs, cherchait-elle quoi que ce soit ? N'était-elle pas tout simplement en train de se laisser entraîner ? Lors de sa dernière conversation avec Charline, elle avait pris, en toute liberté et en pleine connaissance de cause, une initiative qui allait faire des étincelles.

Mme Moïse, en bon professeur, flairait tous ces mouvements d'âme, sans réagir pourtant, car, phénomène inusité, les siens propres enrobaient d'un halo de brume la tour altière de ses certitudes.

Des étincelles, il y en eut. On peut même parler de flammèches. Le vendredi soir, Germaine servit des *fish'n'chips*. L'interdiction faite aux catholiques de manger de la viande le vendredi avait été levée depuis longtemps, mais pour de nombreuses familles québécoises, les chairs tirées des eaux demeuraient associées aux vendredis, et réciproquement. Pané et accompagné de frites, ledit poisson n'avait cependant plus la moindre connotation mortifiante, surtout pour les enfants, et ces repas-là se déroulaient dans la joie, d'habitude. Pas en ce sombre vendredi 25 octobre.

Lucie et Lovelie mangeaient, le nez dans leur assiette. Germaine cherchait son appétit. Son mari Émile, mis au parfum des récentes fréquentations de Lovelie, mais qui trouvait comme toujours que sa femme s'en faisait trop, n'arrivait pas à dérider l'atmosphère en racontant les dernières cocasseries qui circulaient dans le monde ô combien circulatoire du taxi.

Quand la question fatale tomba : « Qu'est-ce que vous faites demain, les filles ? », Lovelie n'eut pas le choix de répondre :

— Moi, demain matin, je vais chez une amie qui a besoin d'aide.

Pendant un instant, on eût pu croire que la famille était victime d'un sort à la manière des contes de fées, et qu'elle resterait figée dans cet instant jusqu'à ce qu'un prince charmant intervienne. Lucie n'était tout à coup plus pressée de dévorer la grosse frite qu'elle s'apprêtait à fourrer dans une torsade de ketchup. Lovelie, qui avait pris soin de ne pas parler la bouche pleine, n'osait plus regarder personne en face et ses grands yeux qui, dans la douce lumière de la cuisine, tournaient au bleu, fixaient un secteur vide de la nappe blanche. Le couteau d'Émile, enduit de sauce tartare, avait interrompu son mouvement de va-et-vient sur la croûte de son filet de poisson pané. Germaine avait la bouche entrouverte sur sa dernière bouchée de *coleslaw*, dont elle faisait normalement ample consommation sous prétexte que cela ne faisait pas engraisser. Ce fut elle qui rompit le charme.

— Comment ça? Quelle amie? Pas... Pas... pas la petite Jolicœur, toujours? demanda-t-elle en déglutissant.

Lucie eut une nouvelle réaction : elle dressa la tête avec l'air d'un enfant qui apprend que le père Noël n'existe pas.

— Oui, c'est ça, je vais chez Charline, confirma Lovelie, pas du tout prise à contre-pied.

Trois fois stupéfaite en une minute, Lucie passa bien près de s'évanouir et, durant toute la scène qui suivit, elle se contenta d'être un témoin muet et incrédule.

— Voyons donc! répéta Germaine à satiété. Qu'est-ce qui te prend d'aller te jeter dans les griffes de ces démons?

Lovelie lui expliqua que Charline avait beaucoup changé, qu'elle n'était plus un bourreau, quasiment une victime. Germaine, qui s'entendait dire cela pour la deuxième fois, n'en croyait toujours pas le premier mot.

— Tu ne leur dois rien, à ces gens-là ! Ils ont fait semblant de t'accueillir, mais ce n'était pas pour ton bien, c'était pour avoir une esclave, tu t'en souviens !

Lovelie évoqua le pardon, ce qui décontenança un peu Germaine.

— Le pardon… le pardon… faut pas être plus catholique que le pape ! Pense à tout le monde qui a travaillé pour te sortir de là, puis tu y retournes ! C'est quasiment insultant pour nous autres !

Aucun doute, Germaine le «prenait personnel», selon l'expression en vogue. Elle poursuivit :

— On t'a accueillie à bras ouverts. On t'a aimée…

— Moi aussi, je vous aime ! C'est juste que j'ai retrouvé Charline à l'école et on a jasé. Sa mère est malade au lit depuis plusieurs jours, et c'est elle qui doit tout faire. J'ai offert de lui donner un coup de pouce, c'est tout.

— Tu lui as offert !

— Oui. Elle m'a rien demandé.

— Là, je ne te comprends plus. Je sais bien que tu ne fais pas ça pour mal faire, mais je n'aime pas ça, Lovelie. Ils sont rendus où ?

— À Rivière-des-Prairies.

— Rivière-des-Prairies, c'est au bout du monde ! C'est le paradis des *gangs* de rues !

— Si tu me l'interdis, j'irai pas.

Lovelie avait pensé à cette conclusion vers le milieu

du cours d'éducation physique, pendant qu'elle attendait son tour de jouer. Elle aurait pu commencer par demander la permission. Il y avait des choses, dans la culture familiale des Brûlotte, pour lesquelles les filles n'avaient pas à demander la permission. Aller chez Nathalie, par exemple, ou à la bibliothèque. Elle avait songé que la meilleure stratégie était de présenter son projet comme s'il appartenait à la catégorie de ces choses anodines, quitte à rectifier ensuite. Rassurée à l'idée qu'elle conservait le contrôle, Germaine se contenta de répéter :

— Je ne comprends pas, Lovelie, je ne comprends pas pourquoi tu fais ça !

— C'est le syndrome de Stockholm, diagnostiqua Émile Brûlotte sur l'oreiller.

— Le symptôme de qui ?

— De Stockholm. C'est une ville. Il y avait eu une prise d'otages qui avait duré longtemps, puis quand on les a libérés, on s'est rendu compte que les otages étaient devenus amis avec... avec les bandits, ceux qui les avaient gardés prisonniers. C'est la maladie psychologique qu'attrapent les victimes dans le genre de notre Lovelie. Dans son cas, je suppose que c'est resté caché jusqu'à aujourd'hui. Ça doit se pouvoir.

— *Coudon*, tu es rendu instruit, toi ?

— Le taxi, c'est la vraie université du peuple ! J'en ai embarqué, des docteurs ! Des malades aussi.

Germaine prit une mine absorbée et se tut.

— T'es pas contente d'avoir un petit mari savant avec une belle grosse graine en plus ?

— Émile…

Ce dernier avait prononcé sa dernière phrase, un rien gaillarde, du bout des lèvres en s'enfouissant dans les chairs redondantes de sa compagne adorée.

— Pas ce soir, mon chou, dit Germaine sans toutefois le repousser. Je suis toute à l'envers. À part de ça, si elle a une maladie philosophique, il faut la soigner !

— Psychologique, ma louloute, psychologique. On verra si ça s'aggrave. C'est une bonne petite fille, hein ?

— Justement, je me demande si elle n'est pas trop bonne !

— Une chose que je sais en tout cas, c'est que si c'est psychologique, c'est mieux de ne pas contrarier le malade. Détends-toi, laisse-moi faire, je vais te changer les idées.

— Aïe ! Arrête, tannant !

Émile avait glissé sa main osseuse dans la jaquette de son épouse et lui avait, sans méchanceté, tiré une pincée de poils pubiens. C'était une petite malice convenue entre eux. Émile avait le droit de s'en servir si Germaine ne succombait pas à ses premières avances. Par contre, si elle maintenait son refus après ce geste, c'est qu'il était définitif. Émile connaissait sa bonne femme. Son «pas ce soir» de tantôt manquait de conviction.

Quelques minutes plus tard, Émile accédait à ce qui, pour lui, représentait le bonheur suprême dans cette vie. Les dimensions de sa femme suscitaient les moqueries de ses collègues du taxi, surtout comparées

aux siennes, du moins celles qui étaient apparentes
— Émile Brûlotte n'était pas d'un naturel vantard.
La plupart trouvaient qu'il faisait pitié et supposaient
que sa vie sexuelle était frustrante. S'ils avaient pu
l'observer, en extase, sa tête grappillant les mamelles
planétaires de sa femme, flottant sur le duveteux matelas de sa panse, avec son sexe, véritable pilotis, se
mouvant dans les abysses poignants de sa conjointe,
ils eussent été fort jaloux.

* * *

Lovelie était déjà allée à Saint-Félicien, au Lac-
Saint-Jean, pour visiter le zoo. Elle avait aussi visité
le village d'antan de Drummondville. Elle était
allée plusieurs fois à Saint-Denis-sur-Richelieu, où
vivaient les Lebœuf, la famille de Germaine, ainsi
qu'à Val-David, dans les Laurentides, où les parents
d'Émile s'étaient retirés, et même à Lachine, où était
installé un oncle quelconque, mais elle pénétrait dans
Rivière-des-Prairies pour la première fois.
    Elle fut déçue cependant de n'apercevoir ni rivière,
ni prairies, si ce n'est des champs délabrés parsemés
d'affiches «TERRAIN À VENDRE». De toute évidence,
lesdits terrains finissaient d'ailleurs par trouver pre-
neur, puisqu'il y avait des chantiers dans toutes les
directions.
    — On appelle ça un secteur en développement.
Dans dix ans, il n'y aura plus un coin de libre par
ici, rien que des maisons et des places commerciales,
expliqua Émile Brûlotte.

Autre première pour Lovelie : rouler toute seule dans le taxi de son père. Elle ne se souvenait pas que ce fût déjà arrivé. Sa mère avait raison, Rivière-des-Prairies, c'était au bout du monde.

— En tout cas, au bout de l'île, ça c'est sûr ! de préciser encore Émile Brûlotte. Peux-tu me dire pourquoi Charline va dans une école si éloignée de chez elle ? Ça doit lui prendre un temps fou !

— Sa mère voulait pas qu'elle aille dans une polyvalente. Ça lui prend plus qu'une heure.

— Elle doit être fatiguée !

— Elle est habituée.

Lovelie répondait distraitement, regardait partout, fière comme une *V.I.P.* La majorité des gens qu'elle apercevait sur les trottoirs étaient noirs. À un moment donné, elle reconnut Gédéon qui traversait la rue en courant et quelques autres visages familiers.

Émile Brûlotte conduisait de ses deux mains expertes avec une prudence dont ses nombreuses années d'expérience ne l'avaient aucunement porté à se départir. Même si la ville avait peu de secrets pour lui, le secteur croissait si vite qu'il se méfiait des surprises. Il ne jugea pas utile d'apprendre à sa fille que le secteur avait mauvaise réputation dans les milieux du transport, et que les plus méchants l'avaient rebaptisé « Rivière-des-Pourris ».

Lovelie descendit enfin devant un modeste bungalow dont la façade avait besoin d'un rajeunissement. Le panier à ballon rouillé et effiloché, au-dessus de la porte du garage écaillée, évoquait l'abandon. Hormis ce délabrement cosmétique, l'habitation semblait convenable.

— Tu as le numéro du standard ? s'assura Émile Brûlotte.

— Oui, oui !

— Je serai ici vers midi, mais si tu veux partir avant, n'hésite pas à appeler. Ils sont au courant, ils vont me transmettre le message tout de suite. Ça devrait être tranquille pour moi. Je reste dans l'Est.

— T'inquiète pas.

— Je descends avec toi…

— Non ! Non, c'est pas nécessaire. Je suis capable de sonner toute seule.

De toute façon, la porte du bungalow s'ouvrait et Charline apparaissait, souriante, penchant même la tête pour saluer M. Brûlotte, qu'elle n'avait pas rencontré depuis cinq ans, et fort peu auparavant.

— Tu vois bien, dit Lovelie en embrassant son père sur la joue.

— J'attends ici quelques minutes, au cas où tu ressortirais.

— Si tu veux.

En trois bonds, Lovelie se trouva devant Charline. Émile Brûlotte constata qu'elle était aussi grande qu'elle. Avec son jean pas trop serré, tout de même décent, son blouson sport et sa chevelure abondante et brillante, sa fille presque adoptive avait une silhouette dangereusement accrocheuse. De dos, on lui eût donné facilement seize, dix-huit ans. Comment pouvait-il donc ne pas s'inquiéter, lui qui côtoyait de si près toutes les turpitudes de la grande ville ? Si, à la différence de sa femme, il gardait toujours à l'esprit que Lovelie ne leur était que confiée, il l'aimait

179

tout autant et il avait peur, en la regardant entrer dans cette maison, non seulement qu'elle se fasse du mal, mais qu'elle soit déjà un peu en train de les quitter. Cette perspective annonçait moult chagrins pour sa petite famille.

Lovelie allait en effet passer quelques moments pénibles. Le premier survint lorsque Charline referma derrière elle. Un formidable bond la fit reculer de cinq ans dans le temps. En un éclair, elle se sentit infime, comme en ce jour de février 1980, quand Charline l'avait accueillie dans la maison de la rue Verrier. Elle respira profondément pour chasser cette vilaine sensation. Après tout, ce n'était plus la même Charline. La maison de la rue Verrier n'était plus celle des Jolicœur et avait été habitée par trois familles différentes depuis. Tout cela appartenait au passé.

— T'es vraiment fine d'être venue. Jusqu'à ce que tu m'appelles, ce matin, j'y croyais pas trop.

— Je ne serais pas venue si ma mère avait pas voulu.

— J'en reviens pas, c'est incroyable, simplement que tu m'aies dit bonjour, à la *cafète* ! Incroyable que tu m'aies pas sauté dans la face pour m'arracher les cheveux ! Y a des filles qui sont prêtes à s'entretuer, qui s'haïssent pendant des mois pour un mot de travers. En plus, tu viens m'aider. Pourquoi ?

— Ah… pourquoi… pourquoi ! Pourquoi tout le monde veut tant toujours savoir pourquoi ? C'est pas écrit dans la Bible qu'il faut expliquer chaque affaire qu'on fait ! maugréa Lovelie.

Charline hocha la tête en signe d'incrédulité.

— T'es vraiment pas une fille ordinaire. Non ! Ça doit pas être écrit dans la Bible ! T'as raison, je devrais me contenter que tu sois là. Sais-tu ce que je regrette le plus, de mes méchancetés ? C'est toutes ces années où tu aurais pu être mon amie et où tu l'as pas été. J'ai vraiment tout gâché.

— Tu pouvais pas savoir. Maintenant, on ne parle plus de ça, O.K. ?

— T'as encore raison. Bon, il faut bien que je te montre à ma mère. Sauf que... je sais que t'es une fille de religion, donc que t'aimes pas les mensonges, mais...

— Qu'est-ce qu'il y a ? fit Lovelie, de nouveau craintive.

— Pas grand-chose ! J'ai pas dit à ma mère que tu venais, je veux dire que c'était *toi* qui venais.

— Charline !

— Elle est malade ! Elle s'est jamais remise de la mort de p'pa. Elle vit dans son monde de prières et de maladies. Elle sort de l'hôpital, je sais même pas pourquoi, ils ont rien trouvé. Je sais pas comment elle réagirait. Je vais lui dire que tu t'appelles...

— Non ! Je veux pas. Je ne veux pas d'un faux nom.

— C'est pas si grave, voyons. On a le droit de mentir un peu, quand c'est pour ménager la santé de quelqu'un, non ?

— C'est pas ça... C'est pas le mensonge qui... C'est... Regarde ! Y a pas qu'une Lovelie dans le monde. Tu lui dis que je m'appelle Lovelie et c'est tout. Elle ne va jamais penser que c'est *la* Lovelie d'autrefois…

— On peut essayer… Tant pis si ça marche pas !

Lovelie ne disposait pas des outils intellectuels requis pour expliquer à Charline à quel point il était important que son geste, sa démarche, lui appartienne en propre. Si elle en avait parlé à l'abbé Saint-Louis et n'avait pas cherché à camoufler les choses devant Germaine, c'était qu'elle voulait que cela se fasse au grand jour, certainement pas dans l'intention de s'attirer des compliments.

Les deux filles quittèrent le vestibule étroit et terne dans lequel toute la conversation s'était déroulée. À gauche, Lovelie aperçut le salon. Elle y reconnut le faux palmier, le divan et quelques autres détails que sa mémoire, elle s'en rendait maintenant compte, avait refusé d'éliminer. Il y avait du désordre, des revues éparpillées, des sacs de croustilles froissés en boule. Par une ouverture en forme d'arche, elle entrevit le comptoir de la cuisine, chargé de vaisselle sale. Les chambres se trouvaient au fond d'un court passage. Charline ouvrit une des trois portes.

— M'man ! Mon amie est arrivée.

Charline s'écarta un peu et Lovelie fit un pas dans l'embrasure. Les rideaux étaient tirés. Lovelie aperçut une forme sombre dans un lit. Fleurette Jolicœur s'agita comme un ver qui veut sortir de son cocon et se dressa à moitié. Lovelie avait peine à distinguer ses traits ; curieusement, c'était cette fois l'odeur qui éveillait ses souvenirs, l'odeur de Fleurette, jadis enfouie sous le tabac de feu son époux.

— Je te présente Lovelie, ajouta Charline.

Il y eut un moment de silence.

— Lovelie ? fit Fleurette.

Sa voix grinçait, et ce n'était pas l'effet de la maladie.

— Ouais, c'est mon amie, précisa Charline avec désinvolture.

Fleurette regarda les filles en plissant les yeux.

— Bonjour, Lovelie. C'est gentil d'aider Charline, dit-elle enfin.

Puis elle se laissa retomber dans son lit.

— Tu peux changer mon eau, Charline, s'il te plaît ? demanda-t-elle en guise de congédiement.

Charline referma doucement en haussant les épaules.

— Ça a l'air que ça marche !

Elle expédia la commande de sa mère, pendant que Lovelie tournait en rond en quête d'autres souvenirs, sans en trouver. C'était normal, néanmoins un peu décevant, et surtout infiniment bête de chercher. Qu'était-elle venue faire ici ? Un pèlerinage ? Peut-être. Peut-être avait-elle besoin de toucher du doigt ce passé bref et cuisant. Peut-être, dans son esprit juvénile, comprenait-elle un peu qu'un passé n'est jamais tout à fait mort, qu'il se survit toujours à lui-même, quelque part, en de nouvelles formes, tel un animal dangereux que l'on aurait chassé et qui poursuivrait sa vie dans des forêts connexes.

— Tu te rappelles Surprenant ? demanda Charline en posant la main sur la poignée d'une autre porte.

Si elle s'en souvenait ! Comment oublier cette

limace qui n'existait que pour faire fonctionner le système digestif qui habitait son corps trop gros et qui écoulait ses heures d'éveil à se rouler sur le tapis du salon en bavant sur une balle rouge ?

Eh bien ! Surprenant n'avait pas fini de la surprendre !

— À cette heure-ci, il est tranquille dans sa chambre. Il joue avec ses blocs. Si on laisse la porte fermée, il pense pas à sortir, sauf quand il a faim.

Charline ouvrit.

— Surprenant ! dit-elle en étirant chaque syllabe. On a de la belle visite.

Lovelie entra à son tour et demeura un moment interdite. La limace s'était métamorphosée en un garçon de sept ans totalement dépourvu d'embonpoint et même, abstraction faite de sa bouche épaisse et encore baveuse, plutôt beau ! Devant lui, de gros blocs multicolores en plastique tendre étaient alignés selon un ordre incompréhensible.

— C'est beau, Surprenant ! serina Charline. N'est-ce pas que c'est beau ?

— Oh oui ! acquiesça Lovelie.

— Je te présente mon amie Lovelie. Elle est venue faire du ménage avec Charline. Dis bonjour !

— *Boujou,* Pipi ! fit le garçon en se mettant aussitôt la main sur la bouche pour produire un rire saccadé qui ressemblait à une répétition compulsive et maladroite de la lettre V, avec accompagnement d'un gargouillis de bave.

— Surprenant ! gronda Charline en levant la main.

— Tape pas Nennant ! Tape pas Nennant ! se mit à rechigner le garçon d'une voix de fausset.

— Alors salue comme il faut Lovelie.

— *Boujou, Loulie.*

— Bonjour, Surprenant, répondit Lovelie, dont le cœur avait à nouveau chaviré devant la brève menace de Charline.

— C'est mieux.

— Tape pas Nennant !

— Mais non, mais non. Charline est plus fâchée, là. Tu veux finir ton château, pendant qu'on fait du ménage ?

— *Voui.*

— D'accord. Si tu es gentil, Charline va te faire du *jello* aux fraises pour ce midi.

Elle referma délicatement la porte.

— Je le tape presque jamais, expliqua-t-elle, comme si elle avait deviné l'émotion de Lovelie, mais des fois, il le faut bien. Juste une petite calotte sur les fesses et il se met à brailler comme si je l'avais brûlé au troisième degré.

— J'en reviens pas à quel point il a maigri. Il était énorme, dans mes souvenirs.

— Ça s'est arrangé depuis une *coup'd'années*, depuis qu'il marche, quoi. Là, il est tranquille. Quand il décide de bouger, c'est quelque chose. Tu devrais le voir dans la cour, avec son tricycle. Un vrai hamster dans sa roue. Il peut tourner une heure sans s'arrêter.

— Il a pas l'air trop tannant.

— Il faut toujours, toujours le surveiller. Il a des idées fixes, jeter des objets dans la toilette, par exemple. Le pire, c'est quand il sort dans la rue sans qu'on s'en rende compte. Il dégonfle les pneus des autos depuis qu'il a vu un voisin installer ses pneus d'hiver. Mais je veux pas me plaindre. Viens dans ma chambre, maintenant. Tu peux pas faire du ménage habillée de même. Je vais te prêter du vieux linge.

La chambre de Charline était tapissée d'affiches de vedettes populaires américaines, qui avaient toutes en commun d'être jeunes, noires et de sexe féminin. Le couvre-lit rose à motifs de ballerines, assorti aux rideaux et à la moquette épaisse, faisait un peu puéril, et c'était peut-être le même qu'autrefois, Lovelie n'en gardait pas un souvenir précis. Par terre, entre une commode et un pupitre, elle aperçut deux petits haltères en métal poli marqués du chiffre cinq.

— Il faut se faire des muscles ! déclara Charline. Parle-moi pas d'une fille qui est pas capable de se défendre. Tiens, tâte !

Elle lui présenta un biceps net et saillant.

— Tâte ! insista-t-elle.

Lovelie posa la main sur le bras de Charline. La chair était lisse et ferme, la peau tendue. Charline avait un drôle d'air, son bras se couvrit de « chair de poule ». Lovelie retira sa main, gênée.

— Pas mal, hein ! dit Charline. Tu devrais t'entraîner. Une belle fille a tout intérêt à avoir un bon bras !

— Je suis pas si belle que ça.

— Tu me niaises ?

Charline avait ouvert un tiroir et y avait pris un survêtement de sport en coton gris.

— Tiens, enfile ça, tu vas être plus à l'aise.

Lovelie était devenue pudique depuis que ses seins s'étaient développés. Elle n'osa cependant pas demander à Charline de sortir et commença par retirer son jean. Charline l'observait sans la moindre pudeur.

— Pas si belle que ça ! Eh ! Regarde-moi ces jambes !

— Quoi ? C'est des jambes ordinaires, dit Lovelie en essayant de se montrer indifférente.

— Ah oui ? À côté, les miennes ont l'air de pattes de chèvre !

Lovelie décida d'en finir. Elle enleva son chandail et enfila le haut du survêtement.

— Tu m'as l'air bien faite de partout ! commenta encore Charline.

Lovelie n'aimait pas l'intérêt que Charline manifestait pour son corps, auquel elle-même n'avait jamais attaché trop d'importance. Elle trouvait même qu'il s'était construit trop vite, ce corps ; elle eût préféré attendre, comme Lucie.

Le col du survêtement était resté replié dans son dos. Charline l'ajusta aussitôt, ainsi que le tour de taille. Chacun de ses gestes avait une lenteur troublante.

— Je peux te donner autre chose, si ça ne te convient pas, proposa-t-elle.

— C'est juste pour faire le ménage ! répondit Lovelie. Il faudrait commencer, d'ailleurs. Je dois appeler mon père à onze heures pour lui dire de venir me chercher.

Le ton de voix de Lovelie surprit Charline qui

sembla sortir d'une douce torpeur. Elle acquiesça.

— On attaque la cuisine ?

Lovelie fut soulagée de se retrouver en train d'essuyer des casseroles que Charline, désormais concentrée sur sa tâche, lavait avec méthode et sans perdre de temps. Elles papotèrent normalement de choses normales, de leurs émissions de télévision préférées, de musique populaire, et d'école, évidemment. Charline ne connaissait pas Mme Moïse ; elle avait eu Messier trois fois comme prof de maths. Ce n'était qu'à la troisième année qu'elle l'avait vraiment apprécié. Elle lui révéla que Condina était le prof le plus drôle de l'école, mais qu'on n'apprenait rien avec lui, ce qui n'était pas si grave puisqu'il donnait d'excellentes notes à toutes les filles pas trop moches qui lui faisaient de la façon. Elle lui parla aussi de l'adjoint Papi, à qui on pouvait faire croire à peu près n'importe quoi, de la conseillère en orientation, dont le bureau constituait un excellent refuge lorsqu'on avait envie de sauter un cours...

Vers dix heures trente, elles en étaient à passer l'aspirateur et à épousseter au sous-sol lorsque brusquement, Charline figea, telle une biche ayant perçu le pas du tigre.

— Maudite marde ! s'exclama-t-elle. Je l'avais oublié !

En deux pas elle était au pied de l'escalier et constatait que la porte avant de la maison était ouverte : Surprenant venait de sortir.

— Vite ! Il faut le rattraper !

Lovelie la suivit. Dehors, l'air vif la fit frissonner. Surprenant tournait déjà le coin de la rue en courant.

— Va par l'autre côté, ordonna Charline. Il faut le coincer, sinon, on peut courir après toute la journée.

Lovelie jetait des regards interdits tout autour. Elle ne connaissait pas le quartier.

— T'as qu'à faire le tour du bloc ! Dépêche !

Charline donna l'exemple en s'élançant. Un instant après, Lovelie partait dans la direction opposée, pas sûre d'elle du tout. Avant de tourner le coin, elle jeta un coup d'œil derrière, histoire de s'assurer que Charline ne lui jouait pas un mauvais tour.

Surprenant apparut soudainement devant elle. Il ralentit sa course. Que devait-elle faire ? Le garçon n'avait aucune raison de l'écouter. Peut-être venait-il tout juste de se rappeler son existence. Lovelie eut une idée :

— Surprenant, tu ne veux pas ton *jello* aux fraises ?

Le garçon s'immobilisa tout à fait et parut réfléchir un moment, en fronçant le sourcil d'une manière franchement comique. Avec un air piteux, il dit :

— Du *zello*, Nennant veut du *zello f'aises !*

— Alors viens-t'en à la maison ! chantonna Lovelie en lui tendant la main et en s'appliquant à sourire.

Surprenant hésita au plus cinq secondes, puis posa sa main dans celle de Lovelie et la serra comme s'il avait peur de tomber. Il la suivit docilement.

Charline arriva derrière eux, essoufflée et furieuse. Elle lui agrippa l'autre main et tira sans ménagement pour accélérer le pas, jetant des regards gênés tout autour. À part des gamins qui, plus loin, jouaient au hockey de rue, il n'y avait qu'eux dehors.

— Mon p'tit criss ! Oh ! mon p'tit criss ! murmurait-elle rageusement.

La porte de la maison était encore ouverte. Fleurette Jolicœur avait quitté sa chambre et les attendait à l'entrée du passage, en se serrant frileusement dans sa robe de chambre.

— Qu'est-ce qui se passe ? demanda-t-elle d'une voix traînante.

— Le p'tit criss s'est sauvé.

— Est-ce qu'il a fait un mauvais coup ?

— Non. On l'a rattrapé à temps.

— Ce n'est pas grave, dans ce cas. Surprenant, tu sais que mamie ne veut pas que tu sortes sans permission.

— Nennant oublié.

Charline éclata.

— Oublié ! M'a t'en faire d'oublier !

Et, sans prévenir, elle lui asséna un trio de gifles derrière la tête, si violentes que Lovelie les ressentit dans sa propre chair. Surprenant se mit aussitôt à brailler aussi fort qu'une alerte d'incendie. Il courut dans sa chambre, claqua la porte et continua à brailler.

— Charline ! protestait sa mère en essayant d'élever la voix. Je ne veux pas que tu le frappes !

— C'est pas toi qui dois courir après !

Elle tourna les talons et s'enfuit au sous-sol, plantant là Lovelie qui avait la gorge tellement serrée qu'elle craignait que ça brise. Fleurette Jolicœur la regardait, puis baissait les yeux, puis recommençait.

— Elle n'est pas toujours comme ça, tu sais, soupira-t-elle. Ce n'est pas une méchante fille.

— Je sais, madame.

— Comment t'appelles-tu, déjà?

Lovelie sentait la menace d'une épouvantable catastrophe.

— Lucie! cria-t-elle presque.

— Lucie… c'est un nom de Québécoise, ça.

— Oui, mes parents sont québécois.

— Ah. Merci encore pour ton aide. Je ne me porte pas bien du tout ces temps-ci. Ça n'est pas facile pour nous tous.

Et sans rien ajouter, elle se traîna les pieds jusqu'à sa chambre. Peut-être s'attarda-t-elle un moment auprès de Surprenant, car l'intensité de ses pleurs diminua quelque peu.

Le premier réflexe de Lovelie aurait été de se porter elle-même au chevet du pauvre garçon pour le consoler pleinement. Mais elle se rendait compte que tout cela était trop compliqué pour elle et elle se préoccupait de Charline. En fait, elle avait surtout grande envie de rentrer chez elle. Pour cela, il fallait d'abord qu'elle remette ses vêtements.

Et justement, Charline réapparut.

— Excuse-moi, dit-elle. J'ai perdu le contrôle. Je voulais pas… je voulais qu'on s'amuse en faisant le ménage. Tu dois avoir hâte de partir, hein? Il est presque onze heures. Veux-tu appeler ton père?

— Je vais me changer avant. Je ne veux pas le faire attendre.

— Comprends-tu pourquoi j'ai pas d'amis?

demanda Charline en entrant dans sa chambre. Toi non plus, tu voudras plus revenir.

— J'ai pas dit ça. On verra…

Lovelie n'aurait pas eu la conscience tranquille si elle était partie sans rien dire au sujet de la scène à laquelle elle venait d'assister.

— Tu ne devrais pas frapper ton frère. Ce n'est pas de sa faute, il ne peut pas comprendre.

— Je sais bien ! J'essaye d'être compréhensive et douce. S'il y a quelqu'un qui devrait savoir pardonner, c'est bien moi, mais… c'est dur… c'est long. Pour toi, c'est la première fois. Pour moi, c'est la centième puis, par coups, la rage me *pogne*… comme avant !

La dernière syllabe se perdit dans un sanglot qui se prolongea en cascades.

— Charline ! fit Lovelie en lui touchant le bras.

Aussitôt, la tête de Charline vint se poser dans le creux de son épaule et ses bras l'entourèrent. Les sanglots qui agitaient sa poitrine faisaient que leurs seins se frottaient les uns aux autres à travers le tissu. Lovelie voulut tout de suite se dégager. Charline la serra plus fort.

— Je suis écœurée de la vie, des fois, Lovelie, si tu savais, pleurait-elle.

Avec les braillements de Surprenant qui parvenaient à travers la cloison et les spasmes ambigus de Charline, Lovelie était profondément désemparée.

— Laisse-moi pas tomber, répétait Charline. Je t'en prie. J'ai besoin de toi, j'ai besoin de t'aimer. On était destinées à se retrouver, Lovelie. Je pense à toi tout le temps. Si tu me rejettes, je suis finie.

Lovelie, littéralement secouée, écoutait les mots que Charline lâchait en rafales. Elle n'en comprenait que très vaguement le sens. Charline se frottait le nez sur le survêtement, et c'était presque des baisers. Peut-être poussée par Charline, Lovelie tomba assise sur le lit. Charline glissa à ses pieds, la tête sur ses cuisses, toujours pleurant.

— Je sais bien que je suis pas la meilleure amie que tu peux avoir, mais j'ai besoin de toi, Lovelie ! Abandonne-moi pas !

Lovelie écarta la tête de Charline et se releva d'un mouvement déterminé.

— Je t'abandonne pas, dit-elle, mais là, il faut que je m'en aille. Mon père va s'inquiéter.

Charline sembla se ressaisir à son tour.

— C'est vrai. Pardonne-moi, je pense rien qu'à moi, je suis égoïste.

Charline avait le téléphone dans sa chambre.

— J'appelle mon père. J'ai soif. Veux-tu aller me chercher un verre d'eau ?

— Un jus ? Veux-tu un verre de punch ?

— O.K.

Au retour de Charline, Lovelie, dans ses propres vêtements, terminait son appel.

— Tu parlais pas à ton père ? interrogea Charline.

— Non, ils lui font le message dans son taxi, par radio. Il était libre, il s'en vient dans une minute. Je vais l'attendre dehors. Merci, conclut-elle en prenant le verre de jus, qu'elle vida d'un trait.

— Je sors avec toi, dit Charline en l'accompagnant vers la porte.

— Tu devrais pas plutôt essayer de consoler ton petit frère ?

— Ça donnerait rien. Il va pleurer jusqu'à ce que quelque chose d'autre lui passe par la tête et il n'y pensera plus.

Charline avait les yeux rouges et reniflait encore un peu. Elle saisit son blouson sur la patère. Lovelie espérait que son père ne tarderait pas, car en vérité il avait un dernier client à déposer.

Dehors, Charline s'assit, Lovelie resta debout. Le vent frais faisait danser les feuilles mortes et allégeait le silence qui pesait sur les deux filles, et que Charline finit par rompre du bout des lèvres.

— On s'est à peine retrouvées qu'il faut encore que je te demande pardon.

— Bien non... tu m'as rien fait, à moi.

— J'aurais dû me contrôler. Tu... T'en parleras pas à personne, hein ?

Enfin, le taxi d'Émile Brûlotte tournait le coin de la rue.

— À personne. Salut !

Lovelie trotta au-devant de la voiture.

À la grande surprise de Lovelie, Émile Brûlotte s'arrêta dans un restaurant de chaîne américaine où il y a toujours un hamburger qui vous attend dans une boîte en mousse. C'était une infraction aux principes d'économie méthodique qui gouvernaient la gestion de la famille. Émile Brûlotte voulait s'entretenir seul à seul avec Lovelie.

— Ça s'est bien passé ?

— Oui, dit simplement Lovelie, qui n'avait d'yeux que pour le trio frites, hamburger et orangeade qu'elle déployait devant elle en se demandant par quoi commencer.

— Tu es sûre ?

— M'oui… répéta-t-elle, la bouche grande ouverte pour mordre dans la structure précaire de son sandwich.

— Allons, je te connais. Dans le taxi, tantôt, tu avais ton air soucieux, chagriné.

Lovelie arrêta de manger. Comment apaiser les inquiétudes de son père sans manquer à sa promesse de discrétion ?

— Bien… je me suis rendu compte que je suis chanceuse de vivre dans une famille qui n'a pas de problèmes, avec des parents en bonne santé.

Cette réponse fit plaisir à Émile Brûlotte, qui mordit à son tour dans son hamburger, sans partager le plaisir que sa fille ressentait à engouffrer cette viande approximative noyée dans les garnitures.

— C'est normal, dit-il, que tu… fasses certaines choses qui… qui ne nous concernent pas directement, mais il faut que tu comprennes ta mère de s'inquiéter.

— Oh ! Je comprends ! Je comprends très bien. Faites-vous-en pas.

— Et ce garçon ?

— Chomsky ?

Lovelie se sentit rougir. Heureusement, cela ne se voyait guère.

— Bien… Il a failli se faire tuer pour me défendre.

Il faudrait que je sois drôlement sans-cœur pour le rejeter… On jase un peu à l'école, quand il vient, c'est tout, je ne veux rien connaître de ses autres affaires. Il le sait. C'est pas un gars qui va faire du mal pour faire du mal, mais lui non plus, il n'a pas eu ma chance.

Émile Brûlotte en oubliait de manger. Sa chance ! Que dire de leur chance à eux d'avoir reçu une enfant pareille ? Mieux valait ne pas penser qu'elle pourrait un jour les quitter.

— Et Lucie ? continua-t-il.

— Elle a de la peine, des fois, je le sais bien, elle m'en parle. Mais Lucie, c'est ma sœur ! Je l'aime. Quand on est des sœurs, c'est pour toujours. Rien ne pourra jamais changer ça.

— Sauf que… ?

Lovelie aspira une gorgée d'orangeade. Dans les moments où elle réfléchissait, le sourcil froncé, ses yeux tout à coup rivés sur un point invisible, elle était irrésistible. Lentement, ce qui se passait entre elle et Lucie se dégageait d'une gangue informe pour devenir une idée toute simple.

— Sauf que… répéta-t-elle le temps de jeter un filet sur sa pensée avant qu'elle s'envole, sauf que, maintenant, elle devient… on a le même âge… mais, c'est drôle, elle devient un peu comme… ma *petite* sœur !

8

Funeste halloween

Boumboum/baboum/boumboum/badoum/boum-boum/badoum/boumboum/badoum/boumboum/badoum/badoum/boumboum…

Ça ralentissait un rien toutes les trois ou quatre minutes, et ça repartait, ça ne s'arrêtait jamais. Messier ne savait pas trop ce que c'était. Du rock ? Du disco ? Ou ce nouveau genre — nouveau pour lui — la râpe ? (Le *rap*, Messier, le *rap* !) En tout cas, il paraît que c'était de la musique. En début de carrière, il serait allé trouver l'animateur pour lui demander si sa chaîne n'avait pas le défaut de n'amplifier que les graves ; mais il avait compris depuis que c'était voulu ainsi. Et les jeunes avaient l'air de bien s'amuser.

Il ajusta le foulard sur sa tête, vérifia si l'anneau était toujours accroché à son oreille, donna un coup du revers de la main sur la manche de son vieux blouson de cuir acheté dans un bazar et s'éloigna de l'entrée du gymnase pour jeter un coup d'œil dehors par les portes vitrées, voir si quelques gangsters en herbe ne tournaient pas autour de l'école. Pas de danger, l'agent Léveillé, qui assurait le lien entre l'école et le poste du secteur, faisait le guet dans une voiture de patrouille, en compagnie d'un collègue. Il s'agissait d'une manœuvre de dissuasion : les danses d'école, même tenues en après-midi, attiraient des indésirables.

Messier revint dans le hall. Il aurait pu faire un tour à l'intérieur du gymnase, mais la chaleur y était étouffante, l'odeur asphyxiante et la «musique» assommante. Ce qu'il s'emmerdait! Une fois la danse en train, il n'y avait qu'à gérer les élèves qui sortaient pour aller aux toilettes ou acheter une boisson à la cantine improvisée, tâche dont s'acquittait avec grâce et compétence une ravissante sorcière qui n'était autre que Marie-Josée Duguay, la jeune professeur d'éducation physique.

Sa compagnie eût constitué un baume sur le chancre de l'ennui, si elle n'avait pas eu Condina accroché dans ses jupes noires. Même pas déguisé, le Condina! Il n'était d'ailleurs pas à sa place: selon la répartition officielle, il était affecté à la surveillance de l'entrée nord. Toutes les entrées étaient verrouillées à l'extérieur, mais il était arrivé dans le passé que des élèves mal intentionnés les aient ouvertes pour laisser entrer des étrangers. Condina jouait avec son trousseau de clefs, se donnait des airs de directeur, racontait des sornettes. Est-ce que la petite se sentait obligée de l'écouter ou y prenait-elle vraiment du plaisir? Grand sujet de débat avec Saint-Hugo — qui surveillait à l'étage. Horacine Moïse était en classe où elle gardait Gédéon et une douzaine de compères privés de danse pour cause de comportement abominable. Elle avait arraché ça à l'adjoint Papi, qui estimait cette punition trop cruelle, mais voulait mettre la féroce enseignante de son bord.

Heureusement, ce vendredi lendemain d'halloween tombait un jour quatre, et le jour quatre, Messier avait la dernière période libre, ce qui faisait que, dans une dizaine de minutes, il pourrait s'occuper comme il l'entendait, rentrer chez lui, ou peut-être aller tenir compagnie à Horacine Moïse tout en faisant un bout de corrections.

Il s'appuya contre le mur, regarda sa montre, respira lentement et profondément en baissant les paupières, puis les choses se gâtèrent.

Aux oreilles non initiées, ce fut d'abord imperceptible. Marie-Josée Duguay elle-même mit un bon moment à réagir. Pas Condina, qui décida tout à coup de retourner à son poste de garde.

Tel un Indien qui, dans sa forêt, perçoit le danger avant qu'il apparaisse, Messier renifla, sous le matraquage de la musique, une modification. Une partie des jeunes ne dansait plus. Des murmures… Un mouvement de foule… Bon ! De quoi s'agissait-il ? Pas assez bruyant pour une bagarre, pas encore… Résigné, il quitta sa position de repos. Ses yeux croisèrent ceux de la sorcière, qui cherchaient confirmation dans les siens. Il entra dans le gymnase.

Plus aucun doute, la fête était perturbée, mais il n'y avait pas de bagarre dans l'air. Les jeunes avaient l'habitude de danser en motte au milieu de la salle, et ceux qui ne dansaient pas tournaient autour tels des électrons ralentis. Or, le noyau s'était agrandi vers les murs, laissant un vide au centre, et ce n'était pas pour admirer les prodigieuses pirouettes d'un quelconque *break dancer*. Messier passa automatiquement en mode d'intervention.

— Qu'est-ce qui arrive ? demanda la petite Duguay dans son dos.

— Sais pas. Allez chercher Papi.

— Papi ?

— L'adjoint, quoi, ou le Colonel, si vous le trouvez.

Messier aperçut cependant le Patriarche qui avançait vers lui, le bras tendu, veston cravate, sa serviette sous le bras. « Le moment est mal choisi pour le baisemain » songea Messier. Il se rendit cependant compte que le vieux était complètement paniqué. Dur d'oreille, il portait un appareil correcteur qu'il avait retiré pour surveiller la danse. Sans doute venait-il tout juste de se rendre compte que l'ambiance s'était gâtée.

Le bras tendu indiquait le centre du gymnase.

— IL Y A DES JEUNES QUI SONT TOMBÉS, LÀ ! cria-t-il. QU'EST-CE QU'ON FAIT ?

— Commençons par allumer.

— PLAÎT-IL ?

Messier fit la sourde oreille. Il savait où se trouvaient les commutateurs et il se dépêcha d'allumer. Un murmure de protestation s'éleva, mais déjà le prof de maths, les bras en croix, écartait les curieux.

— ON SE CALME ! ordonna-t-il.

En effet, il y avait des jeunes par terre, des filles, une encore sur les genoux, qui vacillait, soutenue par des camarades, et deux autres étendues, dont une cachée par la Bouffie qui, penchée dessus, la secouait.

— RÉVEILLE-TOI ! RÉVEILLE-TOI ! répétait-elle d'une voix étranglée par l'émotion.

— ARRÊTEZ ! cria Messier. VOUS RISQUEZ D'AGGRAVER SON CAS.

— IL FAUT FAIRE QUELQUE CHOSE !

— D'ABORD, LAISSEZ-LUI DE L'AIR !

Sans avoir de formation de secouriste, Messier savait que, en cas de perte de conscience, on doit se limiter à assurer le confort de la victime en attendant l'arrivée des secours compétents. La Bouffie le savait aussi, probablement, puisqu'elle enseignait la biologie, mais l'émotion la rendait idiote. Il l'écarta fermement et ne put s'empêcher d'être ému à son tour. Une frêle fille de première, livide comme un fantôme, oscillait de la tête en gémissant : c'était Nathalie Durocher ! Des deux autres, il ne connaissait que les visages ; elles étaient en première aussi, pas dans sa classe et, pour le moment, dans le même état que Nathalie.

Messier se releva pour écarter à nouveau les curieux et reconnut un élève fiable.

— JOSUÉ, JE T'EN PRIE, VEUX-TU LEUR DIRE D'ARRÊTER LA MUSIQUE !

— O.K., M'SIEUR.

Intelligent et sociable, Josué Nérestal était un fleuron de l'école depuis cinq ans et, en outre, il avait la qualité fort utile de mesurer solidement un mètre quatre-vingt-dix.

La musique cessa et Messier se demanda si la sensation que cela lui procurait était comparable à celle d'une injection d'héroïne.

La voix de Papi le ramena à son état normal.

— Qu'est-ce qu'elles ont ?

— À trois du coup, comme ça, vous ne pensez pas qu'elles auraient pris quelque chose ?

— De la drogue ? ! ?

— Peut-être du jus de pomme « passé date » ?

— Vous croyez ?

Messier leva les yeux au ciel.

— Ce n'est pas le temps de faire des finesses ! s'offusqua M. Petit. Il faut les emmener à l'infirmerie et prévenir les familles.

— Absolument pas ! Il faut les étendre confortablement et appeler les ambulanciers.

— Les familles d'abord.

Déjà la Bouffie emmenait la fille qui n'était pas encore tombée. Papi demandait à des élèves de l'aider à soulever les corps. Condina revenait derrière, prêt à se dévouer maintenant qu'il savait ne plus courir de risque pour sa sécurité personnelle.

Messier regarda sa montre. La cloche de la fin de période allait sonner dans deux minutes et le libérerait. Il se retint de faire un geste de découragement et se dirigea vers la sortie. « Il y a un bon Dieu pour les idiots ! » se dit-il pour se rassurer.

Messier trouva Horacine Moïse campée dans l'embrasure de la porte de sa classe.

— Qu'est-ce qui s'est passé ? lui demanda-t-elle aussitôt.

Messier lui rapporta les événements sans ménager les sarcasmes à l'endroit de Papi et de son incompétence.

— Il croit bien faire, justifia Mme Moïse.

— Y a-t-il plus nuisible sur cette Terre que les incompétents qui pensent bien faire ?

— Tu les connais, ces filles ?

— J'en connais une, qui est dans ta classe.

— Hein !

— Nathalie Durocher.

Horacine Moïse resta bouche bée.

— Na-tha-lie ! articula-t-elle. C'est une enfant !

— Ce sont toutes des enfants. Ce sont des choses qui arrivent régulièrement, Horacine.

— Eh bien ! moi, je ne suis pas habituée ! Ce n'est pas en Afrique qu'on aurait vu ça et, avant, j'étais au primaire.

— Bienvenue à l'école secondaire québécoise… occidentale, en vérité. Tiens, revoici les boumboum ! La danse recommence.

Mme Moïse respira un coup et prit une décision d'un genre inhabituel pour elle.

— Écoutez, les garçons, je pense que vous devriez avoir compris la leçon, oui ?

Des « oui, madame » piteux se firent entendre. Seul Gédéon conserva le silence et la mine boudeuse qu'il affichait sans s'en départir depuis une heure.

— Et toi, Gédéon, si tu ne comprends pas le message, M. Messier va se faire un plaisir de te garder une autre heure !

« Nooooon ! songea ce dernier, ça ne me fera pas plaisir du tout ! Alors ne déconne pas, andouille ! »

Grâce à Dieu, Gédéon baissa les yeux aussi bas que le permettait sa morphologie et baragouina une sorte de contrition.

— Bon, dit Mme Moïse sur un ton à demi convaincu, rendez-vous au gymnase pour danser avec les autres et que je n'entende surtout plus parler de vous aujourd'hui.

L'infirmerie, où l'infirmière n'était présente que les mardis, comptait un seul lit, sur lequel était couchée une première fille. Déjà sur place, le père, agenouillé à son chevet, priait avec une ferveur édifiante.

— Que c'est beau! souffla Horacine à l'oreille de Messier.

— Beau, mais encombrant! rectifia ce dernier.

Le père en question avait refusé qu'on appelle une ambulance pour sa fille, faisant davantage confiance à Dieu. Saint-Hugo s'amenait pour essayer de lui rappeler que si Dieu est partout, il est forcément aussi dans les ambulances.

La fille qui ne s'était pas évanouie était assise sur une chaise, penchée, et essayait de vomir dans un plat que la Bouffie lui tenait sous le menton. Messier songea qu'il n'y avait certainement pas mieux que la proximité de cette grasse greluche et de son remugle de tabac refroidi pour vous donner une belle nausée.

Nathalie Durocher était étendue sur un grabat improvisé et, n'eût été son effroyable pâleur, on aurait pu croire qu'elle dormait paisiblement. Sa mère avait engueulé l'adjoint de ne pas avoir appelé illico l'ambulance et le pauvre était dans tous ses états, incapable de joindre son supérieur immédiat, qui *réunionnait* à la commission scolaire, c'est-à-dire qu'il prolongeait son repas dans une taverne de Notre-Dame-de-Grâce.

Et voilà que l'insupportable voix de Mme Tissot retentit dans l'interphone :

— Monsieur Petit, pouvez-vous joindre le bureau ? Il y a des gens, des journalistes qui veulent vous parler.

— Des journalistes ! Qui les a appelés ? Je vais les foutre à la porte !

Personne ne les avait appelés : ils avaient intercepté l'appel de l'ambulance, qui arrivait d'ailleurs, enfin.

Dans le hall, le désordre fut assez joyeux. D'abord, il ne fallut pas une, mais trois ambulances au bout du compte, avec le va-et-vient de civières que cela impliquait. La police était là aussi. Léveillé et son collègue interrogeaient tous ceux qui passaient à leur portée. Papi ne voulait plus bouter les deux journalistes dehors depuis qu'il avait constaté que l'un d'eux était photographe. Il les invitait avec insistance à se rendre dans son bureau pour une entrevue en bonne et due forme, mais ceux-ci résistaient en reluquant. La moitié des élèves dans le gymnase avaient oublié la danse et essayaient de placer leur tête dans l'embrasure de la porte pour voir, ce qui faisait l'effet d'une gigantesque grappe de raisins. Certains eurent la bonne idée de sortir par l'autre porte et furent aussitôt refoulés à l'intérieur par Mme Moïse, avec la délicatesse qu'on imagine. Puis une, trois, cinq autres filles se plaignirent à leur tour d'éprouver des malaises et il fallut les laisser sortir. Elles ne réussirent cependant pas à s'évanouir pour de vrai.

Pendant ce temps, dans le gymnase, quelqu'un demanda à l'animateur de trouver une idée géniale pour recentrer l'intérêt du groupe sur la musique.

Celui-ci, qui avait bu quelques bières en catimini, n'imagina rien de mieux que de devancer le tirage de cassettes populaires prévu pour la fin. Emporté par l'enthousiasme, il décida même de lancer carrément une cassette sur la piste et de laisser les jeunes se débrouiller pour trouver un gagnant. Ce fut laid !

* * *

Le lundi matin, l'adjoint Petit contemplait sa photo dans l'édition du samedi du tabloïd le plus populaire de la métropole. Il était un peu déçu. On ne lui avait pas donné le loisir de présenter son profil avantageux, celui qui rappelait vaguement Martin Luther King, tandis que de face, la bouche ouverte et les yeux dans le vague, il avait quasiment l'air d'un drogué en état d'arrestation.

— *You dont look so bad, c'm'on !*

Le Colonel, convaincu que le départ de René Lévesque et la victoire inéluctable des libéraux aux élections imminentes sonneraient le glas de cette navrante loi 101, parsemait de plus en plus son discours de répliques en anglais. Il était un peu jaloux d'avoir manqué une belle opportunité de se mettre en évidence.

— L'important, dit l'adjoint, c'est que le mot drogue n'ait pas été employé dans l'article.

— En effet, reprit Liniaris, sans songer que son subalterne eût espéré au moins une tape dans le dos pour avoir si bien contribué à limiter les dégâts. Un mélange d'antidépresseurs et d'aspirine qu'elles ont volés à la maison… c'est de toute évidence un incident isolé.

— En tout cas, c'est ce qu'elles prétendent. Elles ne sont guère bavardes. Elles ont bu du cidre, aussi…

— Du cidre, cela s'achète dans toutes les épiceries.

— Qu'est-ce qu'on fait ? demanda l'adjoint.

— Je dois rencontrer les parents dans l'avant-midi. À ce que je sache, à part le fait d'avoir tardé à appeler l'ambulance, aucun ne met en doute le rôle de l'école dans cette affaire. Donc, si les filles sont remises, autant qu'elles retournent en classe dès cet après-midi. Jésulienne Aurélien, Héberte Pélissier et Nathalie Durocher… Rien à signaler dans leurs dossiers ?

— Ce sont trois nouvelles.

— Ça commence bien ! Mme Stellmazuk assurera le suivi.

À ce moment, trois coups secs résonnèrent sur la porte : c'était Mme Tissot.

— Monsieur Liniaris, je sais que vous ne vouliez pas qu'on vous dérange… Une élève désire vous parler de toute urgence, au sujet de vendredi…

— Bon, qu'elle entre ! concéda M. Liniaris, davantage pour se débarrasser de la vieille que par envie d'entendre la jeune.

Mme Tissot se tourna vers l'élève qui se trouvait juste derrière elle et se mit à lui faire la morale.

— J'espère que c'est vraiment important, que tu apportes des informations nouvelles, parce que M. le directeur a une grosse journée devant lui…

— Laissez-nous ! dirent ensemble les deux administrateurs.

Mme Tissot se résigna à s'éloigner sans avoir réussi à recueillir assez de matière pour rafraîchir la rumeur.

Une grosse fille noire à lunettes de corne dont les branches s'écartaient à la limite du ridicule, et que le port de l'uniforme n'avantageait pas du tout, fit son entrée.

— Ferme la porte, Betsy, dit Petit. Vous connaissez Betsy Mirabel, monsieur le directeur ?

— Pas encore. Alors, mon enfant, qu'est-ce que tu as à nous raconter ?

— Avant… fit Betsy Mirabel en grattant le sol du bout du pied. Je voudrais pas avoir de trouble…

— Tu as fait une bêtise ? questionna le directeur.

— Oh non ! Pas moi, m'sieur. Moi, je touche jamais à ces affaires-là, moi. Je suis sage, pas vrai, Papi ?

— Betsy est une fille de bonne famille, pas du genre à fréquenter les *gangs*, confirma l'adjoint. Tu as entendu quelque chose, alors ?

— On peut dire… Personne va le savoir que je vous ai parlé ?

— Personne, sois tranquille. Ton nom ne sortira pas d'ici.

— O.K. Moi… ce genre d'affaires, ça m'intéresse pas, mais y en a d'autres qui ont pris quelque chose, vendredi. Ça, je le sais. Sauf que ça n'a pas paru.

— *What does she mean by…* pris quelque chose ?

— Peux-tu être plus précise, Betsy ?

— Heu… de la bière, des pilules, du hasch…

— Quoi ! firent ensemble les deux hommes. Tu es sûre ?

— Ouais, je m'en suis fait offrir, mais moi, ces affaires-là…

— Oui, oui ! On te croit, coupa Papi. Si nous te comprenons bien, quelqu'un vendait ces choses ici-même, à l'école.

— Oui.

— Qui donc ?

— Chomsky. Chomsky Deshauteurs.

9

J'ai pensé que je mourais

(Extrait du journal de Nathalie Durocher,
4 novembre 1985)

Comment exprimer l'émotion que je ressens, ce matin, en prenant ce cahier dans mes mains, en l'ouvrant et en inscrivant cette date qui aurait bien pu ne jamais exister pour moi ? J'ai eu vraiment peur de mourir. Alors, me retrouver devant cette page, c'est comme revivre. Je me rends compte à quel point c'est important.

Maman est bien décidée, cette fois, à me faire voir un psychologue. Je ne suis pas contre, mais il ne faut pas parler de ça à l'école ! Pour les Haïtiens, voir un psy, ça signifie carrément que tu es fou. Une fois, pour rire, Mme Moïse a demandé à Gédéon s'il en avait besoin et tu aurais dû voir les réactions des autres !

Je ne suis pas à l'école, ce lundi matin. Pourquoi ? Disons que j'ai fait une belle grosse bêtise.

D'abord, j'ai deux nouvelles amies. À force de se retrouver en récupération, on finit par créer des liens. C'est Jésulienne et Héberte. On ne se ressemble pas toutes les trois, sauf qu'on est vraiment poches en maths.

Héberte est plus vieille que Jésulienne qui est plus

vieille que moi. Ce n'est pas une cent watts! C'est drôle, parce que vu qu'elle ne prononce pas les R, au début, je comprenais qu'elle s'appelait Hébête, et je trouvais que ça faisait pitié. Autant Jésulienne est grande et mince, autant Héberte est courte et grosse ; elle marche comme si son sac à dos était rempli de roches. Mais il n'y a pas une meilleure fille au monde. C'est elle qui m'a parlé en premier, pour m'offrir la moitié de sa gomme à effacer. Elle s'était rendu compte que j'avais perdu la mienne. Elle m'a soufflé : « Veux-tu la moitié de ma part ? » Elle n'a pas attendu que je réponde, elle a cassé son efface et m'en a tendu la moitié. Je me suis méfiée, mais comment refuser ? C'est après que j'ai connu Jésulienne, parce qu'elles sont dans la même classe et un peu cousines.

Jésulienne est une fille sage, trop sage, d'après moi. Elle est grande et maigre, toute en os. Elle est en forme, pourtant. C'est toute une coureuse. Il y en a qui l'appellent «jambes sèches». Elle n'aime pas ça, mais elle ne le montre pas. C'est la fille la plus… imperméable que j'aie jamais rencontrée. Elle ne rit jamais, elle sourit seulement. On dirait que rien ne la dérange ; ce n'est pas vrai. Elle ne serait pas si poche en maths si elle était arrivée ici plus jeune et avait fait son école primaire normalement, et si elle n'allait pas tout le temps à l'église. Pas notre église à nous — à l'école, il ne faut pas trop parler de religion non plus parce que ça tourne facilement en engueulade, mais elle n'est pas témoin de Jéhovah, ça, je le sais. Son père est une sorte de pasteur. Elle ne sort jamais ailleurs qu'à l'église.

Que s'est-il passé vendredi? Plus tôt dans la semaine, Héberte nous a raconté que sa grand-mère fait une maladie de ce qui arrive en Haïti, ces temps-ci. Elle pleure tout le temps, elle perd l'appétit, alors elle prend des médicaments qui la rendent de bonne humeur.

C'est moi qui ai eu l'idée pour la danse. On est vraiment très écœurées, toutes les trois, et pour une fois qu'on pouvait se faire du fun... *Héberte ne voulait pas venir, par crainte des moqueries. Jésulienne, elle, n'avait pas la permission de ses parents, parce que dans sa religion, danser, c'est mal. Il aurait fallu qu'elle passe l'après-midi à la bibliothèque. Eh bien! je lui ai arrangé ça, moi! J'ai pris la feuille de permission de Gédéon, qui n'en avait pas besoin parce qu'il était puni, et j'ai imité la signature du père de Jésulienne. Puis j'ai convaincu Héberte que, avec les pilules de sa grand-mère, les niaiseries des gars ne lui feraient plus un pli dans le nombril.*

Je me demande si je ne suis pas le diable en personne! Sur le coup, je trouvais ça correct. Évidemment, je n'en ai pas parlé à Lucie ni à Lovelie. Elles ne s'occupent pas souvent de moi. Lovelie m'a bien fait remarquer que je n'avais pas l'air dans mon assiette, mais sans plus. Il fallait que je fasse quelque chose! Sauf qu'on se rend compte qu'on a fait une bêtise seulement quand l'affaire tourne d'une façon qu'on n'avait pas prévue.

Héberte est arrivée avec des pilules de trois couleurs différentes. Les blanches avec une croix, c'était facile, c'était de l'aspirine. Mais, entre les bleues et les orange, laquelle était la pilule de bonne humeur ? On en a pris deux de chaque sorte, pour commencer. Après tout, si sa grand-mère n'en mourait pas, pourquoi serait-ce différent pour nous ?

Sur le coup, d'ailleurs, on a été déçues, ça ne nous a rien fait. À un moment donné, on s'est retrouvées dans les toilettes pour prendre le restant, mais il y avait des filles qui buvaient. Jésulienne les connaissait un peu. Elle leur a suggéré d'échanger les pilules contre ce qui restait dans la bouteille. Héberte a refusé de boire, donc ça nous en a fait assez, à Jésulienne et à moi. C'était la première fois que je buvais plus qu'une petite gorgée d'alcool, pour goûter. Eh bien ! ça fait effet plus vite que les pilules ! Quand on est revenues dans le gymnase, on était d'excellente humeur, Héberte incluse !

J'avais l'impression de flotter dans une bulle de verre incassable. J'ai vu Lovelie qui dansait avec d'autres filles de la classe, et Lucie, assise le long du mur, s'ennuyait. Je trouvais qu'elle faisait pitié, mais elle me semblait être de l'autre côté d'une vitre épaisse.

La musique était forte. J'ai commencé à paniquer quand Héberte m'a parlé. Je voyais remuer ses lèvres dans sa grosse face ronde, mais je n'entendais pas un mot ! La musique est devenue un gros bourdonnement. L'expression de Héberte a changé. Elle faisait de grands yeux effrayés. Puis j'ai vu Jésulienne la main sur la poitrine, la bouche ouverte, fermer les yeux et tomber à la renverse. J'ai manqué d'air à mon tour. Ma bulle rapetissait et m'écrasait. J'ai eu un grand frisson. Je suis tombée dans un trou noir sans fond et j'ai pensé que je mourais. Je ne voulais pas mourir. C'était effrayant.

Souvenir suivant : je vomissais. Une voix de femme me disait de me laisser aller. J'étais à l'hôpital.

Je suis sans nouvelles de Jésulienne et Héberte. J'ai hâte de les retrouver. Ma mère est pleine de compréhension ; elle a eu plus peur que moi. Ça ne doit pas se passer comme ça chez mes amies. Je suis inquiète.

On avait convenu que si on se faisait prendre, on raconterait que c'est un inconnu qui nous a vendu les pilules vendredi matin dans la rue. J'espère qu'elles vont s'en tenir à cette version. En tout cas, moi, c'est ce que j'ai dit à ma mère. Sauf que ma mère sait que, vendredi matin, j'étais avec Lucie et Lovelie. Je n'avais pas pensé à ça. J'ai donc inventé que je les avais laissées quand j'avais rencontré mes deux nouvelles amies. Ce n'est pas solide, cette menterie. Tous les jours, Jésulienne et Héberte arrivent à l'école une heure avant le début des cours. Heureusement, Lucie et Lovelie m'ont appelée samedi, et j'ai pu leur expliquer qu'elles devaient dire comme moi, pour protéger Héberte. Elles vont le faire.

J'entends ma mère qui vient. On a rendez-vous à onze heures à l'école.

Pour le moment, je vais bien. Pour le moment.

10

À confesse

Malgré ses six ans de vie au Québec, l'arrivée de la froidure constituait chaque automne une surprise pour Lovelie. Or, depuis le dimanche, Montréal frissonnait sous l'assaut des bourrasques descendues du nord. Le trois fait le mois, dit l'adage, et novembre commençait en lion. À l'instar de la plupart des jeunes Haïtiens, Lovelie portait déjà son manteau d'hiver et des gants de laine, tandis que les Québécois de souche s'accommodaient encore d'un blouson d'automne et se réchauffaient les mains en se les fourrant dans les poches.

Elle grimpa les marches et sonna, pressée de se réconforter dans la chaleur feutrée du presbytère.

À travers les rideaux en dentelle, elle vit la silhouette courtaude de sœur Saint-Georges qui se dépêchait d'ouvrir.

— Ah ! Bonjour, Lovelie, dit la vieille religieuse avec un sourire qu'elle voulait chaleureux.

— Bonjour, sœur Saint-Georges.

Lovelie s'attendait à ce que la sœur se tasse pour lui permettre d'entrer sans autre forme d'investigation, puisqu'elle ne venait jamais que pour faire un bout de jasette avec l'abbé Saint-Louis.

— Il n'est pas là ! affirma la sœur. Il est dans l'église, pour les confessions.

— Ah oui ? D'habitude, c'est l'heure où il lit son livre…

— Son bréviaire. Il y a du changement, mais il t'expliquera lui-même, si tu le rejoins dans l'église. Ça m'étonnerait qu'il soit très accaparé.

— O.K. !… merci !

Sœur Saint-Georges referma. Lovelie se tourna vers la masse grise de l'église. Elle lui était familière, car elle y accompagnait les Brûlotte tous les dimanches, bien qu'elle ne fût pas baptisée. Elle était cependant intimidée à l'idée d'y entrer toute seule. Elle n'avait jamais posé le genou dans un confessionnal. Elle ne s'y sentirait sûrement pas aussi à l'aise que dans le bureau de l'abbé.

Elle décida tout de même d'y aller, elle avait trop besoin de lui parler. Elle courut.

Sœur Saint-Georges, qui était demeurée en retrait, la regarda détaler avec satisfaction. La voix chantante de l'abbé Saint-Louis se fit entendre derrière elle.

— Qu'est-ce que c'était, ma sœur ?

Celle-ci parut surprise.

— Vous êtes là ?

— Il me semble, oui, ironisa l'abbé.

— Vous n'êtes pas supposé être en confession ?

— Non, pas du tout ! Ce n'est pas…

— Oh ! Pardonnez-moi. Où ai-je la tête ? C'est le mois des morts qui me fait cet effet. Parfois, je me crois encore dans le bon vieux temps.

L'abbé observait la sœur d'un air perplexe.

— Ce… ce n'est pas grave. Qui a sonné ?

— C'est votre petite amie, Lovelie.

— Vous l'avez renvoyée ?

— Oh non ! Je lui ai proposé de vous retrouver dans l'église, vu que je pensais que… Excusez-moi encore.

« Vieille… pensa l'abbé en chassant au dernier moment un vilain mot de son esprit. C'est toi qui devrais confesser tes pieux mensonges. »

— Il n'y a pas de mal, dit-il plutôt dans un vigoureux effort d'indulgence. Je vais la retrouver.

Il tourna les talons pour sortir par la porte arrière.

— Prenez le temps de vous couvrir, ce n'est pas chaud, dehors ! lança la nonne, somme toute satisfaite d'elle-même.

L'abbé ignora ce dernier appel à la prudence.

Lovelie, la mine au ras des tuiles, allait quitter la nef quand l'abbé arriva précipitamment.

— Sœur Saint-Georges m'a dit que vous étiez en confession ! raconta-t-elle, rassérénée.

— Euh… oui, enfin non, c'est… Je suis là ! bafouilla-t-il.

Deux bigotes d'un autre âge priaient dans les premières rangées, en attendant la messe de dix-sept heures, et on pouvait être sûr qu'elles connaissaient sœur Saint-Georges.

— Tu veux essayer le confessionnal, pour faire changement ? murmura l'abbé.

Lovelie fronça le sourcil trois secondes.

— O. K…

— Viens…

Il lui ouvrit la porte.

— Il va falloir que tu t'agenouilles, il n'y a rien pour s'asseoir dans les isoloirs des fidèles.

— Ça pue, là-dedans ! remarqua Lovelie, une fois installée.

— C'est l'odeur des vieux péchés !

— Sans farce ?

— Qui sait ? Il n'y a plus guère que les vieilles personnes qui se confessent ainsi. Je vais mentionner au bedeau que nos confessionnaux ont besoin d'un bon rafraîchissement.

« Ou plutôt, rectifia-t-il à sa seule intention, j'en parlerai a Sœur Saint-Georges. Elle ne pourra pas s'empêcher de s'en occuper elle-même. Ça lui apprendra ! »

— Ça fait drôle de parler à genoux, remarqua encore Lovelie. Et je vous vois mal.

— C'est prévu. En principe, le prêtre ne doit pas savoir qui se trouve de l'autre côté du guichet. Rien n'est plus secret qu'un confessionnal. Un assassin pourrait avouer son crime, on n'aurait pas le droit de le dénoncer.

— Sérieux ?

— Absolument ! Parler à un confesseur, c'est comme s'adresser à Dieu en personne !

— Wow !

— Mais tu n'es pas en confession, rigola l'abbé. En ce qui nous concerne, toi et moi, ce ne sont que des boîtes en bois.

— Bien… Peut-être que ce sera un peu une confession…

— Ah ? Tu aurais commis un péché ?

— Est-ce qu'on peut commettre un péché même si on ne fait rien ?

— Euh... oui, bien sûr. Il y a le péché de paresse, par exemple, mais dans ton cas, ça m'étonnerait. Il y a aussi les péchés d'omission, de négligence, de manquement à la charité, de simple indifférence, ça peut aller très loin. Si tu me racontais simplement ce qui s'est passé…

— Vous savez ce qui est arrivé à Nathalie ?

— Nathalie Durocher ? Non !

Lovelie raconta les événements qui avaient marqué la danse de l'halloween à l'Académie Corbett.

— Et tu t'attribues une part de responsabilité dans son geste, c'est ça ?

— Je savais que ça n'allait pas bien pour elle, et c'est mon amie.

— Je vois. Dis-moi, est-ce que, à un moment donné, tu as senti que tu pouvais, que tu devais faire quelque chose pour Nathalie, que tu aurais décidé de ne pas faire pour une raison ou pour une autre ?

— Je ne me rappelle pas. Ça va tellement vite depuis qu'on est au secondaire.

— Pour qu'il y ait péché, Lovelie, il faut qu'il y ait une forme quelconque d'intention. Je ne crois pas que tu aies eu l'intention de négliger ton amie, ou de la rejeter, et elle ne t'a jamais parlé de son projet pour la danse. N'oublie pas non plus que tu n'es qu'une fille de douze ans. Des fois, j'ai l'impression que tu t'en mets trop sur les épaules. La vie est compliquée, tant de choses nous échappent. Tu possèdes une conscience très… alerte. C'est bien que tu l'écoutes, mais ne prends pas sur toi tous les malheurs du monde.

Lovelie ne répondit rien. L'abbé jugea opportun de faire dévier la conversation.

— Et Lucie, comment réagit-elle ?

— Elle a beaucoup de peine. Elle ne comprend pas comment Nathalie a pu faire ça.

— Ne gaspillez pas votre énergie à essayer de comprendre, ni surtout à juger. Ce qui a été fait ne peut être défait et l'important, désormais, c'est que Nathalie a besoin que vous la rassuriez sur votre amitié.

— Bien… justement… Mentir, c'est péché, ça, oui ?

— En effet, en général, c'est péché.

— Vous pouvez garder un secret ?

— Cela fait partie de mon métier, voyons !

Lovelie expliqua à l'abbé le mensonge que Nathalie leur avait demandé de faire, pour protéger Héberte.

— Eh bien ! commença-t-il en se grattant la tête, si c'est d'une confession qu'il s'agit, c'est sans doute la plus intéressante depuis un bout de temps. Donc, étant donné que tu ne retires aucun bénéfice de ce mensonge et qu'il ne serait pas proféré dans le dessein de faire du mal, mais, au contraire, afin d'éviter que du mal soit fait à quelqu'un, j'en conclus que, si péché il y avait, il serait minuscule et quasiment pardonné d'avance. Et la délation n'est certainement pas un devoir chrétien.

En temps normal, Lovelie eût aussitôt voulu savoir

ce que c'était que la délation; maintenant qu'elle était rassurée sur la moralité de corroborer, au besoin, la version de Nathalie, ce qu'elle aurait fait de toute manière, elle avait un autre sujet de morale à aborder, beaucoup plus délicat. L'abbé Saint-Louis l'y aida.

— Et la petite Jolicœur…

— Charline ?

— Charline, oui. Tu y es allée, finalement ?

— Oui, oui.

— Et ça s'est bien passé ?

— Oui… C'est sûr que c'est pas facile pour elle, avec le petit frère qui est retardé…

— C'est louable de compatir. J'espère cependant que tu ne vas pas te culpabiliser des malheurs qui se sont abattus sur cette famille.

— Oh, non, non, ce n'est pas ça…

— Qu'est-ce que tu cherches à me dire, Lovelie ? Tu sais que tu peux me parler en toute liberté. Ce n'est pas Charline qui aurait cherché à te faire des misères, toujours ?

— Non ! Non… c'est plutôt le contraire.

— Le contraire ?

— Je… on dirait qu'elle m'aime trop.

— Qu'elle t'aime trop ! ? !

L'abbé prit un moment pour élucider cette énigmatique réplique.

— Ne serait-ce pas plutôt qu'elle t'aime mal ?

Lovelie acquiesça par une onomatopée timide. Malgré la fraîcheur du confessionnal, l'abbé sortit son mouchoir pour s'éponger le front. Son imagination avait devancé l'énoncé des faits.

— Est-ce qu'elle t'a proposé de faire des choses qui… que…

— Non… c'est juste…

L'abbé inspira à fond.

— Est-ce qu'elle a cherché à te toucher ?

— Dans le genre, oui. Elle n'arrêtait pas de dire que je suis belle et bien faite, elle se collait… Pas tout le temps ! Peut-être que c'est pas grave, que c'est juste ses manières.

— Si tu t'es sentie mal à l'aise, si ça t'est resté dans la tête jusqu'à aujourd'hui, et puisque tu es gênée d'en parler, c'est qu'elle a eu un comportement déplacé. Quant à savoir si ce comportement est le reflet d'intentions… vicieuses, il n'y a qu'elle qui le sache.

— Elle ne va plus à l'église.

— Non ? Tu en es sûre ?

— Oh oui ! C'est elle qui me l'a dit.

— Je suppose que tu te demandes si tu dois continuer de la fréquenter.

— C'est ça, oui.

— L'autre fois, je t'ai conseillé d'écouter ton cœur. C'est ce que tu as fait et c'est bien. Maintenant, ce n'est plus pareil. Tu ne dois rien à Charline ni à sa famille. Tu as fait un grand acte de charité et de pardon en renouant avec elle, mais ton premier devoir est de protéger ton cœur, ton âme, ta sensibilité. Je te conseille de prendre tout de suite tes distances avec Charline. Tu es consciente du danger, et ce serait mal de ne pas agir en sorte de l'éloigner.

Lovelie partie, l'abbé demeura seul dans le confessionnal, se répétant ce qu'il lui avait expliqué quelques minutes plus tôt : pour qu'il y ait péché, il faut qu'il y ait une certaine forme d'intention. Les images qui assaillaient sans répit son cerveau, ces corps fermes et gracieux qui se caressaient, cette chair frémissante qu'il pouvait quasiment humer dans cet imaginaire dont il perdait le contrôle dès qu'il était question de Lovelie, il ne les avait pas appelées. Était-il coupable de ne pas trouver la force de les chasser ?

« *Il y a aussi les péchés de l'omission, de négligence...* » lui rappelait sa propre voix. « *Tu es consciente du danger, et ce serait mal de ne pas agir en sorte de l'éloigner...* »

— ARRIÈRE, SATAN ! s'exclama-t-il pour se ressaisir.

— Pardon, mon père ! fit une voix chevrotante à son oreille.

Le cœur du prêtre passa près de faillir sous le choc.

— Que... qu'est-ce... ? bafouilla-t-il.

— Je voudrais me confesser.

Il se rendit compte qu'il n'avait pas fermé le guichet et que, voyant sortir Lovelie, une des deux bigotes avait pris sa place.

11

La lâcheté de Papi

Chomsky ruminait. Il attendait, assis sur une chaise d'école, entre le comptoir du bureau et la cloison. Il détestait cette situation. Il se sentait minable, contraint à la soumission. Les adultes qui passaient, des profs pour la plupart, lui jetaient un regard oblique, puis faisaient comme s'il n'existait pas. Rien que le fait d'attendre que l'on s'occupât de lui l'humiliait. N'importe quoi, même un cours de maths avec Messier, l'affligeait moins. Il se serait écouté, il aurait fiché le camp, et mieux, il se serait écouté plus tôt, il ne serait pas venu.

Mais Papi avait téléphoné à la maison, et quand une personne d'autorité parlait en créole à sa vieille tante, elle cessait de mourir à petit feu et redevenait lucide, mauvaise. Papi lui avait fait comprendre que si Chomsky n'avait aucun motif sérieux de s'absenter, il devait se présenter à son bureau sans délai.

Chomsky avait affirmé le matin que c'était jour de congé : il était un excellent menteur, et sa vieille tante devenait si confuse entre deux médicaments qu'on pouvait lui faire croire les absurdités les plus sophistiquées.

Papi l'ayant mise au parfum, elle avait donc extirpé son neveu du lit et l'avait expédié à l'école sous les pires menaces, des fois qu'il aurait eu envie de dévier de son chemin.

Ce n'était pas tant qu'il craignait ses coups de canne : il les absorbait déjà du temps où elle était encore un peu en condition de les administrer et lui, pas encore capable de riposter. Maintenant, du revers du poignet, il pouvait envoyer la canne voler à travers la pièce. S'il la laissait le frapper, c'était par respect pour son âge, autant que par intérêt. Tant et aussi longtemps qu'elle gardait l'impression de pouvoir lui faire mal, elle ne demanderait pas à l'homme qui habitait chez eux de la relever au bâton, et de même, tant qu'elle se sentait terrifiante, il ne lui viendrait pas à l'idée que Chomsky lui mentait systématiquement, bien qu'il lui eût fourni quelques belles occasions de constater le contraire.

Quel était l'objectif de cette convocation ? Jusqu'à ce jour, l'école faisait peu de cas de ses nombreuses absences, pourvu qu'il en revînt avec une justification écrite de sa vieille tante, ce qui ne posait pas de problème. Soit il lui contait un bobard, soit il puisait dans sa réserve de contrefaçons, auxquelles il ne restait qu'à ajouter la date — la vieille savait à peine lire et elle écrivait comme une enfant. Alors, pourquoi tout à coup cette intrusion ? Annonçait-elle la fin du laisser-faire, la mise en œuvre d'un plan d'intervention rigoureux afin de le forcer à une présence constante ? Fâcheuse perspective en vérité, non seulement parce que l'école l'emmerdait au plus haut point, mais surtout parce qu'il avait besoin de sa liberté de mouvement pour mener à bien ses petites affaires ! Il venait de s'associer avec Andy Colon, à contrecœur il est vrai. Contrairement à ses appréhensions, c'était plutôt bien parti. Ce dernier se comportait en véritable partenaire et ne cherchait pas à établir sa domination ; il laissait à Chomsky une autonomie absolue dans la gestion de sa bande établie, sauf qu'il se chargeait d'écouler la marchandise à de meilleurs prix. Chomsky n'avait donc plus besoin de sa cachette dans la remise du HLM. En plus, le repris de justice recourait à ses services pour des tâches accessoires, transport, guet, repérage, pour lesquelles il le rémunérait avantageusement.

Il se rassura. Il parviendrait bien une nouvelle fois à les embobiner. Il devait d'ailleurs admettre qu'il avait poussé le bouchon un peu trop profond ces dernières semaines, côté assiduité. Il établit son plan : adopter une attitude piteuse, imaginer une excuse touchante — tiens ! il venait de la trouver, et elle n'était quasiment pas fausse ! —, se répandre en promesses convaincantes, les tenir religieusement jusqu'au milieu de la semaine prochaine, et ensuite il pourrait progressivement reprendre son train-train.

Enfin, Papi le tira de ses pensées et lui signifia de passer dans son bureau, où Chomsky s'inquiéta en constatant la présence du directeur.

— Je le sais, m'sieur, se repentit-il d'entrée dès que l'adjoint eut refermé la porte. J'ai été trop absent. Ça va aller, maintenant. Je suis décidé à me reprendre en main.

— Ah bon ! fit l'adjoint pris de court. Et qu'est-ce qui motive cette belle détermination ? Tu es guéri de ta maladie ?

— On peut dire ça, oui… répondit Chomsky en baissant les yeux.

— Tu es vague, et ta tante m'a assuré que tu t'es porté très bien dernièrement, que ta maladie ne t'a pas empêché de sortir tous les jours. De quelle drôle de maladie s'agit-il ?

Chomsky garda les yeux baissés, dodelina de la tête, se frotta le nez comme pour étouffer un début de sanglot, posa un bref regard sur le directeur qui, confortablement installé dans un fauteuil, les jambes croisées, un doigt sur le menton, avait l'air de regarder un feuilleton télévisé pour faire plaisir à sa femme.

— C'est gênant à dire, continua Chomsky. C'est pas vraiment une maladie, mais j'ai eu super mal, Papi ! J'aurais eu trop de chagrin pour me concentrer. Vous pouvez pas comprendre.

— Voyons donc ! M. Liniaris et moi ne sommes pas tombés de la dernière pluie. D'autre part, nous ne pourrons pas te comprendre si tu ne nous dis pas de quoi il s'agit.

Chomsky hésita un long moment, posa la main sur ses yeux, massa ses sourcils et avoua enfin :

— J'avais… une… une peine d'amour.

* * *

Lovelie ne s'était jamais sentie aussi déchirée et, pourtant, elle en avait vécu, des situations problématiques. Elle dit à Lucie et à Nathalie de ne pas l'attendre pour se rendre au cours d'informatique, car Mme Moïse lui avait demandé de rester pour une raison qu'elle ignorait. Ce n'était pas la vérité. C'était elle qui avait décidé, la nuit précédente, de parler coûte que coûte à l'enseignante et, en rentrant en classe le matin, elle avait discrètement déposé un petit mot explicite sur le bureau de son professeur titulaire.

— Qu'est-ce qu'il y a, Lovelie ? lui demanda Mme Moïse, quand les autres furent sortis.

Lovelie regarda vers la porte, devant laquelle des traînards prenaient tout leur temps.

— Tu veux que je ferme ?

L'énorme dame n'attendit pas la réponse et fit tinter ses innombrables breloques jusqu'à la porte, répandant au passage son parfum de mangue qui apaisa un peu la fillette.

— Je te regarde, là, dit-elle en revenant à son bureau pour y poser la fesse droite, et ça n'a pas l'air d'être la grande forme ! Tu as dormi, cette nuit ?

— Pas beaucoup.

— Ça veut dire que tu as des soucis. Ça concerne l'école, ou je me trompe ?

Lovelie approuva de la tête.

— La classe ?

Lovelie approuva encore.

— Tes amies ?

— Oui.

— Et ce n'est pas facile à confier, à te voir la mine. Ce n'est pas parce que tu as peur d'être punie, je suppose… j'espère.

— Non.

— As-tu un problème personnel ?

Lovelie fit non du menton.

— Bon. Dans ce cas, je devine que quelqu'un d'autre a besoin d'aide. Je suis là pour ça, vous aider. Me fais-tu confiance ?

— Oh oui !

— Eh bien, vas-y, ma chérie, vide ton sac. Je ne serais pas surprise que cela ait un rapport avec le coup d'éclat de ton amie Nathalie à la danse. Je me trompe, cette fois ?

— Non, vous vous trompez pas... ce n'est pas Chomsky qui a vendu les pilules !

Cette affirmation plongea Mme Moïse dans la perplexité.

— Et qui a prétendu que c'était lui ?

— Je ne sais pas. Je sais que ce n'est pas vrai, c'est tout.

— D'accord, mais pourquoi penserait-on que c'est lui ?

— Tout le monde le dit, depuis hier.

— Tout le monde ! Moi, je l'entends pour la première fois.

On frappa à la porte et Mme Moïse ne fut pas surprise d'apercevoir la face barbue de Messier dans le carreau.

— Ce ne sera pas long.

Elle sortit dans le couloir et referma à demi derrière elle.

— Bonjour ! Je te dérange, je pense, s'excusa Messier à voix basse. Si tu n'en as pas pour trop longtemps, on pourrait aller prendre un café. J'ai une information qui devrait t'intéresser.

— Plus tard peut-être, nous devons parler, Lovelie et moi. Au fait, savais-tu que des rumeurs courent à l'effet que ce serait Chomsky Deshauteurs qui aurait vendu la drogue aux filles, vendredi ?

— C'est justement ce dont je voulais te parler ! Ce ne sont que des rumeurs, il est actuellement au bureau et, avec la commère Tissot, tout le monde sait pourquoi.

— C'est quand même extraordinaire qu'on soit les derniers à l'apprendre ! Si j'en crois Lovelie, les élèves sont au courant depuis hier.

— C'est souvent comme ça.

— Bon. Je retourne à Lovelie, à… à moins que… Donne-moi une seconde, tu veux ?

Elle rentra et referma.

— Lovelie, Chomsky est dans de mauvais draps. J'ai bien peur qu'il soit accusé, et c'est grave. Il faut que tu me racontes tout, si tu veux le disculper, et même, si tu t'en sens capable, ce serait bien que tu l'expliques à M. Messier aussi. Je sais ! Je comprends que tu sois intimidée, mais je t'assure que tu peux lui faire confiance autant qu'à moi. À deux, nous trouverons plus facilement le meilleur moyen d'agir.

— O.K., murmura Lovelie en se mordillant les lèvres.

Mme Moïse fit entrer Messier en lui recommandant de la laisser parler.

Messier s'installa sur un pupitre légèrement en retrait, pour ne pas intimider l'enfant en lui faisant face.

— Donc, Lovelie, reprit Mme Moïse, ce n'est pas Chomsky qui a vendu la drogue.

— Ce n'était pas de la vraie drogue, c'étaient des pilules.

Messier confirma d'un signe de tête.

— Chomsky n'a rien à voir dans ça, renchérit Lovelie.

— Tu le sais, m'as-tu dit. Tu ne fais pas seulement le penser.

— Je le sais, oui.

— C'est Chomsky lui-même qui te l'a affirmé ?

— Non, *je l'ai pas parlé* depuis longtemps.

— *Je ne lui ai pas parlé*, Lovelie. Tu ne faisais pas cette faute, toi !

Mme Moïse plissa les yeux, comme si cette erreur commune aux jeunes créolophones prenait, dans la bouche de Lovelie, une signification profonde.

— Qu'importe, poursuivit-elle. Donc, c'est forcément Nathalie. C'est ça, c'est Nathalie qui t'a raconté sa bêtise de bout en bout, ainsi qu'à Lucie, je suppose ?

Mme Moïse essayait de s'exprimer avec le plus de douceur possible, sans y arriver parfaitement. Lovelie se sentait inculpée, tout en sachant qu'il n'en était rien. Les mots ne lui venaient plus. Elle s'était préparée à affirmer qu'elle avait vu, ce vendredi matin, le gars qui vendait les pilules, rue Jean-Talon, et que ce n'était pas Chomsky. Maintenant, elle répugnait à forger son propre maillon dans une chaîne de mensonges qui risquait de s'allonger jusqu'à Dieu sait où.

— Si, tout compte fait, tu préfères parler seule à seule avec Mme Moïse, proposa Messier, je peux sortir.

— Non, rétorqua Lovelie, c'est pas ça… c'est…

— C'est un secret, dit Messier, sur le même ton que s'il faisait référence à un crayon tombé par terre.

Lovelie acquiesça. Messier regarda Mme Moïse qui l'encouragea à continuer.

— Mme Moïse et moi, nous voulons la même chose que toi, Lovelie. Empêcher que Chomsky Deshauteurs ait des ennuis pour rien. Il faut cependant que nous soyons absolument sûrs qu'il n'a rien à se reprocher dans cette affaire. Il faut que, comme toi tu nous dis que tu *sais*, nous puissions aussi dire que nous *savons*. Et pour ça, il faut absolument que nous connaissions les faits.

— Je te promets que nous n'allons pas impliquer Nathalie, si c'est elle que tu veux protéger de l'autre côté. Je pense qu'elle a assez été punie par les événements pour ne plus avoir envie de recommencer.

— Ce n'est pas Nathalie. Les pilules, c'est une des filles qui les a volées à sa grand-mère, révéla enfin Lovelie.

— Ah ! fit Mme Moïse. Je comprends. Les autres, ce sont deux petites Haïtiennes, n'est-ce pas ? Donc, ça pourrait être catastrophique à la maison.

— Sais-tu de laquelle des deux filles il s'agit ? intervint Messier. Nous te promettons que son nom ne sortira pas d'ici, n'est-ce pas, madame Moïse ?

— Héberte, dit Lovelie après une courte hésitation.

— Héberte… C'est celle qui est plutôt ronde, non ?

— En effet, confirma Messier. C'est drôle, j'aurais parié sur l'autre.

— Et qu'est-ce qu'on fait ? s'enquit Mme Moïse.

— D'abord, vous allez écrire un mot d'excuse à Lovelie pour qu'elle puisse continuer sa journée normalement.

Messier parlait toujours sur un ton rigoureusement neutre, à croire qu'il trouvait toute cette histoire parfaitement banale.

— Et toi, ajouta Mme Moïse à l'intention de Lovelie, essaie de ne plus penser à tout ça. Héberte a posé un geste isolé qui n'aura pas d'autres conséquences que celles, déjà lourdes, que les trois filles ont dû subir. Il n'y a donc aucun intérêt à l'accabler davantage.

— Si les autres te posent des questions, tu diras que M. Messier a l'intention de t'inscrire à un concours de maths. Ce ne sera pas tout à fait un mensonge, je voulais le faire de toute façon. Je t'en reparlerai.

Lovelie quitta la salle 112 quelque peu étourdie, mais en paix avec elle-même.

— Bravo, Alain ! dit Horacine Moïse quand la petite eut refermé la porte. Je ne te connaissais pas le talent de faire parler les jeunes.

— La technique, ma chère ! Ce n'est qu'une question de technique. D'ailleurs, cette petite ne demandait qu'à se débarrasser de son secret. En adoptant une attitude détachée, on dédramatise.

— Justement, comment fais-tu pour rester si froid face aux angoisses que vivent ces gosses ? Moi, je ne peux pas. Ça me touche direct au cœur, et ça m'enrage en même temps quand ils se mettent les pieds dans les plats.

— Le meilleur mécanicien, le plus honnête, le plus consciencieux s'émeut-il devant une voiture en panne?

— Oh, Messier! Ce n'est pas pareil. On travaille avec des êtres humains, on ne peut pas faire ce métier sans un peu d'amour.

— Je les aime! Globalement, cependant, jamais individuellement. On ne peut pas, Horacine. Si tu te mets en tête de combler tous les manques d'amour de cette école, voire seulement de ta classe, tu vas te suicider dans six mois, parce que tu ne réussiras qu'à te rendre malheureuse. Notre amour ne peut s'exprimer que dans l'application des techniques de notre métier. Quand on a les outils pour réparer la voiture, on le fait du mieux possible. Et quand elle quitte le garage, elle n'est qu'une voiture parmi les millions qui encombrent les routes. Son conducteur peut la démolir dans un accident ou la laisser se détériorer, on n'y peut rien.

— On n'est vraiment pas faits pareil!

— Heureusement, c'est pour ça que… Bon! Assez de philosophie. À propos de voiture, nous avons un petit tout-terrain qui est enlisé au bureau. Qu'est-ce qu'on peut faire pour ce Chomsky?

* * *

— Chomsky!

Papi avait tout levé d'un coup, le ton et ce corps d'athlète dont il n'était pas peu fier.

C'est que Chomsky venait aussi de se lever, furieux, repoussant sa chaise du pied. Il avait la main sur la poignée de la porte.

— CHOMSKY, ARRÊTE. RASSIEDS-TOI ! NE NOUS FORCE PAS À PRÉVENIR LA POLICE.

Le garçon interrompit tout mouvement et demeura aussi immobile que la pellicule bloquée d'un film. Dès qu'il avait compris que la convocation de Papi n'avait au fond rien à voir avec son extravagant taux d'absentéisme, son sang n'avait fait qu'un tour. Il n'avait que très vaguement entendu parler de l'incident du vendredi et il ne vendait pas de drogue. Habitué de mentir afin de se disculper des soupçons qui pesaient souvent sur lui pour des mauvais coups bien réels, il ne supportait pas qu'on lui en imputât des faux, il le supportait moins encore que le plus irréprochable des citoyens.

Seule l'évocation de la police l'avait retenu de claquer la porte.

Dans son fauteuil, le directeur était terrifié. Le regard de ce jeune homme projetait des lames. S'il sortait un couteau et passait à l'attaque, ce serait à sa personne qu'il s'en prendrait d'abord, et le replet administrateur n'était pas entraîné à se défendre. Petit était là pour le protéger, mais il ne pourrait l'empêcher de subir des blessures, même légères, ni d'abîmer ce costume tout neuf qu'il avait obtenu à peu de frais dans une manufacture de la rue Chabanel.

L'adjoint radoucit le ton.

— Rassieds-toi, Chomsky, et regardons calmement les faits, tu veux ? Alors, reste debout si tu préfères. Essaie un peu de te mettre à notre place. Parlons franchement…

— Je parle toujours franchement, moi…

— Depuis que tu es inscrit à cette école, le nom de Chomsky Deshauteurs revient souvent sur nos bureaux, pas seulement pour tes absences. Avoue que tu n'es pas un ange.

Chomsky *tchuippa*.

— C'est pas ma faute si ma tante est souvent malade.

— Chomsky, ta tante nous a dit qu'elle n'a pas si souvent besoin de toi…

— Elle se rappelle pas la moitié de ce qu'elle fait !

— Qu'importe, il ne s'agit pas d'elle. Essaie de te mettre à notre place.

Chomsky se ferma.

— Ces petites filles nous affirment qu'elles ont acheté des pilules dans la rue, vendredi matin, tout près de l'école, d'un garçon qu'elles ne connaissent pas. Étant donné que tu n'es pas souvent à l'école, c'est normal qu'elles ne t'aient pas identifié comme un élève.

— Je les connais pas non plus ! Pourquoi ce serait moi ? Je prends pas de drogue et j'en vends pas.

— Je voudrais bien te croire. Malheureusement, quelqu'un d'autre, qui n'a aucun rapport avec les trois filles de première, dit t'avoir vu faire la transaction, que tu lui en as proposé aussi.

— C'est qui ? Un gars ou une fille ?

— Nous gardons son identité secrète.

— C'est ça… Je gage que c'est même pas vrai.

— Oh oui !

— D'abord, il en avait pris avant et il hallucinait en chien, parce que j'étais pas rue Jean-Talon vendredi matin ! *Get...*

— Chomsky ! Ta tante affirme que tu es parti pour l'école à l'heure habituelle, et pourtant on ne t'a pas vu ici.

— Elle mélange les heures, ma tante, et les jours avec. Elle prend des médicaments pour ça et, quand je suis pas là pour lui rappeler, elle les oublie.

— Des médicaments...

Chomsky se dressa telle une bête au défi.

— Hé ! Non, je suis pas un ange. J'ai peut-être déjà piqué dans des magasins, mais jamais je volerais rien à ma tante. Je la respecte.

L'écume aux lèvres, il ouvrit la porte, déterminé à ce que rien ne l'empêche de quitter cette école maudite.

« Rïen » n'incluait pas Mme Moïse, qui se tenait droite dans la sortie du bureau, avec Messier derrière elle.

— Chomsky Deshauteurs, calme-toi, murmura-t-elle doucement en suivant le modèle technique de Messier.

Il aurait fallu que Chomsky fonce dedans pour la renverser. Même pour lui, cela ne se faisait pas. L'autre solution était de faire le tour derrière le bureau de la vieille Tissot — qui se régalait ! — et sortir de l'autre côté. Il préféra plutôt se vider le cœur.

— *Yo akise m pour bagay pa mwen menm konnen*, bafouilla-t-il entre les sanglots et le crachat. *Mwen, m pa janm vann dròg...*

— *Bat ba! Mwen konnen se pas oumenm. Ou vle tann mwen senk minit? M pale ak msye Petit. Tout bagay ap regle*[*].

Dans l'embrasure de la porte de son bureau, Papi était interloqué. D'abord d'entendre Mme Moïse s'adresser à un élève en créole, chose qu'elle lui avait déjà reproché de faire, ensuite de voir avec quelle absence de vergogne elle s'immisçait dans le processus, enfin de constater que Messier était associé à sa démarche, association de funeste augure s'il en était.

Mme Moïse se déplaça pour laisser passer Chomsky.

— Assieds-toi, cinq minutes, s'il te plaît, rien que cinq minutes. Tu veux rester debout? D'accord.

L'adjoint Petit essaya un « mais » qui s'éteignit sur ses lèvres quand Mme Moïse lui tendit la main pour lui faire signe de réintégrer le bureau en leur compagnie.

Liniaris se leva, ainsi qu'il avait appris à le faire pour souligner l'arrivée d'une dame.

— Ça va, restez assis, intima la dame en question, et le directeur retomba dans son fauteuil, dont l'armature de bois gémit.

— Madame Moïse, ce n'est pas une manière de s'imposer dans un dossier qui…

— … ne me concerne pas, je suppose, ni

---

[*] —Ils m'accusent d'affaires que j'ai même pas rapport. J'ai jamais vendu de drogue, moi…
— Je sais, je sais que ce n'est pas toi, calme-toi. Donne-nous cinq minutes, tu veux ? Je vais parler à M. Petit. Ça va s'arranger.

M. Messier d'ailleurs. Eh bien, vous avez tout faux, monsieur Petit! Cela nous concerne: Nathalie Durocher est dans ma classe titulaire, Chomsky Deshauteurs a M. Messier en maths, et de toute façon ça nous concernerait parce qu'il est question de justice et de l'avenir d'un gamin.

— Un gamin... douta Liniaris. Il faut voir... Ce jeune homme est assez violent pour affronter n'importe quel adulte.

— Il n'a même pas seize ans. Quels que soient les problèmes que Chomsky Deshauteurs éprouve, il n'a rien à voir avec l'affaire de la danse de vendredi.

— C'est qu'il a été dénoncé! nargua l'adjoint.

— Par qui? demanda Mme Moïse, nullement démontée.

— Ça, je ne vous le dirai pas. Nous avons garanti la confidentialité.

Messier choisit cet instant pour intervenir.

— Mme Moïse et moi avons recueilli un témoignage qui établit l'innocence de Chomsky hors de tout doute raisonnable.

— Un témoignage de qui?

— Ça, je ne vous le dirai pas. Nous avons garanti la confidentialité! nargua Mme Moïse sans chercher à dissimuler son plaisir.

Il y eut un moment de silence, que Liniaris rompit.

— Une élève s'est présentée ici spontanément, à ses risques, pour nous révéler qu'elle était là quand il a vendu cette drogue, qu'elle aurait pu en acheter elle-même...

— C'est donc une fille! interrompit Messier,

provoquant un malaise évident chez l'adjoint, mais non chez le directeur qui ne se rendait pas compte de l'information qu'il venait d'échapper.

— Ne m'interrompez pas, s'il vous plaît. Le garçon aura prévu le coup et il vous a envoyé quelqu'un pour mêler les cartes.

— Écoutez, messieurs, commença Mme Moïse en appuyant ses poings sur le bureau, Messier et moi, nous ne débarquons pas de l'université. Nous connaissons les gamins, et ceux-là en particulier, autant que vous. Si nous prenons la peine de nous mêler d'un dossier dont nous pourrions nous laver les mains, c'est que nous avons du solide. Non seulement nous savons que Chomsky Deshauteurs n'a rien à voir là-dedans, mais nous savons comment les filles se sont procuré les pilules. Sans entrer dans le détail, laissez-moi au moins vous apprendre qu'il ne peut pas les leur avoir vendues, parce qu'elles ne les ont pas achetées.

— Elles nous auraient menti ! s'indigna l'adjoint. Si c'est le cas, elles devront s'expliquer !

— Cela fait beaucoup de mensonges, s'impatienta Liniaris. Moi, tout ce que j'ai de certain, c'est la dénonciation d'une élève dont je n'avais pas de raison de douter jusqu'à ce que vous veniez nous raconter ces histoires.

Messier prit la parole.

— Vous me connaissez, je ne suis pas du genre à m'apitoyer. Si je croyais que Chomsky Deshauteurs est un *pusher*, je serais le premier à exiger qu'on le remette entre les mains de la police. Maintenant que les trois filles sont hors de danger, je peux vous assurer qu'il n'y a rien dans toute cette affaire qui menace la sécurité des élèves et l'ordre de l'école. Vous dérangeriez la police pour rien !

— Qui a parlé de police ? serina le directeur avec une mimique de parrain mafieux. Cette histoire a fait bien assez de bruit. Tout ce que nous allons faire, c'est d'abord renvoyer ce garçon pour cinq jours, puis essayer de le changer d'école en échange d'un autre, si on peut trouver…

— Ça n'a aucun sens ! objecta Mme Moïse.

— Eh quoi ? continua le directeur sans changer de ton. Ce garçon est si souvent absent que, franchement, une école ou une autre, cela ne fera guère de différence. D'autre part, il est important de rassurer le comité de parents. Notre clientèle n'est pas captive et il faudrait peu de choses pour que notre école se vide.

— Excusez-moi ! J'entends mal, je pense. Police ou pas, est-ce que vous m'annoncez que vous allez sévir contre ce garçon même si nous vous assurons qu'il est innocent ? !

— Innocent… innocent… C'est néanmoins un cas problème.

Une cohorte d'anges, gris sinon noirs, passa en prenant tout son temps. Mme Moïse se tourna vers l'adjoint Petit. Il tripotait un stylo, le bras posé sur le buvard de son bureau, et cette futile activité semblait accaparer toutes ses pensées. Il se mordillait les lèvres. Il devinait que la prochaine tirade d'Horacine Moïse le viserait en plein cœur et il n'avait pas de bouclier, ne pouvait s'enfuir ni se défendre : Liniaris avait pris sa décision et, dans ce système, se désolidariser de son supérieur immédiat équivalait à renoncer à ses ambitions.

— Et toi, le Haïtien ! frappa l'enseignante révoltée. Tu es d'accord avec ça ? Tu es d'accord pour abandonner cet enfant, ce fils de notre race malmenée, pour le rejeter dans la nature, sans raison valable ? Et pour sauver quoi ? L'école ? Plutôt vos réputations, oui !

— Madame Moïse ! protesta Liniaris. Faites attention à ce que vous dites. Le fait que ce voyou soit haïtien n'a rien à voir et…

— Eh bien, moi, je ne suis pas haïtien, je suis québécois, *et ça m'écœure en sacrement* !

— Monsieur Messier, ce genre de langage n'a pas sa place ici.

Messier allait en remettre lorsque l'adjoint tenta une défensive.

— Bien sûr, c'est malheureux de devoir en arriver là, mais au-delà des cas particuliers, il y a l'ensemble…

— O.K. ! coupa Mme Moïse. Tu ne me raconteras pas ça à moi. Tes salades, c'est à Chomsky que tu vas les servir.

Elle posa la main sur la poignée de la porte.

— Tu lui expliqueras que tout ce qu'on lui a raconté à propos de la justice qui n'est pas la même ici qu'au pays, qu'il n'y a pas d'arbitraire, qu'on n'accuse pas sans preuve et tout le reste, tu lui diras en face que ça ne commence pas ici, à l'école. Allez, dis-lui, si tu crois vraiment que c'est correct, que ce ne sont que de belles paroles qui ne s'appliquent pas à son cas.

Elle ouvrit la porte.

— Chomsky ! Chomsky ! Viens…

Elle ne l'apercevait pas. Elle balaya le bureau du regard. La vieille Tissot la fixait avec un gargantuesque orgasme dans le regard.

— Qu'est-ce que vous cherchez ? fit-elle semblant de demander.

Une fille arriva avec un carré de papier bleu à la main.

— Qui est-ce qui t'envoie ? interrogea la vieille en quittant son poste pour s'accouder au comptoir.

— C'est Mme Noilly-Pratt.

— Pourquoi ?

— J'sais pas, moi…

— Ah bien ! Il faut que tu attendes que M. Petit en ait fini avec un cas très difficile. Assieds-toi.

L'élève obtempéra en bougonnant. La vieille se retourna vers Mme Moïse et un flot verbeux s'échappa de sa bouche aux dents jaunes.

— Moi, je n'ai pas de pouvoir, surtout avec les garçons comme celui-là ! Il a fait *proutt* avec la bouche… savez ce que je veux dire… et il est parti à toute vitesse. J'ai cru qu'il passerait à travers les vitres des portes. À mon âge, je n'étais quand même pas pour courir après ! J'aurais bien averti M. Petit ou M. Liniaris, mais je voyais bien que ça chauffait, donc je n'ai pas osé déranger. Je ne suis que la secrétaire et, de toute façon, moi, ce Chom…

— Merci ! trancha Mme Moïse en refermant vertement.

— Il s'est sauvé ? s'enquit Petit, le sourcil sombre.

— On dirait… murmura une Mme Moïse visiblement désarçonnée.

— *So !* jubila le directeur. Tout ce bruit pour rien ! Cette fuite est un aveu de culpabilité.

— Pas nécessairement ! rectifia Messier.

— Ah ! *Come on !* En tout cas, on ne peut plus l'aider dans ces conditions. Monsieur Petit, vous demanderez à Mme Tissot d'appeler à la maison afin d'informer la famille que Chomsky est suspendu cinq jours. Il a quitté l'école sans permission et, ça, personne ne peut témoigner du contraire !

12

Un chausson aux mangues

« Deuxième vendredi de novembre ! » soupira intérieurement Messier en noircissant la case correspon-
dante sur la copie du calendrier scolaire qu'il collait
sur son bureau au début de chaque année.

D'habitude, à cette date, il organisait son voyage
dans le Sud. Les pères Noël qui, dès le lendemain
de l'halloween, côtoyaient les sorcières en chômage
lui donnaient le cafard. Il passait le premier jour des
vacances hivernales avec sa vieille mère, qui accom-
plissait l'ultime portion de son destin en douceur dans
une résidence adaptée de Laval, puis fuyait Noël, sa
débauche commerciale, ses bons sentiments et ses
flocons, pour d'autres flots non moins cons, mais
plus chauds. Il n'était cependant pas davantage du
type « plage ». Il visitait le pays et, le reste du temps,
oubliait l'école avec l'alcool. Il rentrait à Montréal le
plus tard possible, selon les forfaits, encore un peu
gris mais pas tellement brun, néanmoins ressourcé et
prêt à relancer la machine.

Or, cette année, à moins qu'il ne réagisse très
bientôt, il demeurerait enchaîné dans les guirlandes.

À moins qu'il n'eût tout simplement d'autres
envies… Il était presque seize heures trente. Depuis
qu'on était passé à l'heure normale, le soir tombait tôt.
Il fourra ses corrections de la fin de semaine dans sa

serviette. Avant l'irruption d'Horacine Moïse, il était toujours le dernier prof à quitter l'école. Il vérifia les fenêtres, éteignit et sortit.

Au rez-de-chaussée, seule la porte 112 était ouverte, sans compter une classe du fond, devant laquelle était stationné le chariot du concierge. Messier s'arrêta. Pourquoi ce détour avant de rentrer chez lui ? Cela devenait un automatisme. Saint-Hugo l'avait encore taquiné ce midi. Ça commençait à jaser dans la salle des professeurs. Cette bonne femme, qu'elle le voulût ou non, était en train de chambouler sa vie professionnelle qui, il est vrai, était à peu près toute sa vie depuis bien des lunes. Au début, il ne croyait en rien d'autre qu'un fantasme. Après tout, quoi de plus naturel que sa libido se manifestât à l'occasion ? Sauf qu'il y avait plus, il le constatait avec l'affaire Chomsky Deshauteurs. Dans son état normal, il l'eût d'ores et déjà chassée de son esprit, puisqu'il ne pouvait plus agir, et qu'il y avait belle lurette qu'il avait perdu ses illusions sur les administrateurs scolaires. Maintenant, il demeurait inquiet et dégoûté, et nul doute que c'était par effet de contagion.

«Assume donc, sacrement !» s'invectiva-t-il, et il alla se planter devant la porte ouverte.

Horacine ne retenait plus que Gédéon qui, la mine renfrognée et les larmes aux yeux, n'en finissait plus d'achever un pensum.

En apercevant son collègue, elle sourit sans montrer les dents. Son sourire triste aurait attendri un ayatollah. Elle se leva.

— Rien de neuf ? demanda-t-elle tout bas.

Messier fit non de la tête.

— Pas que je sache, précisa-t-il.

La question portait sur Chomsky que personne, ni à l'école ni à la maison, n'avait revu depuis qu'il s'était sauvé du bureau.

— Tu as un cours de danse, ce soir, je suppose ?

— Non ! Je devrais, mais la salle a été réquisitionnée pour un gala.

— Dans ce cas, tu es libre !

Horacine le regarda de travers. Elle n'allait tout de même pas lui mentir.

— Bien oui !

— Alors, je ne vous laisse pas le choix, madame Moïse. C'est aujourd'hui que ça se passe.

— De quoi parles-tu ?

— Fini pas fini, vous vous débarrassez de ce petit monsieur et je vous emmène dans le quartier chinois. Vous ne sauriez vivre un jour de plus dans l'ignorance de ce sommet de la gastronomie chinoise, qui a relégué aux oubliettes les exploits guerriers du général Tao à la faveur d'une recette de poulet !

Horacine Moïse sourit.

— Ah !… Euh…

— Et je vous défends d'hésiter !

Horacine Moïse n'avait jamais mis les pieds dans cette portion de la rue de la Gauchetière qui constitue l'essentiel du quartier chinois de Montréal. Messier l'emmena dans son restaurant préféré, qui logeait dans un demi-sous-sol, et dont le décor avait le bon goût d'être clair et dépourvu de pacotille. Elle le laissa commander tandis qu'elle allait se laver les mains, puisqu'il s'y connaissait, et elle non.

Messier eût aimé entamer le repas et la conversation sur un sujet nouveau, mais Chomsky Deshauteurs habitait encore les pensées de sa convive.

— Ce que je ne comprends pas, c'est que, il n'y a même pas deux mois, Liniaris avait l'intention de le coter pour augmenter le ratio profs/élèves, et maintenant, il veut s'en débarrasser.

— Ah ! mais c'était avant le quinze octobre.

— Et alors ?

— Le budget octroyé aux écoles par le gouvernement est établi en fonction du nombre d'élèves inscrits à cette date. Après, quoi qu'il advienne, il ne varie plus. Que Chomsky revienne ou non, les quelques milliers de dollars attachés à son nom ne nous seront pas retirés.

— C'est effrayant ! Ça veut dire qu'il pourrait faire exprès d'inscrire des élèves en septembre et de les renvoyer en novembre.

— Il y a des limites, je suppose. Incidemment, n'oublions pas que les salaires de nos administrateurs sont, eux aussi, en partie tributaires de l'effectif.

— Voilà ce qui arrive quand la foi s'en va. C'est le fric qui prend la place.

— Peut-être.

L'histoire avait maintes fois démontré que la foi et l'argent cohabitent volontiers, mais Messier jugea le moment mal choisi pour avancer cet argument. Horacine reprit :

— En tout cas, j'espère qu'il n'est pas en train de

faire une grosse bêtise.

— Chomsky ?

— Qui d'autre ?

— Il est *sûrement* en train de faire une bêtise. Grosse, c'est possible sinon probable, mais si tu crains qu'il attente à sa vie, rassure-toi. Les révoltés ne se suicident pas.

— Comment fais-tu pour…

— Est-ce que je peux te demander une faveur ?

— Vas-y.

— Est-ce qu'on pourrait parler d'autre chose ? Il faut se changer les idées, Horacine.

— Entre collègues de travail…

— Ce soir, ne pourrait-on pas considérer que nous sommes plutôt entre amis ?

Horacine fit oui de la tête, mais de côté, ce qui signifiait davantage une concession qu'une adhésion.

— Alors, on parle de quoi ?

— Qu'importe ! De la soupe. Elle n'est pas trop épicée ?

— Tu rigoles ! On voit que tu n'es jamais allé en Afrique. Elle est juste assez relevée. Et… à propos de soupe, que ce soit bien clair que je paie ma part.

Messier glissa son bol vide vers le bord de la table et regarda son amie, ou sa collègue, ce n'était pas encore clair, dans les yeux, au risque de s'y perdre.

— Pas d'accord ! C'est moi qui t'ai invitée, sinon enlevée, qui ai choisi le resto, le menu, et, fidèle à mon éducation, j'assume les responsabilités et les frais.

— C'est vraiment une question d'éducation ?

— Hé ! De savoir-vivre, si tu préfères.

— Ça veut dire que tu n'attends rien en retour.

— Bien sûr que non ! Qu'est-ce que tu insinues ?

— Dans certains milieux, si une femme accepte une invitation dans un grand restaurant, cela implique que la soirée va se poursuivre dans un grand lit.

— Pas dans mon milieu à moi. Et puis ce n'est pas un *grand* restaurant, seulement un bon.

— Dans ce cas, d'accord. J'avais peur que tu aies des projets inavouables.

— Inavouables ! Je serais assez déprimé si une femme couchait avec moi seulement pour me remercier de l'avoir invitée au restaurant. Il y a des escortes pour ça, et je n'en suis pas encore là !

— Voilà qu'il se vexe !

Messier sourit.

— Non, mais… je ne veux pas non plus signer un formulaire de renonciation. Écoute, à supposer que j'essaie de te séduire, où serait le mal ? Tu n'es pas lesbienne…

— Oh ! Ça va pas ! Et quoi encore !

— Cette fois, c'est toi qui es vexée, dit Messier en incitant de la main Horacine à ne pas hausser davantage le ton.

— Il y a de quoi !

— Eh ! Ça existe, l'homosexualité féminine, et au Québec, c'est légal !

— C'est dégoûtant, oui ! Et ce n'est pas dans la Bible.

L'argument déconthenança Messier.

— Non, je ne crois pas que ça se trouve dans la

Bible, en effet. Et pourtant, ce n'est pas que les livres saints manquent de sexe. Ça n'arrête pas ; il la connut par-ci, il la connut par-là…

— Ne blasphème pas !

— Ce n'est pas dans la Bible que des filles font boire leur père pour baiser avec ?

— Ce n'est pas si simple.

— Admettons. Rangeons la Bible avec l'école pour ce soir, d'accord ?

— C'est à se demander de quoi on peut parler sans se heurter, nous deux. Nous sommes tellement différents !

— Et après ! Ah ! voici les rouleaux. Nous sommes sauvés !

— Ils ne sont pas cuits ! s'étonna Horacine.

— Évidemment, ce sont des rouleaux de printemps, pas des *egg rolls*.

— Excuse-moi, je ne dîne guère au restaurant que si je ne peux pas faire autrement. Ça se mange comme ça ?

— Oui ! Et ici, ils sont exquis. Tu les trempes dans la sauce aux arachides.

— Ça, au moins, je connais.

Elle croqua goulûment dans le rouleau à la peau translucide, badigeonné de sauce dorée, et l'effet, entre ses lèvres pourpres, à la fois fines et immenses, stimula l'appétit de Messier.

— Qu'est-ce que c'est que ça ?

Le serveur imperturbable arrivait avec des verres à pied et une bouteille dans un seau à glace.

— Un petit vin rosé tout léger !

— Tu sais que moi, l'alcool…

— Un petit verre en douceur, pour rehausser le goût des aliments, ça ne te fera pas de mal. Et le vin, ah ! ça, c'est dans la Bible !

— Méchant ! Bon, je veux bien être polie, mais toute une bouteille pour deux…

— Qu'importe s'il en reste !

— C'est chouette d'être riche !

— Je suis célibataire… Au fait, as-tu déjà été mariée ?

— Qui te dit que je ne le suis pas actuellement ?

— Tu te serais arrangée pour me le faire savoir.

— Eh non ! Je n'ai jamais été mariée. J'ai eu des offres, cependant, ne va pas croire ! Dans la vingtaine, j'avais, paraît-il, un *boudda* d'enfer !

— Je ne vois aucune raison d'en douter…

— Holà ! monsieur le flatteur !

— À propos, c'est quoi, un bouddha d'enfer ?

— Un beau cul !

— Oups !

— Je me méfie des hommes, si tu veux savoir. Ils sont là comme des pigeons roucoulants en manque de tendresse, et aussitôt dans la chambre, ils sortent leur gros machin et s'imaginent que tu n'as qu'à les laisser faire pour grimper au septième ciel, et qu'après tu ne pourras plus te passer d'eux, que tu te feras mourir pour leurs enfants pendant qu'ils iront répandre leur semence à travers le monde comme si c'était la bonne nouvelle !

— Ouf, je vois ! fit Messier avec un air moqueur. Il me semble pourtant qu'il ne faut pas te connaître depuis longtemps pour se rendre compte que ce n'est pas tellement ton genre.

— Justement! Ils me désiraient pour se gonfler l'orgueil masculin.

— Aucune expérience heureuse?

Horacine, qui venait d'engloutir son deuxième rouleau, trempa les lèvres dans sa coupe de vin. Messier devina qu'elle éludait la question.

— Il est doux, commenta-t-elle. Je n'y connais rien, mais c'est bon! Il ne goûte pas l'alcool. Et toi, Alain, tu as déjà été marié?

— Non plus, mais j'ai vécu sept ans dans le péché.

— Oh… arrête. Je ne suis pas bigote, quand même. Avec une femme?

Messier pouffa de rire et dut porter sa serviette à ses lèvres.

— Avec une femme, oui.

— Qu'est-ce qui s'est passé?

— C'est simple. Au contraire de toi, c'est elle qui voulait des enfants.

— Et…?

— Et aujourd'hui elle en a deux, de son mari légitime.

— Tu l'aimais?

— Assez pour refuser les compromis. Aux dernières nouvelles, elle était heureuse.

— Et toi?

— Ça va. Je suis en paix avec moi-même, ce qui ne serait certainement pas le cas si j'étais père de famille.

— Tu as peur des responsabilités ?

— Je ne suis pas très optimiste à l'égard de l'avenir du monde. Je ne tiens pas à me reproduire. Et vois-tu, il y a ce qu'on peut faire, ce qu'on ne peut pas faire, et aussi ce qu'on peut *ne pas* faire. Je serais un mauvais père, du moins maintenant.

Il se tut.

— Par contre, je suis très optimiste à l'égard de ces plats qu'on nous apporte.

Il y avait le poulet du général Tao et aussi du bœuf grésillant, une autre découverte qui émerveilla Horacine.

— C'était bon ?

— Hum… dé-li-cieux.

Horacine Moïse était calée dans le siège du passager, la tête renversée sur l'appui, les bras croisés sur la poitrine car elle avait frissonné en sortant. Le repas s'était poursuivi dans un climat de plus en plus détendu. Tout compte fait, elle avait bu deux bons verres de vin. Elle avait les paupières lourdes, mais ne s'endormait pas. Dans la lumière chamarrée de la ville qu'une fine pluie humectait, sa beauté avait une douceur impressionniste et fauve à la fois. Imperceptible dans le restaurant, son parfum de mangue s'était réveillé dans la petite voiture de Messier, moins fruité et plus charnel.

Messier conduisait lentement pour goûter chaque seconde de ce moment privilégié. Il ramenait Horacine dans la cour de l'école, pour qu'elle y récupère sa voiture.

— J'espère que je n'aurai pas de problèmes à conduire, je ne suis pas habituée, moi, s'inquiéta-t-elle tout à coup.

Messier se tourna la langue sept fois dans la bouche.

— Il n'est pas tard… Si tu veux, sans arrière-pensée, j'habite rue Sherbrooke, en face du parc La Fontaine. C'est sur le chemin, alors… Si un peu de désordre ne te gêne pas, on peut arrêter prendre un café, le temps que tu te remettes d'aplomb.

Un feu rouge le força à s'arrêter. Il ferma les yeux comme un enfant qui attend une gifle.

— MESSIER! fit Horacine en se dressant pour baisser la tête vers lui avec un indéfinissable sourire. Sans blague, Alain Messier, tu as vraiment envie de t'envoyer une grosse négresse?

La voiture qui suivait klaxonna. Le feu passait au vert. Messier revint à lui et appuya sur l'accélérateur.

— Horacine, dit-il en s'attardant sur chaque syllabe, jamais, je te le jure sur mon âme d'athée, jamais au grand jamais je ne pense à toi en ces termes.

La voiture qui avait klaxonné les doubla cavalièrement sans troubler le silence relatif qui s'imposa jusqu'à ce que Horacine, qui était retombée dans son siège, le rompît.

— Donc tu penses à moi.

— Oui… assez souvent même.

— Je m'en doutais.

Nouveau silence.

— Tu peux t'arrêter un instant?

— Euh… oui.

Perplexe, il immobilisa le véhicule contre le trottoir et se tourna vers sa passagère.

— Je t'aime bien, Alain.

«Ça commence mal !» se dit ce dernier.

— Tu es… authentique, oui, c'est ça. Ça me touche. Moi aussi, je crois.

— Ça, c'est…

— Chut !

Elle se redressa et poursuivit.

— Il faut me prendre telle que je suis… c'est-à-dire… non, pas me prendre, je suis imprenable, il faut faire avec moi ou me foutre la paix, et je ne suis pas facile. N'importe qui n'aurait pas pu m'emmener au restaurant comme tu l'as fait ce soir. Il fallait vraiment que je t'aime bien, oui. Je suis consciente que je ne suis pas évidente dans la vie. Autant te prévenir, ce n'est pas mieux au lit. Avant de t'imaginer en train de me culbuter, il y a deux choses qu'il faut que tu saches. D'abord, on ne me culbute pas, je ne supporte pas l'idée d'avoir vos machins en moi. Ensuite, je dors toujours seule. Pour le reste, si tu n'es pas trop dédaigneux, si tu me laisses faire et si tu promets de fermer ta gueule après, on peut s'essayer.

Messier, bouche bée, retourna à toute vitesse dans sa tête les mots d'Horacine afin de vérifier s'il avait bien compris.

— Si ça te convient, dépêche-toi, insista-t-elle. C'est comme les pâtés, c'est bon quand c'est chaud.

Messier ajusta ses lunettes, jeta un œil dans l'angle mort et décolla.

Il reposait sur Horacine, bercé par les battements de son cœur qu'il écoutait à travers sa poitrine, dont chaque sein avait la grosseur de sa tête, avec des mamelons telles des figues mûries au lointain soleil des tropiques. Elle était chaude, comme un chausson… aux mangues.

— Hé! le petit Blanc! Ne t'endors pas, susurra-t-elle.

C'étaient ses premières paroles depuis une heure.

— Non, non…

Il en avait pourtant bien envie. La peau d'Horacine était sans défaut, sans flétrissure, une étendue chaude, soyeuse, chamoisée et généreuse, il ne se souvenait pas d'un contact aussi satisfaisant. Elle lui offrait cette position en récompense, car ce n'était qu'après avoir épuisé un nombre incalculé d'orgasmes qu'elle l'avait laissé monter sur elle.

Il caressait du genou son sexe encore humide, un sexe en région sauvage, brousse luxuriante dans laquelle elle l'avait guidé vers un trésor planté à l'entrée de sa caverne, un rubis gros comme le pouce, qu'il avait embrassé sans retenue, encouragé par ses exultations vibrantes et profondes, inondé de capiteuses sécrétions qui imprégnaient sa barbe, tandis que de l'autre côté du monde… Il n'avait pas pu voir comment au juste elle s'occupait de son sexe à lui, mais elle ne le laissait jamais à lui-même et c'était grandiose.

Quand elle désirait un répit, elle lui ramenait la tête contre sa poitrine, l'étreignait dans ses chairs qu'une vie suffirait à peine à explorer. Elle l'embrassait et sa langue le comblait d'une sensation qu'il n'avait jamais imaginée. Elle montait sur lui, le serrait entre ses cuisses et se frottait contre son sexe en grognant de plaisir, et lui, les bras en croix, prisonnier de son plaisir, il la tétait tel un veau affamé.

— Sais-tu que ce n'est pas nécessairement un désavantage, un petit pénis ?

Messier ouvrit les yeux et sa tête émergea.

— Comment ça, petit ? Tu sauras que je fais tout de même quasiment six pouces.

— Ah oui ? C'est ça, six pouces ?

— Ouais ! Au huitième près…

— Excuse-moi, je n'ai pas l'habitude des mesures américaines.

Elle le serra brusquement.

— Je te taquine, mon petit Blanc. Allez, debout ! Je ne prendrai certainement pas le taxi.

— Je ne le permettrais pas.

Il allait se lever, mais elle le saisit à nouveau et embrassa son crâne chauve.

— Tu es tout gommé, mon pauvre Alain !

— Je ne me laverai pas de la fin de semaine !

— Bah ! Si tu n'as pas à sortir…

Elle l'embrassa encore.

— Merci, Alain. Ça m'a fait du bien.

Messier voulut s'exprimer à son tour.

— Chut ! fit-elle. Ne dis rien, s'il te plaît. Plus tard, peut-être. Vois-tu, il y a ce qu'on *peut* faire, ce qu'on *ne peut pas* faire, ce qu'on *peut ne pas* faire, et aussi ce qu'on *ne peut pas ne pas* faire !

13

Noël bleu

(Extrait du journal de Nathalie Durocher,
1er décembre 1985)

Je me rends compte à quel point j'ai peu écrit depuis un mois, plus précisément depuis ma presque mort à la danse de l'halloween. Cela me semble bien loin, maintenant. Je me demande si je n'exagérais pas un peu.

Depuis, Jésulienne est revenue à l'école. Ses plaies ont bien cicatrisé. Ça s'est mieux passé pour Héberte, même si elle jure qu'elle a dépensé trois boîtes de kleenex à demander pardon. Je la crois.

De mon côté, ce n'est pas encore la grande joie, mais je fais rouler mon petit train. Je consacre beaucoup plus de temps à mes études. Je mets les bouchées doubles.

J'écoute en classe, je fais mes devoirs, je suis une élève modèle, et M. Messier m'a dit que, si je ne fais pas la folle à l'examen de Noël, je vais réussir en maths. On ne parle pas de 80 %, restons calmes! Peut-être 70 %! Rien qu'à soixante, je serais contente.

Si j'ai tout mon temps pour écrire aujourd'hui, c'est qu'on n'a eu aucun devoir pour la fin de semaine. Vendredi a été une journée bien spéciale, à l'école, à cause des graves émeutes en Haïti. Des jeunes sont morts à Gonaïves. Mme Moïse avait apporté une carte d'Haïti. Lovelie, elle, vient de Jacmel, ce n'est pas dans le même bout, mais tous les Haïtiens ont peur pour leur famille parce que ça chauffe partout dans le pays. Les gens en ont assez de la dictature de Jean-Claude Duvalier, qu'ils appellent Bébé Doc. Je trouve que c'est un surnom qui fait comique, mais il paraît qu'il n'y a pas de quoi rire avec lui et ses macoutes.

Les élèves haïtiens sont arrivés le matin fatigués et excités. Ils criaient « Déchoucage ! Déchoucage ! », qui signifie une sorte de révolution. M. Petit est passé dans toutes les classes pour les calmer. Lui aussi, il était fatigué et nerveux. Il a expliqué qu'il avait écouté les nouvelles toute la nuit, et il nous a demandé de ne pas lui compliquer la vie. De toute façon, on ne pouvait rien faire, sinon profiter de notre chance d'être en sécurité. Son discours a fait effet, mais la journée a été foutue quand même parce que, dans toutes les classes, les profs n'ont pas eu le choix de parler de ça. C'était intéressant, et ça me fait du bien d'écouter sans me casser la tête, sauf qu'à la fin j'étais un peu tannée. C'est à suivre. C'est rendu que j'écoute le téléjournal !

Revenons à mes progrès. Ce n'est pas à cause de mon psychologue. Je l'ai vu trois fois, et on ne fait rien que parler. Je ne suis pas certaine que ce soit vraiment utile, mais c'est plutôt plaisant. J'ai l'impression qu'il fait surtout du bien à ma mère. Ça la rassure et, en ce moment, c'est ma grosse préoccupation, faire plaisir à ma mère. Je lui ai causé beaucoup de peine. Le pire, c'est qu'elle se sent coupable. Elle regrette de s'être séparée de mon père et de ne pas avoir les moyens de m'envoyer dans une école privée. Pourtant, quand c'est arrivé, la séparation, elle m'a expliqué qu'elle ne pouvait pas faire autrement. D'après moi, ça n'a pas de rapport. C'est juste qu'au primaire, c'était plus facile.

Mme Moïse m'a changée de place, enfin! Ça va mieux avec elle aussi. Elle est moins sur les nerfs, et il n'y a pas que moi qui le dis. Il paraît qu'elle sort avec M. Messier. Paraîtrait même qu'ils vont se marier! Ça m'étonnerait. Gédéon lui a demandé si on allait avoir une remplaçante après son mariage. Elle a fait: « LE MARIAGE? QUEL MARIAGE? » et elle a éclaté de rire. C'est quelque chose quand elle rit et ça n'arrive pas souvent! Ça n'a pas duré longtemps. Elle s'est calmée et a dit: « En attendant le grand jour, veux-tu faire le garçon d'honneur après l'école? » Comme d'habitude, Gédéon a été le dernier à comprendre le message et il est resté collé.

Le plus important, c'est que ça va mieux aussi avec mes deux plus vieilles amies, Lucie et Lovelie. En fait, c'est plutôt avec Lovelie que ça va mieux. Lucie, elle suit. Ce n'est quand même pas la Lovelie d'avant. Elle est souvent triste. Elle s'inquiète de sa mère haïtienne. Il paraît qu'elle est malade.

Son ami Chomsky a été renvoyé de l'école, et on n'en entend plus parler. Au début, j'ai eu peur qu'elle juge que c'est de ma faute, sauf que jamais on n'a pensé à mettre l'affaire des pilules sur le dos de ce gars-là ni d'aucun autre. On ne sait pas d'où c'est sorti, cette accusation. Une rumeur court que ce serait une fille de secondaire quatre qui l'aurait dénoncé. Nous, on ne connaît pas cette fille, mais si elle a fait ça, c'est une sale menteuse. Héberte, Jésulienne et moi, on a juré à Lovelie que si on nous posait encore des questions, on dirait toute la vérité. Je serais bien étonnée que ça arrive, vu que cette affaire n'intéresse plus personne. Il reste que Lovelie a du chagrin. Nous en avons parlé beaucoup, toutes les trois. Elle admet que ce n'est pas un bon ami pour elle, il est plus vieux et il est dans une gang. Mais elle est sûre qu'il n'est pas méchant, au fond, et qu'il a besoin d'aide.

Pour ce qui est de Charline Jolicœur, ça a tout l'air que c'est fini aussi. C'est Lovelie qui ne veut plus lui parler, on ne sait pas pourquoi. Quand elle vient lui tourner autour, elle n'est pas déplaisante, mais c'est évident qu'elle l'évite, même qu'elle trouve des excuses, ce qui n'est vraiment pas son genre. On aimerait bien savoir pourquoi elle agit ainsi depuis qu'elle est allée faire du ménage chez elle, mais il n'y a pas moyen d'en tirer un mot.

Ce n'est pas tout ! Elle n'a pas pu rencontrer l'abbé Saint-Louis depuis presque un mois ! Il est toujours occupé. Ça, c'est dur. L'abbé Saint-Louis, c'est plus qu'un prêtre pour elle, c'est comme un membre de sa famille. Nous autres, on pense qu'il a simplement trop d'ouvrage. Mme Brûlotte, la mère de Lucie, dit que ce n'est pas surprenant, car il y a de plus en plus de vieux dans la paroisse et il doit les visiter. N'empêche que l'abbé Saint-Louis avait toujours une minute pour Lovelie et, tout à coup, c'est tout juste s'il lui *parle deux minutes au téléphone. D'accord, ça ne fait même pas un mois, mais pour Lovelie, c'est long.*

Toujours est-il qu'on est en décembre! Noël s'en vient. Je suis restée un bébé, quand il s'agit de Noël. J'ai l'impression, pourtant, que ce ne sera plus jamais pareil.

Jean-Paul a acheté de nouvelles guirlandes de lumières et les a installées sur le balcon. Elles sont toutes bleues! Elles clignotent. C'est joli, on ne peut pas dire le contraire. Lucie adore ça, et elle a du goût. Sauf que bleu, pour moi, ce n'est pas une couleur de Noël. D'ailleurs, on est la seule maison de la rue en bleu. Jean-Paul dit que, justement, il ne faut pas avoir peur d'être original.

Mais, plus j'y pense, plus je trouve qu'il a bien choisi. Avec tout ce qui nous arrive, c'est sûr que ce sera plutôt bleu, comme Noël!

Troisième partie

Le nouveau pouvoir

(Du 13 décembre 1985 au 30 mars 1986)

1

Une lettre d'Haïti

Jacmel, le 13 décembre 1985
Ma chère fille Lovelie,
Je t'écris aujourd'hui pour t'annoncer une triste nouvelle : ta mère est morte, il y a trois jours. Tu savais que sa santé n'a fait que se détériorer depuis ton départ. C'était une femme forte et courageuse. Elle ne s'est jamais laissée aller. Depuis un mois, elle toussait de plus en plus et crachait du sang. Monsieur Jeune m'a prêté un peu d'argent pour la faire soigner, mais nous n'avons pas pu trouver un vrai docteur à temps.

Lovelie ne bougea pas. Elle relut encore les premières lignes de cette lettre que l'abbé Saint-Louis avait apportée en après-midi, sans attendre pour la lui remettre en main propre. Son père avait gardé son écriture d'écolier, ronde, incertaine et fière à la fois. L'alphabétisation devait être pour lui la garantie d'une vie meilleure : comme il avait dû souffrir d'avoir à s'en servir pour annoncer le pire des malheurs qui puissent frapper une petite fille. Lovelie lisait et relisait toujours. Espérait-elle qu'à force de repasser les yeux sur ces mots, elle arriverait à les effacer et, par le fait même, à rayer l'événement qu'ils relataient de la liste des choses vraies ?

Lovelie était assise à la table de la cuisine. Debout à côté de la cuisinière, Germaine préparait la galette des Rois pour le lendemain. Elle tenait à la tradition et se rappelait avec nostalgie l'époque où il était hors de question que l'école recommençât avant le sept janvier. Lucie était assise à l'autre bout de la table, par discrétion, mais elle déplorait intérieurement de devoir attendre le bon vouloir de sa sœur pour partager le contenu de sa lettre.

Germaine cessa de lisser la pâte à la surface du moule, alertée par ce sens qui est l'apanage exclusif des mères. Elle se retourna, inquiète.

— Qu'est-ce qu'il y a ? Mauvaises nouvelles ?

Lovelie ne l'entendit pas. Germaine abandonna sa galette et vint lire par-dessus son épaule. Lovelie ne réagit pas davantage.

— Oh… Ma pauvre petite fille… compatit la grosse femme.

Alors Lovelie se rendit à l'évidence et ses grands yeux d'émeraude se remplirent de larmes. Elle se leva lentement et marcha jusqu'à son lit, pour y enfouir ses pleurs, laissant sur la table la lettre dont elle ne lirait le reste que quelques jours plus tard.

Le pays aurait grand besoin d'une bonne infirmière comme toi. Je suis sûr que tu travailles très fort pour y arriver. Junior et Genella se portent bien. Ils pensent souvent à toi. Genella, surtout, parle à tout le monde de sa grande sœur. Pour elle, tu es déjà une infirmière et elle aime dessiner ton portrait dans ton costume blanc.

Ta tante Rosalyne et sa fille Guerlande habitent chez nous depuis quelques mois. La vie aux Cayes est devenue impossible. Ce n'est pas tellement mieux ici, à Jacmel, mais au moins le commerce du café n'est pas complètement paralysé et nous mangeons un peu tous les jours.

Ne parle à personne de ce que tu vas lire maintenant, car ce serait très dangereux si certaines personnes, ici, l'apprenaient. Monsieur Jeune, qui, tu t'en souviens, est le cousin de ta défunte mère, est en train d'organiser son départ du pays, probablement pour le Canada. D'après lui, quand Bébé Doc quittera enfin le pouvoir, ce sera encore pire, car il n'y aura plus aucun contrôle. Le pays sera à feu et à sang.

Il veut à tout prix partir avant. Il connaît des gens à Montréal qui sont prêts à faire des affaires avec lui. Il paraît que le marché du café y est en plein essor.

Si je t'en parle, c'est qu'il voudrait que je parte avec lui, et même les enfants si possible. Rien n'est certain. Je le souhaite de tout cœur. Sans lui, je ne sais pas de quoi nous vivrions. J'aime mon pays, mais je ne veux pas voir les miens mourir de faim ou sous les coups des pillards.

Je confie cette lettre à des personnes de confiance et j'ignore quand je pourrai t'en envoyer une autre. Peut-être même que je serai incapable de te prévenir si nous partons.

Voilà ce que j'avais à te dire.

Avant de mourir, ta mère a parlé de toi. Son plus grand regret était de ne pas pouvoir te serrer dans ses bras. Sois certaine qu'elle est au paradis et qu'elle veille sur nous.

Ton père, Jérémie D'Haïti

2

Des vœux chaleureux

— C'est où ? demanda la ronde fille en essayant de se serrer encore davantage dans son blouson de jean.

Peine perdue ! Quand on choisit ses vêtements en fonction du *look* plutôt que du confort, on se condamne à geler, et c'était raté pour le *look* puisque, malgré ses sacrifices étriqués, Betsy Mirabel n'avait jamais l'air que d'une boulotte qui souhaitait ne pas l'être.

Dans ce secteur du quartier Saint-Michel, où l'urbaniste le moins idéaliste songe au suicide dès qu'il y met les pieds, et qui jouxtait le grand vide des carrières Miron, on aurait dit que le froid de janvier se déployait avec plus de méchanceté que nulle part ailleurs sur l'île de Montréal.

— On arrive, on arrive, répondit Manouchka Charles.

La belle fille était plus à l'aise que l'autre, dans son long manteau de suède, doublé de peluche et décoré d'arabesques brillantes, et son énorme casquette en tweed lui donnait un air de princesse du *hip-hop*. Depuis qu'elle «travaillait» pour lui, Andy Colon l'habillait comme une starlette. C'était dans son intérêt : plus elle attirait, plus elle rapportait, et bien davantage que le prix de ces fringues achetées au noir. Elle était assez naïve pour croire que, en sus, il lui mettait de l'argent de côté, sous prétexte qu'elle le gaspillerait imprudemment, et qu'elle pourrait le retirer, comme à la banque, le jour où elle serait définitivement dégoûtée d'avoir bazardé sa jeunesse sur le marché de la chair.

Une rangée d'immeubles minables apparut au tournant d'une rue innommable.

Elles entrèrent dans le premier. Le hall exigu, mal éclairé par des néons agonisants, puait le mazout rance. Des dépliants publicitaires jonchaient le plancher gommeux. Le tableau des sonnettes et des boîtes aux lettres était bon pour la ferraille et la plupart des étiquettes ne portaient aucun nom.

Manouchka appuya tout de même sur une sonnette et annonça son nom.

— *Fresh!* fit une voix d'homme, ce qui signifiait qu'elles pouvaient monter.

— Va-t-il y avoir de la drogue? demanda Betsy Mirabel dans l'escalier.

— Tout ce que tu veux, tant que tu en veux. Quand Master C fête la nouvelle année, il est très généreux, lui répondit Manouchka comme si elle parlait de croustilles.

— Wow! En tout cas, t'es super *cool* de m'introduire dans sa *gang*, Manouchka. Je vais te remettre ça si j'en ai la chance, je te le jure.

— Laisse donc faire! rétorqua sèchement l'autre, en détournant les yeux, à croire que la reconnaissance de sa compagne la mettait mal à l'aise.

La porte de l'appartement était percée d'un œil et les deux filles s'immobilisèrent pour un dernier contrôle. Betsy Mirabel vivait les mêmes émotions que les enfants qui, deux semaines plus tôt encore, faisaient la queue pour s'asseoir sur les genoux d'un père Noël à fausse barbe.

Andy Colon, qui avait repris son ancien nom de Master C, ouvrit lentement et jeta un regard circulaire sur le palier.

— Salut! Moi, c'est Betsy!

Totalement insensible au resplendissant sourire de la grosse fille et plutôt agacé, il fit signe d'entrer.

— Tu as quelque chose pour moi? demanda Manouchka, en retirant son manteau et ses bottillons, imitée par l'autre.

— Peut-être, mon ange. Si dans une demi-heure je n'ai pas eu d'appel, tu pourras rentrer chez vous.

Il était suave avec Manouchka, ne la maltraitait jamais, la refusait aux clients particulièrement repoussants, ou problématiques, et n'exigeait d'elle que la disponibilité normale d'une mineure. En Haïti, les écoles persistaient à enseigner les fables de La Fontaine et Andy Colon avait particulièrement retenu celle de *La poule aux œufs d'or*.

Betsy Mirabel fronça le sourcil en entendant ce bref échange. Manouchka ne resterait pas à la fête! Ce n'était pas ce qu'elle avait compris. Quelle fête, d'ailleurs? Elle n'entendait ni musique, ni joyeusetés d'aucune nature. Où donc se trouvaient les autres invités?

Andy Colon perçut sa perplexité.

— On se tient tranquille quand il arrive du monde, murmura-t-il. Viens.

Il lui fit signe de s'engager dans le passage. Elle se tourna vers Manouchka ; celle-ci, sans se soucier d'elle, alla s'écraser sur un vieux canapé dans la pièce destinée à servir de salon. La méfiance de la grosse fille s'accrut, mais elle se dit qu'il était sans doute normal de respecter un rituel quelconque quand on prenait contact avec une nouvelle bande.

Andy Colon ouvrit une porte en disant simplement :
— C'est ici.

Et il la poussa dans une pièce obscure. Betsy Mirabel était passée du trône du père Noël à l'antre du dragon. C'était une chambre. Le store était baissé et seule une lampe torchère à l'abat-jour opaque jetait un clair-obscur sur un lit placé au centre. Elle décela une présence : quelqu'un était debout dans le coin. Tandis qu'Andy Colon refermait, un jeune homme à la silhouette familière sortit de la pénombre. Le cœur de l'adolescente faillit s'enrayer, ses yeux se plissèrent et clignotèrent, son esprit caracola dans une débandade d'hypothèses avant de se rendre à l'évidence : c'était son ancien chef, Chomsky Deshauteurs !

— Salut, Betsy !
— Sa... salut... qu'est-ce que... !?

Sans trop comprendre, elle pressentait que rien de bon n'était prévu pour elle. Elle se retourna pour sortir et aperçut avec horreur la pointe d'une fine lame qui s'avançait sans trembler vers sa gorge.

— Couche ! ordonna Andy Colon en approchant davantage la lame.

— Hé ! Arrêtez ! Qu'est-ce qui vous prend ? Je vous ai rien fait, moi !

Elle pleurnichait déjà. En reculant, elle tomba sur le lit. Andy Colon lui appuya la pointe de la lame entre la lèvre et le menton. Elle la sentit pénétrer.

— Ta *yeule*, puis couche ! répéta Master C.

La seule façon de s'éloigner de la lame était d'obéir. Elle s'étendit. Chomsky lui saisit un poignet et l'attacha à un montant du lit, puis fit de même avec l'autre, et les pieds ensuite. Chaque fois que Betsy Mirabel amorçait un mouvement de défense, Master C la piquait au visage. Le goût du sang dans sa bouche acheva de la réduire à l'impuissance. Elle était horrifiée à l'idée de saigner même une goutte.

La lame s'éloigna. Betsy Mirabel s'agita en pleurant. Le lit grinçait.

— C'est chien… Je vous ai rien fait !

— Rien ?

Elle entendait la voix de Chomsky Deshauteurs pour la première fois depuis qu'il l'avait mise à la porte de sa bande.

— C'est pas moi qui t'*a* dénoncé, si c'est de ça que tu parles. C'est des filles qui m'en veulent qui le font croire.

— Hé ! Je m'appelle pas Papi. Alors gaspille pas ta salive, tu vas en avoir besoin pour crier.

— Je vous dis que c'est pas moi !

— Tu t'arrangeras pour faire payer les vrais coupables à leur tour.

Andy Colon agrippa le chandail de Betsy Mirabel et entreprit de le remonter sur sa poitrine. Chomsky dut l'aider.

— Je pensais pas que ça se pouvait, s'habiller

aussi serré ! déplora Andy Colon.

— Si c'est pour me violer, je peux me déshabiller toute seule. Je ferai tout ce que vous voulez, pleurnicha piteusement Betsy Mirabel.

— Te violer ! ricana Andy Colon. C'est toi qui mérites une punition, pas nous !

Chomsky Deshauteurs s'efforça de sourire.

Betsy Mirabel était maintenant dénudée du milieu des cuisses à la poitrine. Ses vêtements roulés s'enfonçaient dans ses chairs molles. Andy Colon reprit sa lame et la passa de côté, lentement, sur ses seins énormes, sur le ventre, dans les plis de son pubis, où il s'amusa à couper une touffe de poils. Betsy Mirabel avait les yeux fermés et le visage crispé dans l'attente du pire, refoulant tant bien que mal ses sanglots. Elle sentit la lame sur ses lèvres.

— Est-ce qu'on lui tranche la langue, Chomsky ?

Betsy Mirabel gémit.

— Euh… non, répondit Chomsky après quelques secondes.

— Non, tu as raison. Ça se verrait trop. Il faut quelque chose qu'elle peut cacher, parce qu'elle ne racontera rien de ce qui va lui arriver, n'est-ce pas ?

Il introduisit la pointe de la lame dans une narine de la fille.

— Hon, hon ! fit celle-ci.

— Tu vas oublier l'adresse, oublier que tu nous as vus !

Betsy Mirabel signifia son assentiment du mieux qu'elle put.

— Tout ce que vous voulez, répéta-t-elle en pleurant.

— Tant mieux, conclut Andy Colon, parce que si tu ouvres ta trappe, dis-toi que ce que tu subis maintenant, c'est des petits bisous comparés à ce qu'on te ferait. Branche le fer, Chomsky.

Ce dernier s'exécuta. C'était un fer de coiffeur. Il l'approcha du ventre de Betsy Mirabel et lui en donna un coup bref. La victime échappa un premier cri.

— Eh! Du calme! persifla Andy Colon. Il n'est même pas chaud pour la peine. Conserve ton énergie. Ce n'est pas comme ça qu'il faut faire, Chomsky! Caresse, caresse doucement.

Chomsky approcha de nouveau le fer. Sa main hésitait et tremblait.

— Tu veux que je le fasse pour toi? demanda Andy Colon.

— Si ça te tente...

— Oui, j'aime bien ça, moi. Je pense que je suis un peu sadique.

Il prit le fer et le fit glisser tout au long de la ligne de démarcation entre le sein droit et la cage thoracique. Betsy Mirabel hurla. La température du fer augmentait rapidement.

— Allez, crie, ma grosse, ça ne dérange pas, on n'a rien que des amis dans l'immeuble. Et c'est bon que Manouchka entende. C'est une bonne fille, mais on ne sait jamais...

Les plaintes de Betsy Mirabel devenaient assourdissantes. Elle se cabrait, se tordait sous la douleur, arrachant la peau de ses poignets liés. Le fer allait et venait, sur les seins surtout, sur les cuisses. Andy

Colon avait les yeux exorbités, la bouche entrouverte avec la langue entre les dents. Chomsky était pétrifié.

— Tu vois ! expliqua Andy Colon. Il faut prendre son temps, pas trop, sinon le fer colle et la peau s'arrache. C'est compliqué à guérir.

Il posa le fer sur le pubis.

— Non, s'il te plaît, non ! Je te demande pardon, Chomsky ! hurla Betsy Mirabel.

— Allons, fais ta grande ! Je vais te défriser la touffe.

— Arrête, dit Chomsky. C'est assez.

— Oh… on commençait à s'amuser. Elle serait déçue, notre grosse Betsy. Elle pensait qu'on allait la violer, et je ne lui ai même pas chauffé le clitoris.

— Arrête, je te dis. Elle a compris.

— Oui, oui, j'ai compris ! Je ferai n'importe quoi, faites-moi plus mal ! brailla Betsy Mirabel.

— Allez, insista Andy Colon, encore un peu pour être sûr.

— Non, dit Chomsky, et il débrancha le fer.

Le regard de Master C se durcit.

— Comme tu veux, concéda-t-il. Après tout, c'est ta vengeance. La nouvelle année commence sous le signe de la chance, pour toi, Betsy !

Malgré les multiples régions de son corps qui s'embrasaient au contact du tissu, Betsy Mirabel mit peu de temps à se rhabiller. Son supplice n'était pas terminé.

Dehors, chaque pas était une torture et ses brûlures n'atténuaient en rien les morsures du froid. Manouchka

Charles avait encore la mission de la raccompagner jusqu'à l'autobus.

— T'es chienne de m'avoir fait ça, lui reprocha la suppliciée.

— Je t'ai amenée à l'appartement, c'est tout. T'étais pas obligée de me suivre.

— Tu m'as menti, oui.

— J'ai dit ce qu'on m'avait dit de te dire. C'est eux, les menteurs. Penses-tu que j'avais le choix ? On discute pas les ordres, tu sauras. T'es aussi bien de t'habituer.

— Je te jure que c'est fini pour moi, cette *gang* ! Ils me reverront pas, maugréa Betsy Mirabel.

— Pas sûr… Je t'ai entendue leur brailler que tu ferais tout ce qu'ils voudraient. Imagine-toi pas qu'ils vont l'oublier.

Dans la cuisine de l'appartement, Andy Colon passait un joint allumé à Chomsky qui le téta du bout des lèvres. Au-delà d'une dose minuscule, la marijuana lui donnait le cafard.

— Ça existe, des amateurs de grosses, expira Andy Colon dans un restant de fumée. Il suffit d'en trouver un.

— Elle est pas fiable, objecta Chomsky. Mieux vaut l'oublier.

— Elle est déjà un peu plus fiable qu'elle ne l'était, sois-en certain !

— Elle marchera pas.

— Je vais la faire marcher, compte sur moi.

Chomsky songea qu'Andy Colon l'avait déjà assuré

qu'il ne forcerait aucune fille à se prostituer, mais il préféra ne pas affronter son associé pour une Betsy Mirabel. Andy Colon, après avoir consciencieusement ingéré et exhalé une nouvelle bouffée, reprit la parole.

— Tu as le cœur trop tendre, mon Chomsky.

— Ça n'aurait rien donné de plus de la torturer encore. Elle aurait été tellement révoltée contre nous qu'elle aurait pu faire des gaffes. Tandis que là, elle a juste assez mal et assez peur pour se tenir tranquille.

— Elles n'ont jamais assez peur, jamais assez mal, crois-moi, conclut Andy Colon, ses yeux rougis fixés sur Chomsky avec dureté.

Ce dernier n'apprécia pas. Il se garda pourtant bien de montrer la moindre animosité car, pour l'heure, il était redevable à Andy Colon de l'avoir accueilli quand il avait décidé de rompre avec sa tante, avec l'école, de se mettre définitivement hors la loi.

3

Deux grandes nouvelles

— Vous êtes au courant que sa mère est morte ? s'indigna Germaine Brûlotte.

— Oui, je l'ai appris.

— Monsieur l'abbé, je ne comprends pas. Vous savez ce que vous représentez pour cette pauvre petite, et c'est au moment où elle a le plus besoin de soutien que vous la laissez tomber.

— Je… Je n'ouvre pas ses lettres. J'ignorais que celle-là contenait une si terrible nouvelle. D'autre part, j'ai été très accaparé depuis l'automne.

Germaine Brûlotte avait pris rendez-vous avec l'abbé Saint-Louis parce que, depuis une semaine, Lovelie traînait son chagrin de la maison à l'école à la maison, s'arrêtant en vain au presbytère pour y chercher du réconfort. Germaine lui avait offert le sien, cela va de soi, mais Lovelie avait refusé de pleurer dans ses bras. La brave femme en avait été d'abord mortifiée, puisqu'elle était aussi sa mère, puis elle avait compris que c'était justement pour cette raison-là que Lovelie gardait une distance. En ce moment, sa vraie mère prenait toute la place dans son cœur, et elle aurait eu l'impression de violer ce lien sacré en se consolant dans les bras d'une autre.

Germaine fixait l'abbé d'un air circonspect. Elle avait été élevée dans le respect inconditionnel de la parole des prêtres et, pourtant, face à l'abbé Saint-Louis, elle se permettait de douter. Il y avait une fêlure dans le ton de sa voix. L'abbé confirma son appréhension en poursuivant :

— Et puis… Je crains que Lovelie doive bientôt apprendre à se passer définitivement de moi. Je vais quitter la paroisse.

— Ah oui ! Vous êtes transféré ?

— Non, je ne suis pas muté. J'ai demandé à être libéré afin de retourner en Haïti.

— En Haïti ! Avec tous les troubles qu'il y a là !

— Justement, madame. Plus personne ne doute que les jours de la dictature soient comptés. Après, il faudra reconstruire. Je veux me joindre au mouvement du père Aristide, que j'ai connu quand il exerçait son ministère à Montréal.

— C'est un projet ou c'est vraiment décidé ?

— Toutes les démarches sont complétées. C'est une question de semaines.

— Eh bien ! Ça, c'est toute une nouvelle ! Au fond, c'est comme si vous partiez en mission. Il faudrait que vous l'annonciez à Lovelie.

— Je le ferai aujourd'hui même, si vous voulez bien lui proposer de passer me voir.

— Pauvre curé Lamothe qui va encore se retrouver tout seul !

— J'en ai bien peur. J'essaie d'en faire le plus possible avant de partir, pour faciliter la transition, car Dieu seul sait combien de temps il faudra pour trouver un nouveau vicaire, si seulement on trouve ! Monsieur le curé aura grand besoin de l'aide de ses meilleures paroissiennes, vous-même, entre autres.

— On va faire notre gros possible, certain, mais il y a des limites. Moi, par exemple, je fais des ménages, et j'ai deux filles à m'occuper.

— À ce propos... Votre visite tombe à point, j'ai autre chose à vous apprendre, qui vous concerne au premier plan.

— Quoi encore ? Bonne ou mauvaise nouvelle ?

— Cela dépend du point de vue et de la suite des événements. Dans un premier temps, je ne m'attends pas à ce que vous sautiez de joie.

— Arrêtez de tourner autour du pot ! *Garrochez !*

— Dans la lettre qui annonçait la mort de sa mère, paraît-il que le père de Lovelie faisait état de...

— Il s'en vient ! souffla Germaine.

— En effet. Je n'ai pas la date exacte, mais c'est officiel.

— Officiel ?

— À moins d'une catastrophe qui les empêcherait de partir, toute la famille devrait être à Montréal avant la fin du mois.

— Ils vont vivre où ?

— Quelqu'un s'occupe de leur trouver un logement. Contrairement à ce qui se passe souvent, hélas ! il semble que ce soit une immigration préparée dans les règles. C'est un avocat haïtien de Montréal qui m'a contacté. Il s'occupe des intérêts d'un dénommé Jean-Louis Jeune, que je ne connais pas. Il a acquis un commerce d'alimentation, et le père de Lovelie est déjà embauché. Jérémie D'Haïti et ses enfants légitimes auront le statut d'immigrants reçus.

— Et Lovelie ?

— Elle vous aime, Germaine, vous et votre famille, de tout son cœur, elle me l'a dit souvent. Elle ne vous oubliera pas. Si par chance les D'Haïti n'emménagent pas trop loin, elle restera l'amie de Lucie et vous vous verrez souvent.

* * *

Émile Brûlotte se sentait misérable, inepte, nul, comme chaque fois que sa femme pleurait. Abondante de nature, Germaine faisait tout à l'avenant, et ses sanglots secouaient l'armature du lit, inondaient l'oreiller, les mouchoirs de papier flétris débordaient de la corbeille. Il lui caressait l'épaule, lui répétait les mots censés consoler les enfants, gestes indispensables et pourtant sans effet.

Les appels à la raison ne donnaient rien non plus. Germaine était parfaitement lucide, elle savait depuis le début que Lovelie pourrait les quitter du jour au lendemain, sans aucun recours. Émile et elle avaient accepté ces conditions. Il avait de la peine lui aussi, sauf que c'était une peine dont il se rappelait la probabilité sans cesse depuis cinq ans, qu'il éprouvait à petite dose chaque fois qu'il retrouvait le sourire de Lovelie. Quand il crut discerner chez son épouse les premiers signes d'une accalmie, il essaya de lui présenter l'affaire sous un autre angle.

— Au fond, quand on y pense, c'est un événement heureux, la réunification d'une famille.

— On ne le sait pas, Émile, on ne peut pas savoir.

Une famille sans la mère, ce n'est plus la même. C'est ça qui me fait le plus de peine. J'ai peur pour Lovelie… Je sens qu'elle va encore souffrir.

— Voyons, Germaine ! Tu te fais des idées noires pour rien. On ne connaît pas ces gens. Pour avoir eu une fille telle que Lovelie, ce doit être du bon monde ! Son père a une *job* en arrivant… Ça devrait aller.

— Je le sens, Émile, c'est tout… Je sens que ça va tourner mal.

* * *

L'abbé Saint-Louis se sentait misérable, inepte, nul. C'était la première fois qu'il voyait Lovelie pleurer, et il aurait fallu avoir le cœur placé dans un abri fiscal aux Bermudes pour ne pas être remué jusqu'au tréfonds de son être par une peine si intense et si pure.

— C'est ma mère ! gémissait-elle. C'est sûr que j'aime beaucoup Mme Brûlotte, mais Mamie, c'est pas pareil ! Tous les jours, je m'ennuie d'elle quand je me lève le matin, puis, quand je me couche le soir, je m'endors en rêvant de la revoir. Je mettais de l'argent de côté pour aller en Haïti. Je me voyais arriver au dépôt de café : «Regarde, Mamie, comme j'ai grandi. Ta peine est récompensée.» Ça aurait été le plus beau cadeau de sa vie et de la mienne. C'est elle qui m'a donné la force et la persévérance.

— Elle continue de te soutenir, sois-en certaine, du haut de la belle place que le bon Dieu lui a faite auprès de lui.

— C'est sûr qu'elle est au paradis, elle est si bonne, si douce. Mais il va falloir que je vive toute ma vie avant de la revoir, et j'ai rien que douze ans ! Tout à coup que je vis jusqu'à cent ans !

— Un siècle, pour elle, maintenant, ce n'est même pas une seconde. Nous, chrétiens, savons que la mort n'est que le commencement d'une vie nouvelle, éternelle, dans laquelle nos souffrances n'existent plus. Ta maman n'est pas morte, Lovelie, elle vit au milieu des anges.

— Pourquoi ça fait tellement mal, d'abord ?

— Parce qu'il le faut, parce que le Christ a souffert pour nous sauver.

— J'aimerais autant être flagellée puis crucifiée. Ça durerait seulement trois jours, ce serait déjà fini.

— Oh ! Lovelie…

L'abbé était envahi par une désolation infinie. Quand on requérait sa consolation, il finissait infailliblement par se sentir comme un service automatisé de réponses préenregistrées. Le soulagement de tels chagrins passe par le corps, non par l'esprit. Cette enfant avait besoin d'être prise et serrée dans des bras affectueux. Sans doute les siens étaient-ils les seuls dont elle pouvait accepter l'étreinte sans avoir l'impression de commettre une infidélité. Il ne pouvait, hélas ! les lui offrir, pour d'inavouables raisons. Il en souffrait beaucoup.

Et maintenant, par quoi fallait-il continuer ? Par l'annonce de l'arrivée de sa famille ou par celle de son départ à lui ?

Encore, la raison officielle en dissimulait une autre.

Le projet de retourner en Haïti était peut-être aussi vieux que l'éclosion de sa vocation sacerdotale, mais il n'y avait guère travaillé auparavant, considérant avec le temps qu'il était tout aussi utile auprès de ses compatriotes expatriés à Montréal que dans l'enfer de Port-au-Prince ou de Jérémie. S'il s'y était brusquement attelé à l'automne, c'était justement pour échapper à l'effet pernicieux et tout à fait involontaire qu'avait sur lui cette enfant au corps de femme qui pleurait les larmes qu'elle avait trop contenues.

— Dieu t'aime beaucoup, Lovelie, car il t'a donné une grande force et les épreuves pour la tester.

— C'était pas nécessaire d'en mettre autant, j'avais compris !

À ce moment, dans le secret de sa peine, Lovelie songeait à Charline qui ne croyait plus en Jésus. Sans aller jusqu'à douter elle-même, elle comprenait qu'on puisse avoir de la difficulté à penser que le bon Dieu est infiniment juste quand il s'acharne toujours sur les mêmes personnes.

— Tu auras encore besoin du soutien de ta mère, Lovelie, car d'autres bouleversements t'attendent.

4

Adieux et retrouvailles

Lovelie apprit la nouvelle de l'arrivée de sa famille et des changements que cela provoquerait dans sa vie avec une résignation inattendue. Le deuil de sa mère prenait toute la place. Sa motivation à l'école en subit d'ailleurs le contrecoup. Mme Moïse, informée des circonstances, se garda d'intervenir trop vite.

Quant à l'éventuel départ de l'abbé Saint-Louis, Lovelie continua de l'ignorer. Le prêtre, moitié par lâcheté, moitié par bon sens, avait jugé qu'il valait mieux ménager la petite et remettre cette annonce à plus tard, avec la collaboration de Germaine Brûlotte.

Or, cette dernière semblait la personne la plus affectée par les événements. Elle avait fait plus qu'accueillir Lovelie : c'était pour une bonne part grâce à elle que l'enfant avait été sauvée. Germaine tenait pour l'un des hauts faits de sa vie cette fin d'après-midi de mars 1980 où elle avait reconnu cette petite « négresse » abandonnée au coin des rues Bélanger et Saint-Hubert et où, écartant l'aversion qu'elle éprouvait sans raison valable à l'égard des Noirs, refusant d'obéir au précepte sacré qui disait qu'il vaut toujours mieux se mêler de ses affaires, elle s'était chargée de guider l'enfant jusqu'à son domicile d'alors. Elle avait pris conscience qu'il est des sentiments qui transcendent — mais ce mot ne faisait pas partie de son vocabulaire — l'hostilité que l'on peut ressentir pour certaines catégories humaines. L'amour des enfants en est sans doute le plus courant, et quand on choisit d'aimer les enfants sans distinction quelconque, il est tout naturel d'appliquer le même principe aux adultes.

Elle se sentait donc la mère de Lovelie non seulement parce que, contribuant à son sauvetage, elle l'avait en quelque sorte remise au monde, mais parce que, en même temps, l'irruption de cette enfant avait fait d'elle une femme différente.

Et sans défaut jusqu'à tout récemment, Lovelie lui avait rendu son affection, son amour. Il y avait bien eu ce différend provoqué par le désir de Lovelie d'offrir son aide à Charline Jolicœur, mais Germaine avait constaté, en s'informant autour d'elle, que ce genre de désagrément était minime en regard de ce qu'endurent certaines mères lors du passage à la puberté de leur enfant.

Lucie, de son côté, faisait de son mieux pour ne pas rendre les choses plus pénibles. L'automne difficile qu'elle avait passé l'avait sensibilisée au danger qui la menaçait de demeurer indéfiniment une fillette, dans le jugement des autres du moins. Son physique menu, en cela, la desservait. Désormais, elle ne supportait plus qu'on l'appelât la « p'tite Lucie », cherchait à s'habiller plus vieux, demandait de nouvelles chaussures à la semelle épaisse pour se grandir et s'essayait même à se maquiller. Conséquemment, elle se garda d'afficher en public la peine qui la tenaillait à l'idée de se séparer de cette sœur idéale que la providence lui avait envoyée.

Lovelie avait beau avoir le cœur démantibulé, elle n'en perdait pas pour autant le sens de tout cet amour dont on l'avait entourée et dont on l'entourait encore ; l'acuité de sa souffrance ne l'empêchait pas de compatir à celle que les mêmes causes provoquaient chez les autres. Et Lucie allait lui manquer aussi, peut-être pas autant que la réciproque, car elle serait accaparée par sa nouvelle vie, mais sûrement aurait-elle une pensée pour elle chaque soir.

Le logement qui attendait la famille D'Haïti se trouvait dans le quartier Saint-Michel. Ce n'était pas à portée de marche, mais elles se verraient à l'école, et il y avait toujours le téléphone. De plus, une nouvelle ligne de métro serait inaugurée dans les prochaines semaines. La station Fabre déboucherait à trois pâtés de l'école.

Malgré tout, une séparation reste une séparation, et les deux filles passèrent de longs moments à se remémorer leurs belles années.

Lovelie prépara un cadeau pour Germaine. Elle lui écrivit, avec des crayons à encre brillante, sur du papier velouté marbré de rose, une longue lettre pleine des plus jolis mots qu'elle connaissait, dans laquelle, au-delà de l'expression de sa reconnaissance éternelle, elle lui affirmait que, maintenant que sa mère biologique vivait au ciel, Germaine devenait sa seule et unique mère terrestre et que la distance géographique n'y changerait jamais rien. D'ailleurs, cette distance était dérisoire comparée à celle qui l'avait séparée de sa *Mamie* pendant six ans, et elle n'avait pourtant jamais quitté ses pensées.

Le moment exact de l'arrivée des D'Haïti fut connu avec à peine vingt-quatre heures d'avance. Fin janvier 1986, la situation était plus explosive que jamais dans la perle des Antilles, et il fallait de la chance pour arracher une place dans un avion à destination de New York, sauf que Jean-Louis Jeune s'était préparé depuis longtemps à la chute du régime Duvalier. De New York, un autre avion devait les déposer à Mirabel en fin de soirée.

Lovelie refusa que les Brûlotte l'accompagnent à l'aéroport. Son instinct lui disait qu'il valait mieux vivre ces retrouvailles seule — pas tout à fait cependant, puisque l'abbé Saint-Louis, qui était moins occupé ces derniers temps, y serait.

Son bagage tenait tout entier dans un grand coffre en plastique acheté pour l'occasion. Elle avait tout gardé des quelques effets qu'elle possédait en débarquant au Québec : sa robe de nuit qui ne lui faisait plus depuis longtemps, ses savates usées à là corde, ses cahiers remplis de ses premières écritures, ses crayons tout secs, des bijoux de plastique et des barrettes pour ses cheveux, une cinquantaine de gourdes — au cas où —, la très précieuse poupée à tête d'œuf que lui avait offerte une amie avant de partir et, surtout, la vieille photo de sa mère, jeune et belle pour l'éternité. Tout cela ne prenait que très peu de place au fond du coffre, sous ses effets plus récents.

L'abbé rangea le coffre en question dans celui de sa Renault 5. Lovelie s'installa sur le siège avant et referma la portière. Elle baissa la glace, passa la tête et leva les yeux vers la galerie du deuxième, sur laquelle ceux et celles qui avaient constitué sa famille au cours des dernières années se tenaient serrés les uns contre les autres en la regardant. Il ne faisait pas trop froid et des flocons esseulés descendaient dans la nuit. Ils échangèrent des au revoir de la main. L'abbé démarra délicatement et Lovelie se résigna à s'installer convenablement sur le siège et à boucler sa ceinture. Elle remonta la glace. Un noir vertige s'empara d'elle. La dernière fois qu'elle avait fait de semblables adieux, c'était à sa mère, et elle ne l'avait jamais revue.

* * *

Mirabel !

Lovelie y remettait les pieds pour la première fois. Elle se rappelait la grosse dame à la poigne impitoyable, sitôt après disparue de sa vie — puisse-t-elle ne jamais revenir ! — le froid épouvantable, le carrousel aux bagages et ce stationnement hallucinant et, ah oui ! le tapis roulant sur lequel elle avait perdu pied. On aurait pu facilement lui faire croire qu'elle avait atterri dans un autre aéroport tant tout lui semblait différent, réduit, anodin.

Les yeux plissés, l'abbé Saint-Louis scrutait un écran de télévision qui ne montrait rien d'autre que des mots et des chiffres.

— C'est la liste des vols et l'heure à laquelle leur arrivée est prévue, expliqua-t-il. Le quatrième est celui que nous attendons. Ah! Ça y est, ils sont là!

— Où?

— Leur avion vient d'atterrir. Il faut encore qu'ils en descendent. Ensuite, il y a les bagages et la douane, on en a pour un moment.

Un homme apparut à côté d'eux et les regarda quelques secondes comme s'ils étaient les acteurs-vedettes d'un téléroman de Lise Payette. Il était grand, mince, noir, portait un veston turquoise et une cravate corail sous son trench-coat crème ouvert. «*Just come!*» pensa Lovelie, expression taquine désignant les immigrants de fraîche date qui s'efforçaient de paraître chic.

— Excusez-moi, dit-il, vous êtes l'abbé Saint-Louis, n'est-ce pas?

— En effet. Monsieur Jeune, je présume?

— Mais oui! Enchanté! fit l'homme en arborant un large sourire muni d'une dent en or et en tendant la main au prêtre. Je ne pouvais guère me tromper, un prêtre avec une jeune fille…

— C'est notre chère Lovelie.

— Bonsoir, Lovelie. Tu te souviens de moi? demanda l'homme en reportant tout de suite son regard sur l'abbé.

Puis, se rendant compte qu'il avait oublié un détail, il pencha de nouveau la tête vers Lovelie.

— Je suis désolé pour ta maman. C'était ma cousine préférée, tu sais.

Lovelie acquiesça en baissant les yeux, ne sachant pourtant point.

— Un bel avenir vous attend, toi et ta famille, ici,

n'est-ce pas ? continua-t-il en pinçant doucement la joue de Lovelie.

Celle-ci s'abstint de réagir, bien que le geste l'indisposât. « *Just come !* » se répéta-t-elle pour s'aider. De toute façon, il se désintéressa d'elle aussitôt.

— Nous ne nous sommes que brièvement parlé au téléphone, monsieur l'abbé. Il faudrait qu'on se rencontre. J'ai l'intention de m'impliquer dans la communauté. Il faut se soutenir, n'est-ce pas ? Prenez donc ma carte.

Il tira de la petite poche de son veston un rectangle de carton jaune qu'il lui tendit. L'abbé lut :

Jean-Louis Jeune, prop.
Dépanneur Dupire
« Marché Hispaniola »

Suivaient l'adresse, boulevard Pie IX, et le numéro de téléphone.

— Dupire, c'est le nom de l'ancien propriétaire. C'est cocasse, « dépanneur du pire », mais ça coûte trop cher de changer. Au téléphone, nous répondrons : « Marché Hispaniola, bonjour ! » et dans quelques mois, toute la communauté connaîtra la boutique sous ce nom. Je l'ai choisi pour attirer la clientèle latino-américaine qui est aussi en pleine croissance. Qu'en pensez-vous ?

— Euh… Les affaires temporelles ne sont guère de ma compétence, vous savez. Je ne peux que vous souhaiter le meilleur des succès, surtout que le papa de Lovelie va y travailler…

— Juste! Jérémie D'Haïti est mon homme de confiance. Ça n'a pas été facile de le faire venir, mais j'y tenais. Bien sûr, je connais beaucoup de monde à Montréal, mais ce ne sont que des contacts, comme on dit, rien qui ressemble à un vieux collaborateur. J'aurai mon bureau dans la boutique. J'ai une affaire d'importation de café qui me prendra le gros de mon temps, du moins au début.

Il se rappela tout à coup l'existence de Lovelie.

— D'ailleurs, je compte sur toi aussi pour mettre l'épaule à la roue. Belle comme tu es, et connaissant Montréal, tu nous seras très utile.

— Lovelie va à l'école, s'empressa de noter l'abbé qui percevait toutes sortes d'intentions troubles dans les propos de Jeune.

— Bien sûr! Bien sûr! L'école, c'est la priorité. Tu veux devenir infirmière, toi, si je ne m'abuse.

Il ne laissa pas le temps à Lovelie de répondre.

— Maintenant, si on allait voir nos gens. Ils doivent faire la queue pour les dernières formalités.

On apercevait les arrivants, qui attendaient le coup de tampon libérateur. La plupart regardaient vers le haut, à la recherche de qui était venu les cueillir et souvent, en effet, des sourires s'allumaient, des mains s'agitaient et, dans la petite foule massée sur la galerie vitrée, on entendait des « Il est là ! C'est elle ! ».

Il y avait quelques groupes de Noirs dans les files d'attente, certains comportant des enfants. Les D'Haïti ne s'y trouvaient pas. Sans doute étaient-ils retenus au bureau de l'immigration. Lovelie se fiait à la parole de M. Jeune; il y avait si longtemps qu'elle n'avait vu son père qu'elle crut le reconnaître trois fois en des hommes qui avaient plus ou moins son âge et son allure. Secrètement, elle commença à rêver que leur départ avait échoué, qu'ils n'avaient pas pu quitter Haïti. Elle se reprocha cette mauvaise pensée. Si sa famille avait un meilleur avenir ici, elle avait le devoir de s'en réjouir.

Enfin, un groupe de cinq personnes apparut : un couple d'adultes et trois enfants.

— Ah ! Les voilà ! s'exclama M. Jeune.

Le cœur de Lovelie s'emballa. De si loin, le temps de cligner les paupières et de plisser les yeux, elle crut, au-delà de toute raison, que sa mère était parmi eux ! La nouvelle de sa mort aurait-elle été fausse ? Mais dès que le premier flou se dissipa, dès qu'elle reconnut à peu près son père, plus court que dans ses souvenirs, plus voûté, elle se rendit à l'évidence que la femme, elle, ne ressemblait pas du tout à Elmeryse. Le petit garçon était forcément son frère, Jérémie Junior, et une des deux fillettes, sans doute la plus petite, sa sœur Genella. Qui était l'autre ?

— Qui est la dame ? demanda Lovelie.

— À la dernière minute, à la suggestion de Jérémie, j'ai réussi à sortir sa… (il retint un mot, en chercha un autre) sa cousine, je crois, et sa petite fille. Elles ne sont ici qu'en visite, bien sûr, pour le moment…

— Qui c'est ?

— C'est la cousine Rosalyne Pierre, avec sa fille Guerlande. Tu ne te rappelles sûrement pas. Elle était une bonne amie de la famille, aux Cayes. Elle vendait des fruits sur la place du marché. La fille a presque ton âge, je crois. Elle a l'air plus petite parce que, tu sais, au pays, il y a un moment qu'on ne mange plus à sa faim tous les jours. Ça te fera une compagne.

— Où est-ce qu'elles vont habiter ?

— Je n'ai pas vraiment eu le temps de chercher un autre appartement. De toute façon, c'est à voir si elles auront le droit de rester. En attendant, vous devrez vous arranger. Quand il y a de la place pour quatre, il y en a bien pour six.

Une grosse demi-heure plus tard, le père de Lovelie, à la tête du groupe, franchit l'ultime porte automatique en deçà de laquelle ils étaient enfin définitivement arrivés. Elle ne regarda d'abord que lui, car il n'y avait que lui qu'elle reconnaissait franchement. Il y avait encore une petite foule et Jérémie D'Haïti, étourdi dans ce lieu et cette situation qui lui étaient si peu familiers, se cherchait, encombré de ses bagages, de ses enfants et de cette femme.

— D'Haïti ! appela Jean-Louis Jeune.

L'interpellé se tourna vers eux et s'approcha en cherchant Lovelie. Elle se tenait presque derrière le prêtre, le regard dilaté, appliquée à redessiner chaque trait familier à travers les rides qui creusaient désormais le visage de son père.

— Lovelie !

L'abbé Saint-Louis la poussa doucement. Jérémie D'Haïti fit le geste de la prendre dans ses bras pour la soulever, puis se rendit aussitôt compte que cela n'avait pas de sens. La tête de sa fille lui arrivait au menton. Face à l'impossibilité de réaliser le scénario qu'il avait répété mentalement depuis le départ, il ne sut comment agir et se contenta de regarder longuement sa fille dans les yeux, ces yeux dans lesquels revivait son épouse en allée.

Quelque chose retint aussi Lovelie de se jeter dans les bras de son père. Il y avait beaucoup de monde autour, il est vrai, pourtant les embrassades sont communes dans les aéroports.

Le silence se prolongea jusqu'à ce que Lovelie dit enfin, en tendant la joue :

— Bonsoir, p'pa !

— Bonsoir, ma grande !

Et ils se firent la bise. L'émotion était palpable ; ce n'était toutefois pas celle à laquelle chacun s'attendait, surtout de la part de Lovelie. Jérémie D'Haïti avait les yeux mouillés et sa voix s'étranglait.

— Junior, c'est ta grande sœur !

L'enfant s'accrochait au pantalon de son père, un pantalon élimé et trop court qui laissait voir des chaussettes percées, dans des souliers aux lézardes encore pleines de la poussière de Jacmel. La famille portait des vêtements chauds, vus d'Haïti, mais les frissons hérissaient les épidermes depuis la descente de l'avion.

Jérémie Junior portait bien son nom, c'était son géniteur tout craché avec une touche d'espièglerie en plus. Il ne s'intéressait guère à sa grande sœur ni à personne : il regardait au plafond, à terre, autour, prêt à s'élancer pour satisfaire sa curiosité.

— Bonsoir, Junior ! dit Lovelie.

— Allo ! marmonna le garçonnet, sans enthousiasme.

Lovelie ne lui en tint pas rigueur.

Genella ne lâchait pas la main de la dame et ne quittait pas sa sœur de ses yeux noirs et immenses dans leurs sombres orbites. Elle était malingre, mais sa dentition resplendit aussitôt qu'elle sourit. Si elle tétait encore le sein flétri de sa mère quand Lovelie avait quitté sa famille, elle reconnaissait sa sœur aînée grâce aux photos que cette dernière avait envoyées.

À l'inverse, Lovelie avait l'impression de rencontrer sa cadette pour la première fois.

Genella se laissa prendre. Elle était si légère qu'on avait peur que sa tête se détache de son corps et roule par terre. Elle toucha la joue de Lovelie avec une émouvante incrédulité, puis, sans dire un mot, enfouit sa tête dans le creux de son épaule. Lovelie la serra avec une tendresse précautionneuse. Elle sentit, à ce moment précis et exclusif, que six années de séparation venaient d'être abolies. Pourquoi le souvenir d'un bébé dans ses bras était-il le seul à avoir survécu dans sa chair ?

— Et nous, tu ne nous reconnais pas ? dit la dame.

Elle était élégante, malgré la simplicité de ses vêtements, une robe longue et colorée et une veste en laine blanche, propre bien que certainement pas neuve, un foulard assorti. Elle portait des anneaux aux oreilles, des bracelets aux poignets, en imitation de nacre, pacotille de bon goût.

— Tu étais plus bavarde quand tu venais me quêter une mangue au marché des Cayes !

Une mangue ! Lovelie n'en avait mangé qu'une fois en six ans, en conserve, alors que Mme Brûlotte avait voulu savoir ce que c'était.

La dame rigolait, mais peut-être essayait-elle de cacher qu'elle était vraiment vexée.

Heureusement, Lovelie retrouva progressivement le souvenir de l'ex-fruitière, qui n'avait pas, dans la lumière crue de l'aéroport, la même allure que sous le soleil des Antilles, dont elle se protégeait tant bien que mal avec un turban grossièrement enroulé.

— Bonjour, madame Pierre !

Pas du tout certaine que la dame appréciait d'être si froidement saluée, elle se reprit.

— Bonjour, ma tante ! Ça me fait plaisir de te revoir. Et toi, Guerlande, tu vas bien ?

Lovelie croyait que Rosalyne Pierre était sa tante et donc, Guerlande, sa cousine. En réalité, il n'existait aucun lien de parenté connu entre cette dame et son père ou sa défunte mère ; Guerlande autant qu'elle ignorait qu'elles étaient des demi-sœurs. Les deux fillettes qui, aux Cayes, faisaient partie du même groupe d'enfants, n'avaient jamais entretenu une relation privilégiée.

— Ouais… fit Guerlande en soupirant.

Chacun mit ce manque de civilité sur le compte de la fatigue du voyage.

— Bon ! Je ne veux pas vous presser, mais il se fait tard, trancha M. Jeune. Vous aurez tout le temps de vous câliner à la maison.

L'abbé Saint-Louis offrit ses services et ceux de sa voiture pour transporter tout ce monde à domicile, mais Jeune prétendit, au nom de tous, ne pas vouloir abuser davantage de sa disponibilité et le remercia péremptoirement.

Il dirigea les nouveaux arrivants et Lovelie à travers le stationnement jusqu'à une vieille familiale large comme un paquebot. Sur les portières et sur le hayon, des affichettes étaient collées, annonçant le marché Hispaniola — fruits et légumes tropicaux, café, mets créoles pour emporter. La R5 de l'abbé Saint-Louis les rejoignit presque aussitôt, et le coffre de Lovelie prit place dans le compartiment arrière, en compagnie des maigres bagages de la famille.

Lovelie eut à peine le temps de saluer une dernière fois l'abbé qui, sans la repousser, freina l'accolade et lui donna plutôt trois petites tapes sur le bras.

— Tu me donnes des nouvelles, hein ! dit-il avec un clin d'œil.

Lovelie s'assit au milieu de la banquette arrière, entre, à droite, Guerlande et Junior, qui joua du coude tout le long du trajet et, à gauche, Genella qui, avant même que la voiture démarre, cala sa tête dans le manteau de sa sœur pour s'y assoupir.

— Tu as un bien joli manteau, remarqua Rosalyne, assise devant, entre les deux hommes. On dirait que tu as fait la belle vie, pendant toutes ces années !

5

Welcome to Marché Hispaniola

Il fallut une bonne heure pour rentrer à Montréal. Les conditions routières étaient pourtant excellentes, mais M. Jeune, ainsi qu'il l'expliqua en détail à son homme de confiance, considérait que la conduite automobile, en ce pays, n'avait que des rapports théoriques avec celle qui se pratiquait en Haïti. Il fallait se méfier des autoroutes, si séduisantes qu'elles fussent, car l'hiver ne se gênait pas pour y tendre ses pièges. Il fallait aussi craindre les autres conducteurs, racistes pour la plupart, qui ne rataient pas une occasion d'expédier allègrement un « nèg' » dans le fossé. Et enfin, que dire des policiers qui, en plus d'être affligés des mêmes tares que leurs congénères du monde entier, se mêlaient de faire appliquer les règles et refusaient les arrangements à l'amiable ? Or, comme il roulait à la vitesse minimum inscrite sur les panneaux, puisqu'il n'avait pas encore compris que la véritable vitesse minimum, au Québec, est celle que l'on donne pour maximum, il se faisait doubler constamment et de manière généralement intempestive, ce qui corroborait ses dires.

Lovelie eut mal au cœur. Elle n'avait jamais eu si chaud dans une voiture. Telle n'était cependant pas la cause de sa nausée : c'était une réminiscence. Elle revivait ses premières heures en terre québécoise.

C'était le soir aussi, à peu près au même moment de l'année, dans la voiture de feu Jolicœur père qui conduisait en fumant comme une cheminée ; elle était assise à l'arrière à côté de sa fausse mère au parfum oppressant. Heureusement, cette fois, elle arriva à destination sans vomir. Elle avait fait du chemin, depuis.

La voiture quitta l'autoroute des Laurentides pour emprunter le boulevard Henri-Bourassa vers l'est. M. Jeune en profita pour faire promettre à Jérémie D'Haïti, puisqu'il aurait à conduire la voiture, d'éviter l'autoroute métropolitaine pendant au moins un an. Puis ils empruntèrent le boulevard Pie IX, direction sud. Il s'engagea dans une rue obscure, revint vers le nord et immobilisa le véhicule sans couper le moteur.

— C'est ici !

Toutes les têtes, sauf celle de Genella qui dormait, se tournèrent vers la droite : dans une lumière blafarde où brillaient encore des flocons inoffensifs, des vitrines s'étalaient.

— *Welcome to* Marché Hispaniola… serina M. Jeune sur un air connu.

C'était plutôt impressionnant. Au moins douze mètres de façade, une double porte, des affiches de boissons gazeuses, de croustilles, de bière, et une plus grande qui annonçait : « Nouvelle administration — Grande réouverture samedi 1ᵉʳ février. » Il faisait noir à l'intérieur.

— C'était une épicerie de quartier, à l'origine, qui a périclité et qui s'est transformée en dépanneur.

Le dépanneur a vivoté jusqu'à ce que s'installe un compétiteur à deux coins de rue.

— Un dépanneur ? fit Jérémie D'Haïti.

— Je t'expliquerai. Il y a maintenant plus d'Haïtiens que de natifs dans le quartier. Nous allons relancer le commerce en offrant des produits de chez nous. Par exemple, il est à peu près impossible de trouver des bananes dignes de ce nom dans cette ville. Mais nous verrons tout ça demain.

Jeune dirigea la voiture autour du pâté, s'engouffra dans une ruelle et s'arrêta au pied d'un escalier en fer qui grimpait en se tordant entre deux conteneurs à ordures.

— On descend ! Le logement est juste au-dessus du magasin.

Désireuse de montrer sa bonne volonté, Lovelie fit plusieurs fois l'aller-retour dans l'escalier pour se rendre compte, au dernier voyage, qu'elle avait quasiment monté les bagages toute seule.

— Es-tu certaine qu'il ne reste rien dans la voiture ? demanda Rosalyne.

Tout le monde était debout dans une cuisine exiguë, franchement moche, avec une table en laminé d'un jaune criard et des chaises assorties aux pattes de chrome…

— C'est convenable, non ? dit Jeune. Les anciens propriétaires du dépanneur ont quitté la semaine dernière et ils étaient plutôt déprimés, donc il y aura un petit ménage à faire. Viens, Jérémie, je vais te montrer comment régler le chauffage.

Lovelie, de son côté, s'approcha de la cuisinière. Il

y avait des coulisses sur les parois et sur les boutons. Sous les ronds, les cuvettes étaient chargées de résidus calcinés. Germaine Brûlotte aurait fait une maladie de voir ça. Comble de l'horreur, elle aperçut un insecte de bonne taille qui s'enfuyait par un interstice entre l'évier et le mur. Elle n'avait jamais rencontré de coquerelle auparavant, mais à quel autre insecte pouvait-on avoir affaire à Montréal en plein hiver ? Le prélart du plancher était crasseux et lézardé. Comme pour saluer leur arrivée, le frigo se lança dans un tintamarre assourdissant.

— C'est grand ! apprécia Rosalyne.

Elle fit couler le robinet.

— Il y a de l'eau chaude !

— Et une toilette à chasse d'eau, une baignoire avec la douche ! Mais voici d'abord la chambre du garçon.

Il ouvrit une porte dans le coin de la cuisine et Junior s'y précipita.

De la cuisine, ils passèrent directement au salon. Il y avait un canapé à trois places, un fauteuil et une table basse rachetés aux anciens occupants, sinon abandonnés par eux, car ce mobilier avait connu de meilleurs jours.

— Un ami viendra bientôt installer une rallonge au téléphone du magasin. Pourquoi payer en double, hein ?

À droite, il y avait la chambre dite « des maîtres », vaste, avec un lit double et un placard au fond, et, à gauche, la toilette d'abord, telle que décrite et guère plus propre que la cuisine, et la chambre des filles, qui donnait sur la rue.

— Il manque un lit, puisqu'il ne devait y avoir que deux filles au départ. On en trouvera un autre.

Lovelie se demanda s'il y avait seulement la place pour un autre lit !

— Nous allons nous arranger, assura Rosalyne. Lovelie peut coucher avec sa petite sœur en attendant. Et pas plus tard que maintenant, si je peux me permettre de vous remercier, monsieur Jeune. Nous sommes très fatigués.

— Je comprends. Je vous laisse. Je reviendrai demain, mettons vers dix heures, pour vous montrer la boutique. Il y a des biscuits et des céréales dans l'armoire.

Jérémie D'Haïti reconduisit Jeune à la porte en le remerciant.

Lovelie apporta les bagages dans la chambre. Il n'y avait pas de rideau à la fenêtre et un réverbère illuminait le givre sur la vitre. La chambre était nue et moche, mais au moins, il y avait des draps pliés sur les lits. Lovelie, qui n'avait pas fait le long voyage, se sentait pourtant aussi fatiguée que les autres.

— Quand tu auras fini, tu iras aider Junior. Sa mère ne lui a pas appris à faire un lit.

Lovelie eut la sensation qu'une aiguille lui perçait le cœur. Est-ce que Rosalyne l'avait fait exprès ? Se rendait-elle compte que la moindre évocation de sa mère la chagrinait ? Et de quel droit lui donnait-elle ainsi des ordres ?

Elle encaissa. Quand elle eut terminé la chambre des filles, elle se rendit dans celle de Junior, mais ce dernier s'était déjà endormi en s'enroulant sommairement dans un drap. Elle éteignit et ferma la porte.

En repassant dans le salon, elle vit son père qui apportait deux valises dans la chambre «des maîtres». Genella s'était elle aussi endormie. Guerlande avait ouvert une porte sur un escalier intérieur qui descendait jusqu'à une sortie qui donnait sur le boulevard Pie IX. De l'air frais s'engouffrait dans l'appartement.

— Ferme cette porte, ma chérie, lui demanda Rosalyne. Tu vas nous faire geler.

Guerlande obéit lentement. Et tout à coup, ce qui chicotait Lovelie se définit avec plus d'acuité dans son esprit. Elle hésita, puis décida qu'il n'y avait rien de mal à poser cette question.

— Vous, où est-ce que vous couchez?

Rosalyne la regarda avec de grands yeux plus étonnés que fâchés.

— Dans la chambre, évidemment!

— Et p'pa?

Alors seulement Rosalyne Pierre comprit le sens de la question. Son expression passa de l'étonnement à une arrogance mal dissimulée.

— Eh bien! avec moi! Certainement pas dans la baignoire!

Lorsque tout fut éteint, que tous furent endormis et que seule Lovelie, les yeux grands ouverts, contemplait le «jardin de givre» qui ornait la fenêtre, sa poupée à tête d'œuf serrée contre son cœur, elle murmura, en l'appelant par son propre nom pour la première fois depuis des années:

— Panique pas, Lovelie. C'est le premier soir. Ils ont fait un grand voyage, ils sont dans un nouveau pays, ils n'ont jamais vu l'hiver. Peut-être que deux adultes peuvent coucher dans le même lit sans…

Genella bougea, se retourna et vint appuyer sa tête contre son dos. Elle respirait doucement.

— On a été si longtemps séparés. Mais c'est notre famille, Lovelie. On ne choisit pas notre famille.

Sauf que M. Jeune avait dit, si elle avait bien entendu, que Mme Pierre était la cousine de son père.

Elle s'endormit très tard et fut réveillée, avant les aurores, par le bruit de la rue.

6

Le 7 février 1986

Les trois jours suivant l'arrivée de sa famille à Montréal, Lovelie manqua l'école.

Le premier et le deuxième jour, soit le mercredi et le jeudi, elle convint en elle-même qu'il eût été difficile de faire autrement. Non seulement eût-elle été incapable de se concentrer, mais il y avait mille tâches à accomplir et, pour une bonne part d'entre elles, ses connaissances du mode de vie montréalais et hivernal étaient indispensables. Ce fut elle, par exemple, que M. Jeune laissa et reprit devant les portes d'un centre de liquidation de vêtements, dans lequel elle réussit, avec un budget restreint, à acheter ce qu'il fallait aux enfants pour survivre aux rigueurs du temps. Rosalyne, pour sa part, avait juré qu'elle ne sortirait pas de l'appartement autrement que pour descendre au magasin tant que la température, conjointement avec ses moyens financiers, n'aurait pas suffisamment augmenté pour lui permettre d'aller s'habiller elle-même à son goût — et elle tint parole.

Lovelie comptait retourner en classe le vendredi. Si son ardeur au travail avait diminué, elle n'avait cependant pas perdu de vue ses objectifs et craignait de prendre du retard. M. Jeune, Jérémie D'Haïti et Rosalyne Pierre ne considéraient pas la question sous cet angle. Ils gardèrent Lovelie pour préparer la réouverture du magasin. Ils lui firent surtout sentir à quel point elle se serait montrée égoïste en ne participant pas à la mise sur pied de cette entreprise qui allait, à elle comme à toute la famille, assurer un avenir à l'abri du besoin.

Lovelie n'avait pourtant nullement l'intention de ménager son aide, mais elle s'était habituée, au Québec, à ce que les adultes mêlassent le moins possible les enfants à leurs affaires, et il lui semblait que l'exploitation d'un commerce était une affaire d'adultes. Or, elle percevait toutes sortes de signes qu'elle interprétait comme des attentes à ce qu'elle joue, dans cette famille, un rôle de presque parent. Cela l'inquiétait. Pour une fille de son âge, l'idée de travailler dans un magasin pouvait paraître amusante. Sauf qu'on n'avait pas l'intention de l'installer derrière la caisse. Elle remplit les tablettes, les étals, colla les étiquettes et vida les ordures. C'était Rosalyne qui commandait, avec en permanence un dièse d'impatience dans le ton. Son père, quant à lui, avait trop à apprendre pour se préoccuper de sa fille retrouvée. Jean-Louis Jeune n'avait pas du tout l'intention de passer ses journées à répéter des «Merci madame ! Revenez nous voir !», et il voulait que Jérémie et Rosalyne devinssent autonomes le plus vite possible. Heureusement, la grande réouverture n'attira pas de grandes foules.

La journée du dimanche fut encore plus tranquille et dans l'après-midi, Lovelie obtint la permission de monter pour étudier un peu, avec les enfants toutefois. Elle réussit à ouvrir ses livres et à les parcourir, à compléter quelques exercices, malgré le vacarme de Junior et de Guerlande, qui n'avaient rien d'autre à faire que de se disputer — M. Jeune avait promis de dénicher sous peu un téléviseur —, et malgré Genella, à qui elle n'avait pas le cœur de refuser l'hospitalité de ses genoux.

Elle avait la main et les paupières lourdes. Depuis cinq jours qu'elle n'y avait pas touché, toute cette matière lui semblait surgie du fond des siècles ! Il lui fallut plusieurs minutes rien que pour se remémorer comment on effectue les quatre opérations avec des nombres positifs et négatifs, des notions qu'elle avait pourtant assimilées dès la première explication. Elle avait fait sept fautes dans sa dernière dictée, ce qui était énorme pour elle. Elle s'appliqua de son mieux à effectuer les corrections selon les exigences de Mme Moïse. Elle rêvassa sur la mappemonde qui devait lui servir à identifier les coordonnées géographiques. Elle posa la pointe de son crayon sur Haïti. Elle essaya de calculer approximativement la distance entre l'ancien et le nouveau pays, renonça, puis l'estima à un millier de kilomètres. L'échelle d'une carte varie en fonction de la projection à mesure que l'on s'éloigne de l'équateur. Autre concept appris et compris. « C'est comme dans la réalité, se dit-elle. Plus on monte vers le nord, plus il y a de place dans les pays, plus il y a... d'affaires. » Mme Moïse serait fâchée de l'entendre utiliser, faute de mieux, le mot « affaires ». À propos, comment serait-elle reçue, le lendemain ?

Elle se coucha avec cette inquiétude, et avec un goût amer qui lui collait dans la gorge. Il ne servait à rien de se le cacher : sa nouvelle vie commençait dans la morosité. Malgré tous les appels du pied de sa conscience, elle n'avait qu'un seul désir, retourner à son ancienne vie, si simple, avec maman Brûlotte, Lucie et papa Émile, tellement gentil, jamais autoritaire. Comme elle s'en voulait de l'avoir quelque peu perturbée par ses frasques.

Seule zone lumineuse dans ce sombre tableau : Genella. La petite fille toute en faiblesse l'avait adoptée d'emblée, à croire qu'elle n'avait cessé de l'attendre depuis le jour de son départ, dont elle ne se souvenait même pas. Genella aurait grand besoin de la force de caractère de sa grande sœur, et celle-ci grand besoin de cette cadette à chérir et à protéger. Lovelie s'habituait à partager sa couche. Un seul et inoffensif rappel de la promesse d'acquérir un autre lit avait été reçu avec froideur : il y avait d'autres priorités.

Le magasin n'ouvrant qu'à neuf heures, personne ne se pressait le lundi matin, sauf Lovelie, qui ne savait pas avec exactitude combien de temps il lui faudrait pour se rendre à l'école.

Le trajet se passa bien, sauf que, dans l'autobus qui remontait le boulevard Pie IX vers le sud, il y avait Gédéon, et Lovelie dut déployer des trésors de souplesse pour se dissimuler entre les passagers afin qu'il ne se rendît pas compte de sa présence, car il était hors de question de s'encombrer d'un tel compagnon de voyage. Heureusement, il s'occupait, avec d'autres garnements, à arracher les languettes de plastique qui séparaient les placards publicitaires pour en faire Dieu sait quoi.

À l'école, elle chercha tout de suite Lucie et Nathalie. Elles coururent vers elle dès qu'elles l'aperçurent.

— Maudit qu'on était inquiètes ! s'exclamèrent-elles avec un synchronisme quasi parfait.

Lovelie mentit. Elle expliqua qu'elle n'avait pas trouvé le temps de leur téléphoner, même si elle y avait pensé quelques fois, parce qu'elle était trop accaparée par la joie de refaire connaissance. Elle avait tant à raconter à sa famille, et vice-versa. Et il y avait l'installation à demeure, le magasin à préparer — elle leur arracha la promesse d'y faire un tour —, une tâche exigeante mais combien passionnante !

Difficile de déterminer dans quelle mesure les filles avalèrent tout ça. Chose certaine, Mme Moïse, elle, leva un sourcil sceptique quand elle eut droit à sa version, le midi, après que Lovelie fut restée en récupération.

À la faveur d'un de ces redoux dont février a le secret, elle en discuta avec Messier le soir, dans le stationnement de l'école. Horacine jugeait que le tableau peint par son élève comportait un peu trop de rose pour être naturel et elle se promit de gratter là où la peinture lui semblait particulièrement épaisse. Elle ne le fit pas, car dans les jours qui suivirent, le vent de l'histoire, en Haïti, tourna à l'ouragan, et tous ceux et celles qui avaient, par le sang, par le cœur ou par l'esprit, le moindre lien avec cette terre et ce peuple infortunés se détournèrent de leurs préoccupations immédiates pour suivre dans ses moindres détails la dernière manche du *dechoukaj*.

Le peuple s'était ébranlé et rien n'arrêterait sa

marche, pour reprendre l'expression de Paul Dejean, le représentant de la communauté haïtienne de Montréal. Le président à vie, François Duvalier, par contre, se disait aussi fort que la queue d'un singe, une expression qui déclencha quantité de plaisanteries plutôt grivoises dans les milieux moins concernés, mais qui, en créole, avait bel et bien un sens superlatif. Les ambassadeurs, forcément alliés du régime, proclamaient dans le monde entier que ces manifestations n'étaient que le fait d'une poignée d'éternels mécontents manipulés par des agitateurs professionnels. À regarder les mines désemparées des hommes de troupe débordés par les foules déchaînées, il fallait croire que ces agitateurs étaient d'une redoutable efficacité. Et d'où diable sortaient-ils?

Depuis l'automne, la communauté haïtienne de Montréal avait augmenté la fréquence de ses assemblées, et Jeune n'en ratait pas une. Si on l'entrevoyait parfois, au milieu de foules de plus en plus nombreuses, le foulard rouge et bleu au poing, en train de haranguer la caméra, il s'y consacrait surtout à se créer des relations et à faire la promotion du marché Hispaniola.

Cette campagne publicitaire profita grandement de la conjoncture. Tenant cette promesse-là sans délai, Jeune avait acquis un poste de télé, sauf qu'il l'avait installé dans le magasin, bien en vue sur une tablette du fond. Les Haïtiens du voisinage prirent aussitôt l'habitude de s'arrêter au marché Hispaniola pour s'enquérir des dernières nouvelles. Chaque soir de la semaine, en rentrant, Lovelie y trouvait un peu plus de monde, des hommes surtout. Ils regardaient les scènes de manifestations de plus en plus violentes, les commentaient, discutaient en parlant tous à la fois sur un ton passionné. Ils n'achetaient pas grand-chose, mais la boutique creusait sa niche.

Déjà le jeudi 6 février, en fin d'après-midi, le magasin avait l'air bondé. Une grande nouvelle faisait le tour du monde : un porte-parole de la Maison-Blanche avait annoncé l'exil de Bébé Doc. Lovelie elle-même s'était dépêchée comme jamais de rentrer. À l'école, l'excitation était à son comble. Plusieurs élèves parmi les plus grands avaient séché les cours pour se joindre à diverses manifestations spontanées, dont celle des chauffeurs de taxi fut la plus remarquée. Il y avait quelque chose d'incongru dans le spectacle de ces hommes noirs, vêtus de blousons épais au col relevé, exprimant une joie toute tropicale sous le ciel et dans la gadoue grisâtres de Montréal.

Puis les mines s'allongèrent : on démentait. Des sources dignes de foi affirmaient que Bébé Doc gouvernait toujours de son palais et qu'il avait déclaré Port-au-Prince en état de siège. Le gouvernement américain admit que l'annonce de son départ était prématurée.

À Montréal, Paul Dejean ne quittait plus le téléphone que pour des points de presse dans lesquels il affirmait que sur place, le peuple tenait pour accomplie la chute du régime.

Haïti, brusquement, était devenue le centre du monde. À Washington, disait-on, Ronald Reagan avait décidé de larguer Duvalier. À Paris, on refusait de l'accueillir en exil. À Ottawa, on se préoccupait des ressortissants canadiens.

Lovelie D'Haïti, qui sentait plus que jamais le poids de son nom sur son cœur, se laissa emporter par le déferlement des images et oublia ses problèmes personnels. À l'exception de l'atmosphère plus sombre du dépôt de café de Jacmel, elle n'avait gardé de son pays que des images chaudes et lumineuses ; les yeux de l'enfance sont aveugles à la misère. Ô combien ce qu'elle vit durant ces jours terribles différait de ses souvenirs !

Des rues ravagées, des boutiques fermées par des rideaux de fer, des brasiers improvisés, et toujours des soldats et des émeutiers ! Où étaient les plages, les cocotiers, les *tap-tap*, les ribambelles d'enfants qui riaient en courant pieds nus dans la poussière des rues ?

Dans la nuit, sous les huées des rebelles les plus audacieux, des limousines franchissaient les barrières de l'aéroport, avec à leur bord des dames richement habillées, des hommes cravatés à la mine grave et des gardes du corps nerveux, mitraillette au poing. Au matin du vendredi 7 février, tous les doutes furent enfin levés : Duvalier et sa suite s'étaient embarqués dans un avion à destination du Venezuela.

Pendant qu'à Montréal, au milieu des cris de joie, une femme chantait « *Lè l a libere, Ayiti va bèl, o na tande...*[*] » d'une voix pleine de chaleur et d'espérance, là-bas, la libération prenait l'odeur du feu et le goût du sang. Confiné à son hôtel, un journaliste déclarait

---

[*] Quand elle sera libérée, Haïti sera belle, vous en entendrez parler...

qu'on entendait constamment des détonations et que des colonnes de fumée s'élevaient un peu partout dans la ville. Les casernes des macoutes, la garde personnelle du président, brûlaient, et ces vingt et quelque mille hommes abandonnés à leur sort disparaissaient dans le décor, ou tiraient leurs dernières balles pour échapper à la vindicte populaire. Débusqués, ils étaient tués sous l'œil impuissant de la caméra, bastonnés, lapidés, brûlés vifs. Les plus chanceux, sous la protection d'une armée réduite et mal équipée qui ne les aimait pas beaucoup non plus, parvenaient à sauver leur peau en se laissant écrouer, fous de terreur sous les coups revanchards que les miliciens ne pouvaient empêcher de pleuvoir.

Les maisons des anciens dignitaires de Pétionville étaient pillées, démantelées pièce par pièce pour en extraire tout ce qui pouvait être réutilisé. Les pillards traînaient leur butin par les rues jonchées de déchets, indifférents aux cadavres ensanglantés.

« Port-au-Prince a sombré dans la folie la plus totale ! » déclara un journaliste.

Et cela dura des jours.

Les nuits de Lovelie furent hantées de visions macabres, particulièrement celle de cet homme à demi mort, étendu sur le dos, gesticulant mollement sous les pierres énormes qu'on lui jetait sur le corps.

Quand elle n'était pas au magasin à regarder la télévision tout en effectuant les tâches qu'on lui demandait, elle était en haut à jouer avec Genella, afin que l'enfant en vît le moins possible.

Peut-être Lovelie fut-elle plus sensible que tout

autre à la terrible portée de ces événements, car pour elle aussi tout avait basculé, et elle ne savait plus trop ce qui l'attendait.

À Montréal, les Haïtiens parlaient désormais de retour et de reconstruction. «Le peuple haïtien n'acceptera plus jamais de vivre sous un dictature.» Paix, démocratie, liberté, prospérité étaient les mots au goût du jour.

— Et nous, est-ce qu'on va retourner? s'inquiéta Guerlande.

Jean-Louis Jeune, qui comptait les dollars de la caisse, eut un sourire de dérision.

— Peut-être un jour, quand ils auront reconstruit, si jamais ils y arrivent.

— Vous ne pensez pas que ça va aller mieux, maintenant que Duvalier est parti? questionna Lovelie.

— Écoute, mignonne, il n'est pas nécessaire d'étudier l'histoire bien longtemps pour constater que les lendemains de révolution sont toujours pires que les veilles. Il va falloir du temps, beaucoup de temps.

Lovelie n'aimait pas qu'il l'appelle «mignonne». Elle ne savait pas comment le lui faire savoir sans se montrer impertinente. Elle poursuivit:

— Combien de temps?

— Comment le saurais-je? Dix ans, vingt, peut-être davantage…

— Mais si tous ces gens retournent…

— D'abord, mignonne, tu peux parier que, sur dix que tu entends affirmer qu'ils retournent, huit seront

317

encore ici l'an prochain, et des deux autres, un sera revenu, sinon les deux.

— On dirait que vous ne voulez pas que ça marche.

— De quel droit me parles-tu comme ça ? rétorqua Jeune, fâché et décontenancé à la fois. Je ne demande pas mieux que d'aider. Je vous ai aidés, toi et ta famille, non ? Que seriez-vous devenus si vous étiez restés aux Cayes ? C'est grâce à moi que tu as pu venir ici avant tout le monde et aller à l'école.

Lovelie baissa les yeux sans répondre, retrouvant un réflexe qu'elle avait oublié.

— Regarde ça, continua Jeune, en lui montrant une liasse de billets. C'est ça qui mène le monde, rien d'autre. Tout le reste, c'est du bavardage, du rêve. Dans ce magasin, j'achèterai et je revendrai de préférence du café haïtien, des fruits haïtiens, des balles de baseball haïtiennes, n'importe quel produit du pays, tant qu'on me les offrira à des conditions raisonnables. C'est comme ça que je contribue à la reconstruction. Oui, j'en profite pour m'enrichir. Où est le mal ? Ne suis-je pas haïtien, moi aussi ?

7

La gifle

— TU PEUX PARTIR, GÉDÉON, dit Mme Moïse, MAIS SI TU FAIS ENCORE L'IDIOT DEMAIN, JE TE PROMETS QUE JE TE GARDE JUSQU'À DIX-SEPT HEURES TOUT LE RESTE DE LA SEMAINE. ET MOI, JE LES TIENS, MES PROMESSES !

Le garnement rangea ses affaires en roulant ses gros yeux de morue mécontente. Il n'avait certainement rien fait pour mériter cette clémence. Mme Moïse voulait parler seule à seule avec Lovelie.

— Et surtout, ne claque pas la porte !

— Je la claque pas, là, maugréa le garçon.

— HÉ ! NE T'AVISE PAS DE ME PARLER SUR CE TON !

Il baissa les yeux et disparut sans demander son reste. Mme Moïse reporta toute son attention sur Lovelie.

— Viens t'asseoir ici, ma chérie, lui dit-elle en lui indiquant la chaise qu'elle gardait en permanence à côté de son bureau.

Lovelie obéit timidement. Mme Moïse, qui se reprochait de l'avoir négligée ces derniers temps, la regarda sortir de la forêt des pattes de chaises renversées sur les pupitres, déjà si grande, si bien tournée. Mon Dieu ! Si elle continuait de se développer à ce rythme, elle finirait par devenir aussi forte qu'elle, Horacine Moïse ! Elle ne le lui souhaitait pas : il est si difficile pour une femme d'assumer un physique tout en puissance. Néanmoins, elle ne croyait pas que tel était son destin génétique. À en juger par les épaules, la finesse des membres, le bassin étroit sous la jupe grise, elle grandirait encore un peu, mais conserverait cette élégance naturelle, cette grâce jamais gracile, ce physique de coureuse de fond. Lovelie D'Haïti n'avait pas conscience, encore, d'être sans doute la plus belle fille de l'étage, probablement de l'école. C'était à la fois heureux et dangereux. Si elle n'était pas si foncièrement honnête, elle aurait déjà appris à tirer avantage de sa beauté. D'autre part, il ne faudrait pas longtemps pour qu'on commence à lui tourner autour ; elle qui n'avait aucune idée de ce qu'est une arrière-pensée, se rendrait-elle compte que sous les étalages de gentillesse se cacherait le plus souvent le désir de prendre son corps.

— Je ne suis pas fâchée, rassure-toi, dit Mme Moïse. Nous avons tous été perturbés par ce mois de février historique. C'est naturel. Et toi, en plus, tu dois composer avec un changement radical dans ta vie. Sauf que nous allons bientôt en sortir, de ce mois de février 1986. La semaine prochaine, c'est déjà la relâche ; on va se remettre un peu, et redémarrer ensuite pour la dernière partie de l'année. Il n'y aura plus de temps à perdre, d'accord ?

— Oui, madame.

— Alors, il faut profiter de cette semaine pour… retrouver tes bonnes habitudes. Lovelie, tu n'es pas devenue une mauvaise élève, mais, quand je consulte mon cahier de notes et que je vois des soixante-dix, et même un soixante à côté de ton nom, je suis inquiète.

— Je fais de mon mieux, madame.

— Allons, Lovelie, tu sais bien que c'est en dessous de tes standards. Et c'est la même chose en maths, en anglais. Il n'y a guère qu'en éducation physique où Mme Duguay n'a pas noté de changement. Il faut dire qu'en éducation physique il n'y a pas de devoirs.

Lovelie baissa les yeux.

— Encore ce matin, j'ai bien vu que tu les avais copiés en vitesse dans un coin de l'agora. Est-ce que je me trompe ?

Lovelie fit non de la tête, puis l'inclina en fermant les yeux. Trop tard, deux larmes se frayèrent un chemin dans les cernes qui devenaient tout à coup apparents. Mme Moïse ouvrit un tiroir et tendit un mouchoir de papier à Lovelie.

— Tu es épuisée, c'est évident. Allez, mouche-toi et explique-moi un peu pourquoi tu ne fais pas tes devoirs.

— J'ai pas le temps, madame.

Et Lovelie, luttant sans cesse contre les éruptions de sanglots, raconta comment elle avait travaillé le vendredi soir et toute la journée du samedi au magasin. Le dimanche, il y avait le ménage à faire, et quand, enfin, elle trouvait un moment pour ses études, elle devait travailler sur la table de cuisine, si celle-ci était libre, sinon à genoux sur son lit, au milieu de l'agitation permanente. Le plus souvent, découragée, elle refermait ses livres et jouait plutôt avec sa petite sœur. Elles s'aimaient beaucoup toutes les deux et, au moins, quand elle s'occupait d'elle, elle était à peu près certaine qu'on ne lui donnerait pas une autre tâche.

— Je peux parler à tes parents, si tu veux…

— Non, madame, s'il vous plaît !

— As-tu peur que je leur parle ?

— C'est pas ça… C'est dur pour eux aussi, ils doivent tout apprendre… et que je suis la plus vieille et que je connais le pays, ils comptent sur moi, c'est normal. Ça va aller mieux bientôt, quand l'hiver sera fini. N'appelez pas, s'il vous plaît.

— Je ne le ferai pas tant que tu ne seras pas d'accord, je te le promets.

— Est-ce que je peux partir, madame ? Il faut que j'aille chercher ma petite sœur à son école.

— Bien sûr, vas-y vite.

— Bonsoir, madame. Je vous promets de m'améliorer.

— Tu n'as pas de promesse à me faire, Lovelie. C'est pour toi, tout ça.

Les ombres s'étiraient pour saisir les premiers morceaux du soir quand Lovelie, tenant sa petite sœur par la main, ouvrit enfin la porte du marché Hispaniola. Elle avait attendu un autobus, puis l'autre, et les quelque vingt minutes de retard prises avec Mme Moïse avaient presque doublé.

Rosalyne et Jérémie étaient dans tous leurs états. La directrice de l'école avait appelé : elle s'inquiétait de ce que personne ne fût venu chercher Genella à l'heure habituelle. Pour des raisons administratives, Genella ne fréquentait pas la même école primaire que Junior et Guerlande, mais c'était juste à côté. Les deux plus grands auraient facilement pu s'organiser pour ramener la petite, sauf que leurs parents ne leur faisaient pas assez confiance.

— Quelle honte ! gémissait Rosalyne. Nous allons passer pour des gens qui ne s'occupent pas de leurs enfants.

— C'est pas ma faute ! rétorqua Lovelie.

Rosalyne se raidit, ses ongles endommagèrent la mangue qu'elle déposait dans un sac de plastique, et cela lui rappela la présence de la cliente.

— De qui est-ce la faute, dans ce cas ? persifla-t-elle, en quémandant d'une œillade qui se voulait amusée la complicité de sa cliente.

Jérémie D'Haïti suivait le dialogue en rangeant des bouteilles dans le frigo.

— C'est mon professeur qui m'a demandé de rester après l'école.

— Pourquoi ?

— Pour me parler.

— Te parler de quoi ? Merci, madame !

— Au revoir, madame D'Haïti, répondit la cliente.

Lovelie, qui allait prendre une pomme, se retourna, surprise. «Madame D'Haïti» ! Avait-elle bien entendu ?

— Tu peux répondre, oui ? enchaîna Rosalyne qui jugeait ne pas avoir à donner d'explication sur le fait qu'elle acceptait de passer pour l'épouse de Jérémie D'Haïti.

— De quoi voulait-il te parler, ce professeur ? insista-t-elle.

— C'est une dame.

Rosalyne laissa la caisse et vint se planter devant Lovelie.

— Monsieur ou madame, qu'est-ce que ça change ? Pourquoi t'ont-ils gardée ? Tu as été méchante ?

Lovelie se retourna et choisit une pomme avant de répondre. Elle éprouvait une sensation nouvelle pour elle, difficile à décrire : elle n'avait tout à coup plus envie d'être gentille.

— Mme Moïse voulait discuter de mes devoirs.

Elle frotta la pomme contre son manteau et croqua une bonne bouchée. Rosalyne avait les yeux exorbités. Selon les normes traditionnelles haïtiennes, l'attitude de Lovelie était un sommet d'insolence. Jérémie n'en finissait plus de replacer ses bouteilles. Il faisait semblant d'être absorbé.

— Tes devoirs ! Qu'est-ce qu'ils ont, tes devoirs ? Tu ne les fais pas, petite paresseuse ?

— Je ne suis pas paresseuse ! J'ai toujours fait mes devoirs, avant. Maintenant, il faut que j'aille chercher Genella, puis il faut que je vous aide à fermer le magasin, puis après manger, c'est de mettre tout le monde au lit. Alors quand je finis par commencer, je m'endors sur mon travail ! Je suis pas la femme bionique, moi !

— Oh !

Rosalyne se tourna vers Jérémie ; ce dernier se sauva vers l'arrière, une caisse vide dans les bras.

— Tu n'as pas honte ? bafouilla-t-elle. Tu... tu devrais être heureuse de nous aider, après ce qu'on a fait pour toi.

Lovelie demeura muette quelques secondes. Elle avait peine à croire que la phrase qui se formulait et se reformulait dans sa tête était bien d'elle. Elle avait peine à croire qu'elle, Lovelie D'Haïti, avait vraiment envie de la prononcer, allait la prononcer… Elle le fit, la prononça, l'enfonça comme ses dents dans la pomme !

— Qu'est-ce que vous avez fait pour moi, vous, à part me donner des ordres ?

La main de Rosalyne jaillit de nulle part et cingla la joue de la jeune fille si fort qu'un éclair lui traversa la tête. La pomme roula par terre. Abasourdie, Lovelie chercha son père. Il était à cinq pas, il détournait la tête.

Lovelie regarda Rosalyne droit dans les yeux et osa même la viser du doigt.

— Ne me frappe plus jamais. T'es pas ma mère !

Elle tourna les talons, sortit par derrière, grimpa l'escalier de fer, entra dans l'appartement et courut à son lit. Là où, si peu de temps avant, elle eût pleuré toutes les larmes de son corps, elle se mit à frapper son oreiller avec une rage non retenue.

Elle s'arrêta sec.

— Oh non ! gémit-elle.

Elle souleva son oreiller et son cœur se gonfla de chagrin : la jolie tête d'œuf de sa poupée était toute craquelée.

8

Les fantômes de Charline

Bien qu'ils se fussent souvent croisés, Chomsky et Charline ne se connaissaient pas vraiment. Pour lui, elle était une fille de l'école, sans plus. Elle, de son côté, n'ignorait pas que ce garçon, auquel la plupart de ses consœurs eussent volontiers sacrifié leur virginité, avait une réputation de chef de gang. Elle ne disconvenait pas de sa beauté, mais elle n'était pas attirée par les garçons. Quant aux gangs, elle s'était appliquée depuis six ans à chasser de sa mémoire les cruels souvenirs que leur fréquentation lui avait laissés. Elle n'y parvenait pas tout à fait encore, et la visite qui s'amenait n'allait aucunement l'y aider, bien au contraire.

D'ailleurs, dès qu'elle entendit qu'on sonnait à la porte, elle pressentit que cela n'augurait rien de bon.

On était samedi avant-midi, le premier samedi de mars, et surtout, le premier jour de la semaine de relâche. Tout bien calculé, ladite semaine de relâche comptait neuf jours consécutifs où Charline n'aurait pas à se lever aux aurores, à réveiller son égaré de petit frère, à le harceler pour qu'il fasse sa toilette et s'habille, à lui servir le déjeuner et à l'embarquer dans son minibus. D'autre part, sa mère traversait une période faste durant laquelle elle était fonctionnelle quasiment six heures par jour ! Et, le comble, son frère Charlot était aussi en congé de peine ! Il ne se lèverait guère avant onze heures, soit, mais, allez savoir comment et pourquoi, il s'était découvert, depuis qu'il était séparé de la famille, une fraternelle affection pour Surprenant, qui la lui rendait bien. Il l'emmenait dans de longues promenades, ce que Charline ne se risquait pas à faire. Charlot, lui, ne semblait jamais avoir de problèmes. Elle n'éprouvait certes pas la moindre jalousie, trop heureuse des moments de liberté que cela lui procurait.

Donc, la semaine s'annonçait des plus relaxantes. Surprenant était accroché devant *Les merveilleuses cités d'or*, un dessin animé ayant pour contexte la conquête espagnole du continent sud-américain, auquel il ne comprenait goutte et qui le fascinait pourtant. Rien ni personne n'était attendu, surtout que les Témoins de Jéhovah étaient déjà passés. Ce que craignait surtout Charline, à cause des personnalités problématiques de ses deux frères, c'était une descente de la police.

C'est dire qu'elle écarquilla de grands yeux en ouvrant la porte et en découvrant ce solide garçon qui scrutait les alentours, et même le ciel, comme si une intervention aéroportée était envisageable.

— Chomsky Deshauteurs ! ?

— Bonjour. Charline Jolicœur, c'est bien toi ?

— Ouais...

Passé la première surprise, Charline avait pensé qu'il se présentait par hasard parce qu'il vendait quelque chose de porte en porte.

— Qu'est-ce que tu fais ici ? demanda-t-elle avec

cette absence de manières qui caractérise les rapports entre les jeunes. Ah ! Tu veux voir Charlot, c'est ça ?

— Non, non.

Il glissa la main dans son blouson et sortit une enveloppe brune.

— C'est pour toi.

— Pour moi ! Qu'est-ce que c'est ?

— Sais pas. Je fais le courrier, c'est tout. *Yo !*

Il la salua d'un geste de la main qui ressemblait à celui d'un gamin qui joue au revolver et il descendit les marches sans rien ajouter.

— Eн ! fit Charline, puis elle comprit qu'il était inutile de quémander de plus amples informations.

Elle jeta un coup d'œil derrière elle en glissant l'enveloppe dans le pantalon de son pyjama. Sa mère était dans l'entrée de la cuisine, serrée dans une flanelle.

— Qu'est-ce que c'était ?

— Les Témoins de Jéhovah.

— Encore !

— Bien oui ! dit Charline en haussant les épaules.

Elle se dirigea vers sa chambre, laissant sa mère maugréer. À chaque pas, son angoisse augmentait. Elle essayait d'imaginer le contenu de l'enveloppe. C'était plus épais qu'une simple lettre. Et que Chomsky Deshauteurs aurait-il donc pu lui écrire ? Certainement pas une déclaration d'amour !

Il y avait pourtant bel et bien son nom et son adresse sur l'enveloppe, constata-t-elle une fois assise à l'indienne sur son lit. Ce n'était pas de la drogue, sûr. Elle ne se résignait pas à ouvrir l'enveloppe. Elle avait le sentiment de pouvoir encore la refuser.

Elle se raisonna enfin. Avec la règle prise sur son pupitre à côté, elle déchira le cachet. C'étaient des photos. Elle porta la main à sa bouche. Il ne lui fallut pas cinq secondes pour se remettre dans le contexte, et tout son corps se couvrit de sueur. La qualité de la reproduction laissait à désirer, mais elle se reconnut néanmoins. Elle faisait partie de ces filles pas vraiment chanceuses qui, dès la puberté, prennent leur allure de femme. Elle avait douze ans, elle était toute nue et elle faisait, avec des sexes masculins, des choses qui l'avaient dégoûtée alors, qui la dégoûtaient plus encore aujourd'hui. À douze ans, naïve, elle s'était laissé piéger, et si plusieurs de ses actes passés alourdissaient sa conscience, de ceux-là elle était innocente : les Hard-H de l'époque, sous l'égide d'Andy Colon, l'avaient forcée.

Comment ses photos se retrouvaient-elles entre les mains de Chomsky Deshauteurs ? Le juge avait pourtant ordonné de les détruire. Toutes les copies n'avaient donc pas été saisies. « Pauvre niaiseuse ! » s'invectiva-t-elle.

Qu'importait comment d'ailleurs elles étaient là, hideuses et indéniables, et il y avait évidemment d'autres reproductions quelque part. Sa mère l'y reconnaîtrait, ses frères, les filles de l'école… les gars de l'école ! L'enveloppe contenait aussi un carré de papier blanc attaché avec un trombone, sur lequel était écrit, en grosses lettres moulées :

Cinquante dollars ! Lundi... Les photos... Tout se mit à tourbillonner. Charline ferma les yeux, espéra se réveiller. Hélas, non.

Elle respira profondément, plusieurs fois, reprit un peu ses esprits : d'abord, détruire ces cochonneries. Elle n'avait pas d'allumettes. Elle prit ses ciseaux et, tenant les photos à l'envers, tous les sens aux aguets pour ne pas être surprise, elle les découpa en minuscules morceaux et fit de même avec l'enveloppe et le court message, le cœur battant, le souffle court, la larme chancelante. « 50 $, Frites Lesage. Lundi 10 mars, 16 h », se répétait-elle. Ce casse-croûte, situé tout près de la station de métro Henri-Bourassa, était fameux. On pouvait y passer sa commande, par un guichet percé dans la façade en damier, directement du trottoir, une activité populaire à la fin d'une journée d'école.

Pour être laconique, le message n'en était pas moins clair.

9

Je ne parlerai pas de moi…

(Extrait du journal de Nathalie Durocher,
dimanche 2 mars 1986)

Demain, c'est lundi, mais mon réveil ne sonnera pas : c'est la semaine de relâche. Pas d'école de la semaine ! Je trouve ça cool.

Ce qui n'est pas cool, *par contre, c'est ce qui se passe avec Lovelie. Pour une fois, je ne parlerai pas de moi. Même si j'essayais, je n'en serais pas capable parce que, aussitôt que je n'ai rien à faire, je pense à Lovelie. Elle est malheureuse.*

Dès qu'elle s'est installée avec sa nouvelle famille, on s'est bien rendu compte que ça ne tournait pas rond. Même Héberte et Jésulienne, qui ne la connaissent pas depuis longtemps, trouvaient qu'elle avait l'air malheureuse. Mais Lovelie n'était pas du genre à se plaindre, et puis il y a eu cette révolution en Haïti qui a fait capoter toute l'école.

Je dis «elle était» parce qu'elle a changé d'un coup. Mardi matin, elle avait les yeux tellement rougis… Lovelie a les yeux pers. Au grand soleil, ils deviennent verts comme des pommes Granny Smith ! C'était évident qu'elle avait pleuré toute la nuit.

On lui a demandé ce qui s'était passé, et c'est là qu'on a vu qu'elle avait changé. Elle a répondu :

« C'est pas de vos affaires. » On est restées l'air bête. Elle s'est excusée tout de suite. Elle a dit : « Vous pouvez pas comprendre. » On lui a dit qu'on pouvait toujours essayer.

C'est pas compliqué : elle est écœurée. Elle dit qu'elle a toujours été une bonne fille, mais que là c'est trop. Elle n'est pas venue au monde pour être la servante de la famille et recevoir des ordres d'une bonne femme qu'elle ne connaît même pas, qui se prend pour la reine d'Angleterre rien que parce qu'elle couche avec son père.

Et ça, c'est seulement un pour cent de ce qu'elle a lâché. Lovelie toujours si délicate ! Elle ne mâchait pas ses mots. Elle a même donné un coup de pied dans la poubelle quand la cloche a sonné. Dans la classe, elle a gardé son air de bœu'. Mme Moïse l'a remarqué. Quand M. Messier est arrivé pour le cours de maths, Mme Moïse a emmené Lovelie dans une classe vide pour lui parler, mais ça n'a rien donné. C'est du moins ce que Lovelie nous a raconté.

Lovelie dit que Mme Moïse ne peut pas comprendre, elle non plus. Et elle ne veut pas que Mme Moïse parle à ses parents. Même chose avec l'abbé Saint-Louis qui nous a demandé de ses nouvelles.

Lucie et moi, on lui a offert d'aller la chercher, un jour, cette semaine, pour qu'on joue ensemble comme dans le bon vieux temps. Après tout, elle n'est pas en prison ! Elle a dit qu'elle nous appellerait peut-être.

Vendredi après-midi, quand on s'est quittées, elle avait toujours le même air. Ses yeux ne sont plus rougis, mais la rage est toujours dedans et… j'ai *l'impression qu'elle aime ça! Elle n'est pas devenue méchante, mais... c'est un peu comme moi quand j'ai pris les pilules, il fallait que je fasse une connerie, c'était dans moi, c'était là que j'allais et je voulais y aller. En tout cas...*

Lovelie, d'après moi, elle a besoin d'être enragée et d'envoyer promener tout le monde. Et je suis certaine qu'elle se retient encore! Je ne sais pas comment ça va tourner, mais j'ai dit à Lucie qu'il faut la laisser aller. Elle sait qu'elle peut compter sur nous. Moi, je n'ai pas peur qu'elle fasse une bêtise vraiment tragique. Lucie, oui, elle a peur pour elle. Elle en a parlé à sa mère, qui a fait dire à Lovelie que la porte de la famille Brûlotte lui était toujours ouverte.

Je gagerais cent dollars que Lovelie ne nous appellera pas, à moins qu'il ne se passe quelque chose d'imprévu ou de grave. Ce sont des affaires entre elle et sa famille, et elle veut régler ça toute seule. Tout le monde dira qu'elle devrait plutôt en parler, demander de l'aide, c'est toujours ça qu'on nous dit. Mais ce n'est pas si simple, et je sais de quoi je parle.

C'est bien, la semaine de relâche, mais ce serait mieux sans ce gros nuage. Des fois, je me demande si ce sera comme ça tout le temps, s'il y aura toujours quelque chose pour gâcher les bons petits moments de la vie.

10

Pauvre Charline (bis)

Au marché Hispaniola comme dans la plupart des commerces, l'achalandage avait diminué durant cette semaine, sauf que le propriétaire, Jean-Louis Jeune, tenait à profiter de ce répit pour esquisser les premiers bilans et procéder à des ajustements, et à profiter surtout de la disponibilité de Lovelie. Il n'y eut donc pas de véritable relâche pour cette dernière, bien au contraire, car de son côté, elle était déterminée à ne pas s'en laisser imposer, et voire à prendre quelques initiatives.

Par exemple : puisque tout le monde semblait admettre qu'elle s'occupait de Genella, elle jugea, s'inspirant des principes de bonne hygiène de Germaine Brûlotte, que l'enfant dépérirait à passer la semaine sans mettre le nez dehors autrement que pour se déplacer du magasin au logement et vice-versa, et elle résolut de l'amener au parc deux heures par jour. Elle le fit, peut-être pas deux heures tous les jours, mais le fit tout de même.

Autre exemple : elle s'accorda une période de lecture quotidienne, menaçant de l'effectuer à la bibliothèque municipale si on ne la laissait pas tranquille dans sa chambre. Elle le fit aussi. Et, tout en continuant d'apporter une contribution appréciable aux tâches familiales et commerciales, elle manifesta son désir d'être traitée comme une personne à part entière par cent petits gestes trop longs à énumérer.

Désarmés par une détermination qu'ils n'avaient certes pas l'habitude d'affronter chez une enfant, les trois adultes qui gravitaient autour d'elle réagirent à la pièce et avec une totale absence de coordination. Plus encore, le phénomène les étonnait tellement qu'ils n'étaient pas sûrs, chacun de son côté, qu'il fût bien réel, et ils se contentèrent de maugréer, du moins les hommes.

Rosalyne était exaspérée. Toutefois, Lovelie lui avait rappelé sans équivoque qu'elle n'était pas sa mère, et elle n'avait pas le choix de lui donner raison. Elle aurait voulu que le père démontrât davantage d'autorité, mais le travail du magasin consommait toute son énergie. Ses responsabilités étaient plus complexes et plus exigeantes que celles qu'il assumait au dépôt de café de Jacmel, et son patron ne cachait pas sa hâte de le voir prendre enfin l'ensemble des choses en main.

Ce fut donc, pour Lovelie, une semaine passée sous haute tension, dont elle sortit cependant la tête haute. Le dimanche soir, elle avait parlé à sa poupée, dont elle avait solidifié la tête d'œuf avec du ruban transparent, et qui ressemblait maintenant davantage au monstre de Frankenstein qu'à sa jeune maîtresse.

— Ça n'arrivera plus, je te le promets, lui murmura-t-elle en la caressant dans l'obscurité de la chambre endormie. On ne va plus se faire du mal à cause des autres.

* * *

Ainsi, dans la cour de l'école, vers huit heures, le lundi dix mars, plusieurs remarquèrent que sa démarche avait perdu l'allure un rien traînante qui la caractérisait depuis les fêtes. Certains crurent même qu'elle avait encore grandi.

Ce fut en tout cas l'impression de Charline, qui l'attendait anxieusement et qui se dirigea vers elle aussitôt qu'elle l'aperçut. Lovelie l'évitait, ou la saluait en vitesse quand elle ne pouvait faire autrement, depuis qu'elle était allée chez elle. Charline comprenait parfaitement pourquoi et elle en éprouvait le dépit des amoureux éconduits, avec en plus, dans son cas, un sentiment de fatalité, car ce n'était pas une quelconque incompatibilité qui était en cause — cela peut toujours s'arranger avec de la persistance —, mais la nature même du rapport unilatéral.

Charline aborda Lovelie avant que celle-ci entre dans l'école, où l'attendaient Lucie et Nathalie.

— Lovelie ! S'il te plaît, est-ce que je pourrais te parler ? Ce midi ? C'est important.

Cette fois, Lovelie ne pouvait s'esquiver sans répondre carrément par la négative. Si elle avait pris ses distances avec elle, elle n'éprouvait à son égard aucun sentiment hostile. Charline avait l'air désemparée.

— De quoi ?

— C'est en rapport avec Chomsky Deshauteurs.

— O.K.

Et voilà ! Juste comme elle se sentait prête à se concentrer à nouveau sur ses études, il fallait que quelqu'un lui greffe un petit haut-parleur dans la tête pour la distraire, car elle passa l'avant-midi à écouter les spéculations de son cerveau sur ce que Charline avait à lui apprendre à propos de Chomsky. Cela ne s'améliora pas l'après-midi, quand elle eut obtenu les réponses.

Dans la période libre suivant le repas, alors que ses amies retrouvaient avec délices la quiète ferveur de la bibliothèque, Lovelie arpenta en compagnie de Charline les allées bordées de neige infecte.

Lovelie se souvenait avec acuité des Hard-H de l'époque et de leur chef, Andy Colon, qui se faisait appeler Master C. Elle savait trop de quoi ces voyous étaient capables. Elle entendait cependant l'histoire de l'initiation de Charline pour la première fois. Trop heureuse d'échapper à leur emprise, elle ne s'était jamais demandé comment la rupture s'était faite du côté de Charline ; après tout, la mort subite de son père, l'arrestation de Master C, la dissolution des Hard-H et le déménagement des Jolicœur suffisaient à tout expliquer. Par ailleurs, dans quel but aurait-on raconté à cette enfant de six ans, elle-même maltraitée, que Jolicœur père avait subi son attaque cardiaque tout de suite après que la police lui eut montré des photos outrageusement pornographiques de sa fille ?

N'empêche qu'il n'y avait là que de fort tristes souvenirs. Un désagréable frisson parcourait la chair de Lovelie pendant que Charline feuilletait cet album sinistre. Elle écoutait pourtant.

— C'étaient pas de vraies photos, dans l'enveloppe, précisa celle-ci, seulement des photocopies, mais on me reconnaissait très bien, j'ai pas tant changé, finalement.

— Chomsky! Je peux pas croire…

— Il a dit qu'il ne faisait que le courrier, remarque. Peut-être qu'il ne sait pas ce qu'il y avait dans l'enveloppe.

— Penses-tu?

— Je ne sais pas, Lovelie. Je le connais comme je connais les trois quarts des gars que tu vois dans la cour. Toi, par contre, c'est ton ami. On vous a vus ensemble.

Lovelie dressa la tête et regarda Charline dans les yeux.

— Et après? J'ai bien le droit de parler avec qui je veux!

Surprise, Charline hésita avant de poursuivre.

— Oui, tu as le droit! Justement, c'est pour ça que…

— Qu'est-ce que tu attends de moi, au juste?

— Rien! Rien… J'attends rien!

— Tu veux que je demande à Chomsky de te laisser tranquille, c'est ça?

— Penses-tu qu'il t'écouterait?

— On peut pas savoir si on n'essaye pas.

Charline crut comprendre que Lovelie acceptait de l'aider.

— C'est gentil, encore une fois… dit-elle.

Elle n'ajouta rien, par une pudeur instinctive.

— C'est pas seulement pour toi, précisa Lovelie.

* * *

Dans le milieu des voyous de l'est de Montréal, tout le monde avait appris la libération d'Andy Colon, l'été précédent. Donc, Charlot le savait et Charline l'avait appris de lui. Pas besoin d'être fin détective pour conclure que si Chomsky avait apporté les photos, qu'il l'eût fait sciemment ou non, cela signifiait qu'il avait renoué avec son ancien chef.

Lovelie ne supportait pas cette idée. Elle n'avait pas eu de contact avec le garçon depuis le jour où elle avait refusé la montre volée qu'il lui offrait. Ensuite, on l'avait renvoyé de l'école, et il ne s'était pas manifesté jusqu'à sa visite à Charline. Elle pensait souvent à lui. Elle ne pouvait pas l'oublier. Elle l'avait connu aux jours d'infortune. Son image était gravée dans son cœur, au couteau. Elle l'oublierait pourtant, s'il le fallait, c'est-à-dire s'il devenait semblable à Andy Colon. Elle pouvait passer outre à ses activités de voleur, mais jamais elle ne supporterait qu'il impose des souffrances à autrui pour de l'argent. Elle se sentait la force de le lui faire comprendre, de même que celle de l'éliminer de son existence, s'il s'avérait qu'elle se trompait sur son compte, s'il s'avérait qu'il était mauvais. C'était aussi pour tirer cela au clair qu'elle avait accepté d'accompagner Charline.

Tout de suite après la dernière cloche, elle avait téléphoné au magasin pour annoncer qu'elle rentrerait plus tard et que quelqu'un d'autre devrait aller chercher Genella. Lovelie n'avait évidemment pas donné la véritable raison de ce retard et elle n'avait eu ni le loisir ni l'envie de construire un mensonge crédible — elle avait d'ailleurs perdu beaucoup de son habileté dans cet art.

— Je vais avec une amie qui a besoin d'un coup de pouce. Je serai rentrée pour le souper.

À l'autre bout, son père n'avait pas su comment réagir. La voix de Rosalyne avait jailli derrière, incisive. De quoi s'agissait-il ? Lovelie s'était impatientée.

— Qu'elle s'habille et qu'elle y aille, elle ! Elle pourrait sortir, pour une fois ! Il fait doux et c'est même pas à dix minutes. Y a plein de monde qui attend pour appeler, il faut que je raccroche. À tantôt.

Et elle avait raccroché.

À côté d'elle, Charline n'en était pas revenue.

— Tu fais bien, avait-elle conclu.

Sans doute, mais Lovelie savait qu'elle venait de tendre un autre ressort, un gros, dans une mécanique déjà à la limite du dérèglement catastrophique.

Qu'importe ! Au moment où les deux filles sortaient de la station Henri-Bourassa, tout ce qui comptait, c'était de s'assurer que c'était bien Chomsky Deshauteurs qui attendait Charline pour recevoir les cinquante dollars — qu'elle n'avait pas — et qu'il était seul.

Accoté au damier de la façade du casse-croûte, la casquette sur les yeux, le col relevé, Chomsky dégustait une frite avec les doigts. Quelle que fût la température au thermomètre, il avait toujours froid tant qu'on était en hiver, et des frites brûlantes sont d'un grand réconfort en cette saison. Pourtant, il cessa tout à coup de manger et jeta son casseau blanc encore à moitié plein dans la plus proche poubelle : il venait d'apercevoir Lovelie, puis Charline à ses côtés.

Il essaya de ne faire semblant de rien et chercha une éclaircie dans la forêt coulante, classée ouvrière, qui rentrait au gîte.

— CHOMSKY !

Lovelie l'avait appelé. En se fondant dans la foule, il irait vers le nord, le pont, Laval, il s'éloignerait de son territoire. Ce fut du moins ainsi qu'il se justifia de se retourner.

— Lovelie…

Il fit suinter de la dernière syllabe un filet d'innocence auquel la principale intéressée ne se laissa pas prendre.

— Elle a pas l'argent, annonça laconiquement Lovelie.

Chomsky cessa de sourire. Il regarda tour à tour les deux filles, puis se détendit, haussa les épaules.

— Ça, c'est pas mon problème. Je suis là pour collecter…

— Et rapporter l'argent à Andy Colon ? C'est ça ? coupa Lovelie.

Chomsky jeta un coup d'œil de côté et *tchuippa*. La seule évocation de ce nom était compromettante. Il y avait toujours des policiers dans le coin aux heures de pointe ; néanmoins, vu qu'ils étaient accaparés par la circulation, l'endroit était discret.

— Ça vous regarde pas…

— Qu'est-ce que vous allez faire ? La battre ?

continua Lovelie sans donner le temps à Chomsky de nier quoi que ce soit.

— Je suis le messager, que je te dis. Je sais pas, moi.

En bon gangster, Chomsky aurait dû s'éclipser après cette réplique, avec un air d'indifférence absolue. Il resta pourtant là, dans l'attente d'une suite.

Lovelie se tourna vers Charline.

— Va, Charline. Rentre chez toi pour t'occuper de ton petit frère.

— Tu es sûre ?

— Oui, oui, t'inquiète pas, j'ai pas six ans.

— Eh bien… à demain, d'abord ! Et… merci ! ajouta-t-elle avec une moue qui signifiait qu'elle serait reconnaissante, quelle que soit la suite.

Chomsky ne s'intéressait déjà plus qu'à Lovelie. Il était incapable de quitter des yeux cette grande fille à peine sortie de l'enfance qui commandait à l'autre — et à lui-même au fond — avec une autorité tranquille.

— Ça sent bon les frites et j'ai faim, moi. J'ai pas une *cenne*, tu m'en offres une ? demanda-t-elle.

— Ouais, bien sûr. Pour manger dehors ?

— Il fait pas froid. On peut marcher.

Chomsky commanda un gros sac de frites au guichet, qui arriva presque tout de suite, et Lovelie nota qu'il payait avec un billet de vingt dollars.

— Ketchup ?

— J'aime mieux sel et vinaigre, mais si tu en veux…

— Non, c'est *fresh*.

— Ça a l'air de bien aller, tes affaires, constata-t-elle alors qu'ils amorçaient leur promenade en direction nord, vers le boulevard Gouin.

— Je me débrouille.

— Tu travailles pour Andy Colon, c'est ça ?

— Quoi ? Pourquoi parlez-vous toujours de ce gars-là ?

— Chomsky ! Les photos dans l'enveloppe, c'est lui qui les a prises, dans le temps. C'est pas un hasard si elles réapparaissent justement après qu'il soit sorti de prison.

Lovelie cueillit quelques frites. Chomsky portait son sac d'école. C'était plus tranquille sur le boulevard Gouin. Le soleil déclinant projetait leur ombre en avant. La température baissait tranquillement et la chaleur des frites produisait de la vapeur dès qu'ils parlaient.

— Je sais pas, moi, ce qu'il y avait dans cette enveloppe.

— Tu travailles pour lui, oui ou non ?

— Bah… on fait des affaires ensemble. Ça, c'est plutôt un service que je lui rends.

— Tu savais vraiment pas ce qu'il y avait dans l'enveloppe ?

— Je me doutais que c'était pas un valentin en retard, mais, non, je te jure. On a une règle, on se dit rien qui est pas nécessaire. C'est plus prudent.

— Tu le connais, pourtant, Andy Colon. C'est un salaud.

— Y a des affaires à lui que je touche pas.

Il y avait un parc de l'autre côté de la rue.

— On traverse ? On va s'asseoir ?

— Si tu veux, fit Chomsky en haussant les épaules pour ne pas montrer son trouble.

Assis, ils ne dirent d'abord rien, Lovelie pourchassant les dernières miettes au fond du sac de frites. Elle avait l'impression de n'en avoir pas mangé depuis cinq ans.

Elle reprit :

— Ces photos-là, il les a prises quelques jours avant que tu te battes avec lui. Il avait fait venir Charline dans le garage des Hard-H soi-disant pour lui offrir un cadeau de fête. À la place, il l'a obligée à se déshabiller et à faire des cochonneries à tous les gars de la bande qui étaient là. Et tu es associé avec un écœurant de même !

— Il le fera plus, il forcera plus les filles. On s'est entendus là-dessus !

— Voyons donc ! Tu le crois ? Qu'est-ce que tu penses qu'il a l'intention de faire avec Charline ? Elle a pas d'argent à elle, elle peut pas lui apporter des cinquante dollars comme ça chaque fois qu'il le lui demande. Je suis jeune, mais pas niaiseuse. Il va la forcer à le gagner, cet argent, puis on sait comment.

— C'est à elle de se défendre. Et d'abord, comment ça se fait que tu la connais, que tu es venue avec elle ?

— Tu te rappelles pas ? Jolicœur… ?

Chomsky fronça les sourcils et plissa les yeux.

— O.K. ! Oui, je me rappelle. C'est chez eux que tu restais. J'y avais pas pensé, je te jure. Ça fait longtemps… J'ai pas eu affaire à eux autres, moi…

Il se tut, puis reprit vivement :

— Pourquoi tu te mets de son bord ? Ils étaient tellement chiens avec toi.

— J'ai pardonné.

Chomsky *tchuippa* encore.

— Je sais pas comment tu fais.

Lovelie prit un ton fâché.

— Et toi, comment tu fais ? Tu… avec le gars qui m'a vendue, t'en souviens-tu ? Il me vendait à un vieux cochon, Chomsky, et c'est pour ça que tu t'es battu, que tu as risqué ta vie. Lui as-tu pardonné ? Moi, je lui pardonnerais s'il regrettait, mais il a pas l'air parti pour ça.

Chomsky se leva, heurté. Il respira profondément.

— Est-ce que j'ai le choix ? Je suis pas équipé pour lui déclarer la guerre. À l'école, depuis qu'une fille a dit que j'ai vendu de la drogue, ils me mettent n'importe quoi sur le dos. Maintenant, si je reste chez ma tante, la police va venir me chercher. Où tu voulais que j'aille ?

— Tu peux te défendre contre ces accusations-là, même que je peux t'aider parce que moi, je connais la vérité. Je le sais que c'est pas toi qui as vendu les pilules aux filles. Mais ça donnerait quoi, si tu voles, si tu te mêles de prostitution ?

— Je touche pas à ça, O.K. !

Un silence s'imposait. Lovelie regarda sa montre.

— Il faut que je rentre… Je sais pas trop ce qui m'attend.

— Ça marche pas trop bien, dans ta nouvelle vie ?

— Tu es au courant ?

— Le marché Hispaniola, c'est pas loin d'où je reste en ce moment. Je t'ai vue souvent.

— Ah oui ?

— Je suis assez bon pour passer inaperçu. Ça marche vraiment pas ?

— Non. Peut-être que ça va s'arranger, mais là, c'est… c'est un peu comme toi à l'école. Je peux pas dire que je suis heureuse.

Ils prirent l'autobus ensemble. Lovelie voulut qu'ils se séparent avant d'approcher du magasin.

— Chomsky ! dit-elle dans le dernier kilomètre, je trouve que j'ai eu assez de peine pour un bout de temps.

— C'est pas moi qui t'en ferai.

— Tu m'en fais déjà !

— O.K., je veux bien essayer d'arranger ça pour qu'il laisse Charline tranquille. Je peux rien promettre, mais… il a besoin de moi, lui aussi.

— C'est mon anniversaire, jeudi. Je vais avoir treize ans.

— Seulement !

— Oui, seulement… Sais-tu ce qui me ferait plaisir ? Vraiment beaucoup beaucoup plaisir ?

— Je m'en doute.

Lovelie regarda Chomsky dans les yeux.

— Je t'ai toujours gardé ta place dans mon cœur, même si tu es un délinquant. Toujours. Mais si tu restes avec Andy Colon, je pourrai plus. Il m'a vendue. J'avais six ans. Il vole pas des montres, lui, il vole des vies. Je peux te le dire, ça fait mal. Même si je l'avais pas vécu, on est des Noirs, Chomsky ! Nos ancêtres en ont assez souffert, on peut pas accepter ça, pas nous autres !

Chomsky avala sa salive.

— Tu peux pas marcher avec ce gars-là et rester correct. Tu te salis. Un vrai beau cadeau, ce serait que tu le laisses tomber, parce que, autrement, c'est moi qui devrai t'oublier. Ça me ferait mal, plus mal encore que tout le mal que j'ai eu.

Elle laissa Chomsky sur le banc, tellement immobile que, le sourire benêt et la tenue ridicule en moins, il aurait ressemblé à un de ces nègres de plâtre qui pêchent éternellement sans jamais rien prendre.

11

Le débat des chefs

Andy Colon se rassit après avoir monté le volume de la chaîne portative et le rythme d'un *rap* à la mode se répandit dans le salon, couvrant les bruits de fond. Il se mit à dodeliner de la tête, les yeux dans le vide. « Il a pris quelque chose », se dit Chomsky, et ça tombait bien, car dans ces états-là, son associé était plus manipulable. Dans la chambre à côté, Manouchka Charles « recevait » un client, et on pouvait se demander si elle feignait maladroitement l'orgasme ou si elle exprimait une réelle douleur.

— Tu trouves pas qu'il y va un peu fort ? s'inquiéta Chomsky.

— La petite commence à avoir de l'expérience. Elle est capable de le calmer s'il dépasse les bornes. De toute manière, il sait qu'il n'a pas intérêt, on est là.

Il s'alluma une cigarette et envoya nerveusement la fumée au plafond.

— Tu es sûr que tu n'en veux pas une ?

— J'aime pas ça, fumer.

— Je n'aimais pas ça non plus, avant la prison.

Andy Colon jeta sa cendre dans un affreux cendrier posé sur une table basse au vernis écaillé.

— Comme ça, elle n'avait pas l'argent.

— Non.

— Ça m'étonne. Je pensais qu'au moins, la première fois, elle se débrouillerait. Eh bien ! Tant pis pour elle ! À qui est-ce qu'on va faire parvenir une de ces jolies photos ?

— À personne.

Master C fit une moue perplexe.

— Qu'est-ce que tu as en tête ?

— Rien. Écoute, Andy, si j'avais su ce qu'il y avait dans l'enveloppe…

— Il me semble que tu ne voulais pas le savoir !

— Non, mais t'aurais dû me le dire. La fille m'a tout raconté.

— Tu l'as écoutée ! Tout ce que tu avais à faire, c'était de prendre l'argent ou, vu qu'elle ne l'avait pas, de lui dire qu'elle allait le regretter et de la planter là. Tu me déçois, *patnè**.

— Il y avait plein de monde autour, et elle était au bord de la crise de nerfs. C'était plus *safe* de la laisser parler. Elle connaît mon nom.

— O.K. Sauf que maintenant, si je te comprends bien, tu veux qu'on laisse tomber.

Andy Colon écrasa sa cigarette. Il se leva et baissa la musique. Ça s'était calmé dans la chambre. Il se rassit. Chomsky reprit la parole.

— Tu étais d'accord pour forcer aucune fille, quand on s'est associés.

— Eh bien ! Est-ce que j'ai forcé quelqu'un ?

— Oui ! Elle, il y a six ans !

— C'est ce qu'elle t'a raconté ?

---

* Partenaire.

— Oui.

— Ça paraît que tu n'étais pas là. Sache que cette fille était prête à n'importe quoi pour rentrer dans les Hard-H, les vrais.

Il y avait un « coup dur » pour Chomsky dans les deux derniers mots de cette réplique. Andy Colon regarda sa montre. Il restait une douzaine de minutes à l'heure du client, mais il allait l'interrompre avant, car le temps de se rhabiller était comptabilisé.

— D'accord, dit-il, tu ne toucheras plus à cette affaire, si ça t'embête.

— Je veux qu'on laisse tomber complètement.

— Oh ! Tu penses que je vais perdre de l'argent rien que parce que tu es trop sensible ?

— Elle me connaît. Elle te connaît aussi, et elle sait que ça venait de toi. En plus, elle a un frère au Mont, qui est dans la *gang* de Rivière-des-Prairies. Elle peut nous faire de la *marde*.

Andy Colon quitta son fauteuil et alla frapper à la porte de la chambre.

— C'est fini !

Il revint, resta debout dans l'entrée du salon.

— Tu me passes mes cigarettes…

Chomsky lui lança le paquet. Le briquet était dedans. Andy Colon alluma, inhala, fit un geste de dédain, à croire que la fumée goûtait mauvais.

— D'accord, concéda-t-il. On est associés, donc on doit marcher ensemble. Tu as peut-être raison. Si elle avait payé tout de suite, ce serait différent. Non… peut-être que, tout bien considéré, ça ne vaut pas la peine. D'ailleurs, j'ai un bon coup qui s'en vient, qui va rapporter gros. Un hold-up facile. Et pour ça, c'est toi le meilleur…

Il se tut. La porte de la chambre s'ouvrait et le client sortait. Master C l'accompagna à la porte arrière pour s'assurer qu'il sorte discrètement.

Chomsky se leva à son tour et alla jeter un coup d'œil dans la chambre. Manouchka avait à peine quatorze ans quand il l'avait recrutée. Elle désirait de beaux vêtements et, évidemment, elle n'avait pas de moyens. Elle était vive et intelligente, enthousiaste, et d'un aplomb incroyable dans l'action. Elle l'admirait comme un Dieu. Il aurait pu lui faire faire ce qu'il voulait.

Elle était assise au bord du lit, un drap sur le dos, l'échine courbée, les mains sur le bas du ventre.

— Il t'a fait mal ?

Elle se redressa en entendant sa voix.

— Non, non ! fit-elle.

— Sûre ? insista Chomsky.

La mine qu'elle faisait démentait son propos.

Elle se redressa encore un peu en se massant le bas-ventre et en respirant profondément.

— Ça va se placer, dit-elle. Il était trop gros, celui-là.

— Repose-toi.

Chomsky referma la porte.

Il appuya sa tête contre le mur, se frotta les yeux.

Le dégoût… Jusqu'où pourrait-il encore le supporter ?

12

Un petit goût de printemps

Depuis l'ouverture de la station Fabre, le gros des élèves de l'Académie Corbett s'y engouffrait aussitôt libérés. Pour certains, ce n'était même pas avantageux du strict point de vue du transport, mais combien plus amusant ! Avec le temps, ils finiraient par comprendre que le kiosque à journaux n'était pas le rendez-vous des jeunes, ni les escaliers roulants des manèges, ni les quais des arènes. Pour le moment, la station toute neuve était comme un jouet fraîchement déballé.

Conséquence directe de cet engouement pour le transport souterrain, les autobus étaient moins achalandés, et Lovelie en était fort aise, car ainsi lui était épargnée la compagnie bruyante des Gédéons de tout acabit.

Elle attendait donc dans l'abribus, sans impatience, entourée de quelques autres élèves aux allures studieuses, avec lesquels elle ne cherchait pas à faire connaissance, quand elle entendit dans son dos une voix connue qui lui susurra :

— Bonne fête, Lovelie !

Elle se retourna vivement et sourit.

— Chomsky !

Elle était de bonne humeur. Elle avait désormais treize ans. Mme Nadler, le prof d'anglais un tantinet « quétaine », l'avait félicitée d'être passée officiellement dans l'âge des *teens* et lui avait offert un poudrier en plastique rose, avec un petit miroir sous le couvercle, acheté aux aubaines. Lovelie ne savait pas s'en servir et n'en avait pas l'intention, mais il ferait un joli effet au milieu de ses quelques affaires, et elle appréciait l'intention.

Mme Moïse ne lui avait rien offert, ce n'était pas dans ses manières ; elle avait trouvé un moment pour lui parler, pour lui dire qu'elle remerciait Dieu d'avoir fait se croiser leurs routes et de lui donner chaque jour le bonheur de la voir grandir en grâce et en sagesse, toujours un peu plus forte qu'on le croyait, malgré les épreuves.

Elle avait apprécié davantage encore les gentillesses de ses amies Lucie et Nathalie. Lovelie aurait aimé se rendre à l'invitation de Germaine Brûlotte, de passer à la maison afin de se régaler à même un de ces énormes gâteaux dont elle avait le secret, mais elle préférait attendre que ça se calme un peu au marché Hispaniola. Elle avait néanmoins eu droit, dans la cantine de l'école, à un gâteau plus modeste que les filles avaient apporté avec grand soin. Le gâteau était joliment décoré. Elles avaient cependant renoncé aux bougies, convaincues que les surveillants ne leur permettraient pas de les allumer. Elles le partagèrent avec Héberte et Jésulienne, chassant non sans peine cette mouche de Gédéon, attirée par l'odeur du chocolat.

Lovelie avait surtout reçu de ses amies — déjà d'enfance ! — une fort jolie carte musicale, qui nasillait les notes de *Happy birthday to you !* quand on l'ouvrait, accompagnée d'une enveloppe plus petite mais bien remplie.

— Avec maman, on avait de bonnes idées de cadeau. On ne savait pas si c'était ce dont tu avais vraiment besoin. Alors on s'est dit que le mieux, c'était de te donner de l'argent pour que tu puisses t'acheter ce que tu veux… du moins si tu veux acheter quelque chose. On aurait même pu aller magasiner avec toi, ça, ça aurait été *le fun*, mais…

— Bientôt, on pourra, peut-être l'autre samedi. Ou un de ces jours, après l'école !

Et Lovelie de les remercier avec force bises et quelques larmes de joie.

Tout à coup, tout lui semblait possible. Ces êtres chers qui avaient pensé à elle lui montraient qu'elle n'était pas seule et lui insufflaient l'énergie de changer le monde, tout au moins sa famille. À propos, de ce côté, son anniversaire passait absolument inaperçu.

Puis voilà Chomsky en plus qui lui faisait la surprise de sa présence ! Il y avait quand même un certain risque pour lui à se montrer aux alentours de l'école, à cette heure. L'autobus arrivait.

— C'est réglé, lui annonça le garçon quand ils eurent trouvé un siège double pour y converser discrètement.

— Pour Charline ?

— Oui. Il va la laisser tranquille.

— Oh ! que je suis contente ! Merci, Chomsky ! C'est le plus beau cadeau que tu pouvais m'offrir.

S'ils avaient été seuls, elle l'aurait embrassé… sur les deux joues. Chomsky dissimulait son émotion.

— Ça a été difficile ?

— Non, finalement, moins que je pensais. Je crois qu'il a du respect pour moi.

Lovelie hésita avant de dire ce qui lui venait à l'esprit.

— Fais-toi pas d'illusions, Chomsky. Ces gars-là, ça respecte personne.

— Ces gars-là respectent la force. De toute façon, j'achève de faire des affaires avec Colon.

— Tu reviens à l'école?

— Ah non! Ça, c'est pas fait pour moi. Je vais partir.

Un nuage traversa le regard de Lovelie.

— Où ça?

— Aux États-Unis.

— Bien voyons! Qu'est-ce que tu me dis là?

Montréal, le Québec, le Canada étaient trop étroits, trop serrés, trop surveillés pour Chomsky. New York! Ça, c'était une vraie ville! C'était tellement grand qu'il n'aurait même pas besoin de se cacher. Certains quartiers étaient pratiquement interdits aux policiers. Il avait fait la connaissance de Haïtiens qui s'y étaient installés et qui y brassaient des affaires d'or. Là-bas, il n'aurait pas à craindre d'être reconnu dans la rue et ramené chez sa tante ou à l'école. Et il ne parla même pas des magasins tellement nombreux qu'une seule rue constituait déjà un territoire plus fertile que tout l'est de Montréal.

— De quoi vas-tu vivre? demanda Lovelie.

— Je travaillerai. Il y a tellement de *business* qu'ils engagent plein de monde sans poser de questions. Si t'es pas trop dépensier, tu peux te ramasser un tas d'argent très vite, et alors, quand t'as de l'argent, t'as plus de problème.

Lovelie était à la fois fascinée et attristée. Elle dit :

— Si tu te rends à New York, il te faudra du temps avant de trouver du travail. En attendant…

— J'ai déjà de l'argent. J'économise, moi. Ce que j'ai sur le dos, je l'ai pas payé cher, précisa-t-il avec un clin d'œil.

— Hum… fit Lovelie en serrant les lèvres et en regardant ailleurs.

— J'ai une dernière affaire avec Colon, une grosse, très payante.

— Chomsky ! Ce n'est pas…

— Oh ! Fais pas ta maîtresse d'école ! Je suis un hors-la-loi, moi, un hors-la-loi… naturel.

Hors-la-loi ! Le mot chatouilla Lovelie. Il évoquait des personnages sympathiques, Robin des Bois, Arsène Lupin… dont elle avait suivi les aventures à la télévision. Elle n'avait pas le choix de se l'avouer : elle était l'amie d'un voleur ! D'un dur à cuire ! Chomsky Deshauteurs avait la réputation de celui à qui il ne faut pas toucher, avec qui il ne faut pas tricher. Elle aurait dû le fuir. C'était le genre de garçon haïtien que toutes les mères québécoises craignaient de retrouver aux côtés de leur fille, et les mères haïtiennes établies tout autant.

— Je fais pas ma maîtresse d'école, dit-elle, penaude. Mais ça se peut pas, un hors-la-loi naturel. Tu es un enfant de Dieu.

Chomsky regarda Lovelie avec une sorte de ten-dresse.

— Et Andy Colon, c'est aussi un enfant de Dieu, d'après toi ?

— Oui. Il a tourné le dos à notre Père.

— Eh bien ! si tu veux mon avis, je trouve que Dieu s'occupe pas beaucoup de sa famille ! C'est peut-être lui qui m'a créé, mais c'est la vie qui m'a fait. S'il m'avait nourri comme du monde, ton Dieu, qui sait, je serais peut-être devenu un pasteur ! Maintenant, c'est trop tard.

Lovelie connaissait déjà ces arguments, et elle se sentait impuissante à les contrer. Elle changea de sujet.

— C'est sûr que tu vas partir, ou c'est seulement une possibilité ?

— J'ai pas tellement le choix. C'est bloqué, pour moi, ici. Au début, Colon marchait vraiment comme un associé, mais je vois bien qu'il ne peut pas y avoir deux chefs dans une *gang*. Je suis mieux de partir tandis qu'il me respecte encore.

Il leur fallut descendre de l'autobus pour emprunter celui du boulevard Pie IX. Il était bondé et, accrochés à une colonne, ils se contentèrent d'échanger des banalités. Lovelie devait aller chercher Genella, et elle proposa à Chomsky de descendre quelques arrêts plus tôt et de marcher.

Il faisait doux. Montréal décongelait. Le ciel resplendissait, mais les rues étaient dégueulasses de toutes les pollutions conservées dans la neige, et ça sentait objectivement mauvais. Pourtant, il y avait du printemps dans l'air. Lovelie se disait que si elle se sentait si bien au côté de Chomsky, c'était assurément la preuve qu'il n'était pas foncièrement méchant. Preuve supplémentaire, lui-même était bien avec elle, de toute évidence, puisqu'il était venu la retrouver. Or, les mauvaises gens recherchent la compagnie de leurs semblables, les bonnes de même.

D'autre part, par l'effet de ses treize ans tout neufs, du ciel bleu, ou de cette chose qu'à son âge il eût été prématuré d'appeler l'amour, la perspective du départ de son ami l'attristait déjà moins. Il ne partirait d'ailleurs probablement pas, ou alors il reviendrait vite, après avoir constaté que les États-Unis d'Amérique n'avaient rien d'un éden biblique. Mme Moïse l'avait démontré vigoureusement, une fois qu'un élève lui avait affirmé qu'il se fichait d'apprendre le français puisque, dès qu'il en aurait la chance, il s'installerait aux États-Unis, comme Chomsky voulait le faire, sauf que le garçon de sa classe, lui, rêvait de jouer au basket dans la NBA.

— Je vais peut-être m'ennuyer de toi, si tu pars, dit-elle.

— Seulement peut-être ?

— Il y a tellement d'affaires qui m'arrivent. Et toi, hein ! Si tes affaires marchent, tu seras pas long à m'oublier.

— Ah non ! Je t'oublierai jamais. Toi et moi, on est comme frère et sœur.

Ce disant, il lui avait pris la main.

— Frère et sœur… répéta Lovelie.

Que d'ambiguïté dans sa voix, dans le frémissement de sa chair ! Les automobilistes qui passaient sur le boulevard Pie IX, du moins ceux qui prenaient la peine de dévier de peur de les éclabousser de gadoue, croyaient sûrement voir un couple d'amoureux.

— J'aurai toujours une place pour toi, promit Chomsky.

«Mais ça ne te fait rien de m'abandonner...» songea Lovelie sans s'arroger le droit de le dire. Peut-être, après tout, était-il nécessaire qu'il parte.

— Tu as une grande place, maintenant, continua-t-il.

Ils avaient tourné vers l'ouest, dans la rue qui menait à l'école de Genella. Le soleil obliquait, et il s'empara des yeux de Lovelie quand elle regarda son ami. Chomsky n'avait jamais rien vu de si beau : ils étaient saturés de couleur et le soleil semblait se soumettre devant plus resplendissant que lui. Comme pour mieux se laisser contempler, elle s'était arrêtée.

— Une si grande place ? demanda-t-elle.

— Aussi grande que tu veux.

Chomsky respira profondément.

— Viens avec moi !

— À New York ?

— Pourquoi pas ? Tu ne mérites pas de te faire exploiter dans un magasin minable par une vache de belle-mère… Non ! Ne nie pas ! Je le sais. Tu es intelligente, moi, je suis débrouillard. Ensemble, on peut tout faire !

Lovelie se remit à marcher.

— Voyons donc ! J'ai treize ans tout juste, Chomsky !

— Et moi, même pas seize, mais on n'est pas comme les autres, toi et moi. On a vécu plus d'affaires que du monde qui a deux fois notre âge. Arrangée en adulte, tu passerais pour vingt ans.

— Tu rêves, Chomsky ! De toute façon, je veux pas partir, laisser mes amies, ma petite sœur que je viens de retrouver… J'étais heureuse, avant. Ça va se replacer. J'ai commencé à leur faire comprendre. Ma vie est ici. Mon avenir est ici. Le tien aussi, si tu voulais.

Ils étaient à cinq cents mètres de l'école.

— Il faut qu'on se laisse. J'aime mieux que Genella ne te voie pas.

— Oui, fit Chomsky en hochant la tête.

— Merci encore d'être venu, et merci pour Charline. Tu m'as fait un gros plaisir. Mais si tu pars, ça se pourrait qu'il recommence, non ?

— J'y ai pensé. Il est pas très prudent. Il laisse traîner. Je suis sûr que les originaux sont dans sa chambre. Dès que j'ai une chance, je les détruis.

— Attention à toi.

— J'ai pas peur de lui. Mais il s'apercevra de rien.

Chomsky sortit de sa poche un bout de pochette d'allumettes avec le visage bleu du président Kennedy.

— Je suis pas encore parti, hein ! Ça fait que, si tu veux me parler pour n'importe quoi, mettons que Colon essaie une «crosse» avec Charline, bien… je t'ai écrit le numéro de téléphone de l'appartement.

Il avait l'air tout gêné en lui tendant le carré de carton.

— C'est secret. Et si c'est pas moi qui réponds, tu donnes pas ton nom. Tu dis que tu t'appelles… Horacine, comme la bonne femme.

— Chomsky… fit Lovelie d'un air faussement découragé.

— Bien quoi ! Comme ça, on peut pas se tromper, je saurai que c'est toi.

— C'est vrai ! admit Lovelie en souriant.

Tout à coup, sans le moindre préambule, elle se jeta au cou de Chomsky et le serra tendrement. Il sentait le bon savon et sa joue chatouillait un peu. Décontenancé, il hésita avant de passer ses bras autour de Lovelie. Ils demeurèrent enlacés plusieurs secondes, respirant à peine.

Lovelie éprouvait un ample déficit de tendresse depuis son déménagement, Chomsky, depuis toujours.

— Fais attention à toi, lui souffla-t-elle enfin à l'oreille.

— Fais attention à toi ! répliqua-t-il.

Puis elle se détacha et courut vers l'école dans laquelle l'attendait sa petite sœur.

13

La tempête

— Je fais mes devoirs !

En effet, Lovelie était installée devant ses cahiers, sur la table de la cuisine. Il était vingt et une heures quinze.

Auparavant, elle avait préparé le souper, puis desservi, récuré, rangé, et ensuite était allée donner un coup de main au magasin. Rosalyne aurait voulu qu'elle y demeurât jusqu'à la fermeture. Vers vingt heures, Lovelie avait décidé de monter coucher Genella et de consacrer le reste de la soirée à ses devoirs.

Rosalyne l'avait regardée disparaître par l'arrière-boutique, sans rien dire, avec cependant des yeux si mauvais qu'une cliente, se croyant visée, avait décidé d'abréger ses courses. Jérémie ne s'était même pas retourné : rentré peu après Lovelie, vers dix-sept heures, il affichait depuis une mine de sinistré. Les jeudis étaient des journées particulièrement chargées, car il devait livrer les commandes aux quelques restaurants qui commençaient à apprécier les mangues, les papayes, les grenades ou les goyaves du marché Hispaniola, et Jeune avait eu raison de le mettre en garde contre la conduite automobile dans Montréal : le seul décryptage des affiches de stationnement lui causait des maux de tête et il avait déjà recueilli deux contraventions dans le pare-brise du vieux break.

— Ton père veut que tu redescendes au magasin, insista Rosalyne.

— Pourquoi? J'ai ces pages à finir pour demain. Le magasin est fermé. Vous avez pas besoin de moi.

— Vas-tu donc obéir au moins une fois? Ton père... il a des choses à te dire.

Une injure s'agglutina dans la gorge de Rosalyne.

Lovelie posa son crayon: de toute manière, c'était fichu pour sa concentration. Puis elle songea: «Peut-être s'est-il rappelé mon anniversaire et il a une surprise pour moi!»

— J'espère que c'est rien de long. C'est pas des menteries quand je dis que j'ai du travail.

— Il faudra le temps qu'il faudra.

Le mercure avait rechuté sous zéro, et Lovelie, qui n'avait pas pris son manteau, ne s'attarda pas dans l'escalier.

Tout l'avant du magasin était éteint. Sur les étals, les fruits évoquaient des auditoires assoupis. Les bras en croix contre la vitrine, Jérémie D'Haïti soupirait devant le spectacle blafard des voitures qui sillonnaient le boulevard Pie IX. À Montréal, paraissait-il, on ne risquait pas sa vie à sortir après la tombée de la nuit. Mais sortir pour où aller? Les rues étaient vides des voix féminines éclatant dans les cases aux fenêtres ouvertes et tendrement éclairées, vides du rire des enfants attendant que passe la chaleur pour se coucher, vides du tonnerre des hommes débattant sous les palmes qui ventilaient paresseusement les relents de rhum ou de café. Paradis perdu… si loin dans le temps, et désormais dans l'espace.

— P'pa ? fit Lovelie.

Il se retourna avec la lourdeur de l'homme qu'un détestable devoir appelle.

Lovelie aperçut la ceinture qu'il tenait à la main.

— Qu'est-ce qu'il y a, p'pa ? Qu'est-ce que tu fais avec ça ? baragouina-t-elle, la gorge nouée.

Il ne disait rien, respirait bruyamment. Lovelie perçut que, de la tête, Rosalyne l'incitait à agir.

— Lovelie ! prononça enfin Jérémie. Ma fille, je suis déçu de toi.

Il y avait longtemps que Lovelie ne s'était sentie menacée de la sorte. Des images terribles lui revenaient en rafale. Un soir, à Jacmel, elle s'était faufilée afin d'assister à une cérémonie vaudou, et son père l'y avait surprise. Il l'avait fouettée sans ménagement. Elle reconnaissait l'air qu'il avait ce soir-là.

— Quoi, déçu ? se défendit-elle. Je vous ai aidés. J'en fais autant que je peux, mais j'ai mes études, et je m'occupe de Genella aussi. Je suis pas une machine !

— Vois donc comme elle te parle ! Et dans les yeux ! s'indigna Rosalyne. Il était temps que nous arrivions pour corriger cette enfant.

Lovelie haussa le ton.

— Vous… vous n'avez rien à dire. C'est entre mon père et moi !

— Ho !

— LOVELIE ! Excuse-toi ! ordonna Jérémie.

— Pas question ! Comprenez donc que vous êtes

plus en Haïti, où les enfants n'ont qu'à se taire et à subir. Et si tu me frappes avec ça, je te préviens que je vais à la DPJ!

— La DPJ? Qu'est-ce que c'est que ça? railla Rosalyne.

— C'est la police qui protège les jeunes.

— La police! C'est le comble! Elle menace son propre père de le livrer à la police! Cette enfant est une dégénérée. Le démon est en elle.

Lovelie resta interdite. Sa poitrine se gonfla de révolte.

— Le démon! Franchement!

Jérémie leva le bras. Lovelie recula. Jérémie se retint. Lovelie le toisa.

— Qu'est-ce qu'elle t'a raconté pour te mettre dans cet état?

— Ah! comme si c'était moi! persifla Rosalyne.

— Elle ne m'a rien raconté. Je t'ai vue.

— Qu'est-ce que tu as bien pu voir?

Jérémie lâcha le morceau dans un seul souffle.

— Tu m'as fait une grande peine, une grande honte, ma fille, ma propre fille… que… Je t'ai envoyée ici pour que tu deviennes une infirmière…

Lovelie l'interrompit. S'ils en avaient décidé ainsi, elle serait fouettée de toute manière.

— Justement! dit-elle en levant la tête aussi haut qu'elle le pouvait.

Elle était si belle et fière que Rosalyne ne put réfuter, en sa conscience, sa jalousie qu'elle ne fût pas sa propre fille.

— Justement, continua l'adolescente, il faut que

tu saches, je n'ai plus envie d'être infirmière. Je veux entrer dans la police.

Elle eut envie d'ajouter : « pour protéger les enfants. » Les yeux de son père gonflèrent à éclater. Ce qu'il venait d'entendre était trop énorme pour qu'il puisse l'analyser. Il reprit où il avait été interrompu.

— Nous étions tous fiers de toi. Jamais je n'aurais pensé voir ça. C'est une chance que ta mère soit morte. Au moins, cette peine lui aura été épargnée.

Frappée en plein dans la plaie encore saignante de son cœur, Lovelie éclata en sanglots.

— De quoi tu parles ? gémit-elle.

— Tu ne le sais pas, peut-être ?

— Non, maudit, je le sais pas !

Prenant le « maudit » pour lui, Jérémie D'Haïti hurla :

— C'est toi qui es maudite ! Tu as embrassé un homme en pleine rue !

— Ooooh ! C'est rien que ça…

— Rien que ça, dis-tu ? À douze ans, tu te comportes comme une… pécheresse.

— Treize. J'ai treize ans, maintenant, murmura Lovelie.

Elle aurait eu la force et le calme nécessaires pour s'expliquer qu'elle n'en aurait pas eu le temps, la ceinture cingla et l'attrapa dans les jambes.

— Aïe ! Arrête !

Elle esquiva le coup suivant et se retourna pour fuir. Sa belle-mère « de fait » lui bloquait le chemin. Lovelie s'immobilisa et regarda de nouveau son père.

Il ressemblait à un adepte du vaudou en pleine transe. Elle avait une étagère de conserves derrière elle. Elle imagina saisir des boîtes ou des pots et les leur lancer à la tête ou, mieux dans la vitrine pour la fracasser et s'échapper par là.

— P'pa, pour l'amour, je t'en prie, fais pas ça! trouva-t-elle seulement à dire.

— Ne te laisse pas apitoyer! harangua Rosalyne. Tu es son père.

— C'est pour ton bien, dit Jérémie sur un ton souffrant.

Alors, lentement, le désespoir sur le visage, Lovelie s'accroupit, se roula en boule et attendit les coups.

14

Tendre refuge

Lovelie ne se réveilla pas, puisqu'elle avait passé la nuit déchirée entre les douleurs de son corps et celles de son âme, plus vives les unes que les autres.

Elle constata simplement que l'heure de se lever arrivait. Elle ne l'attendit pas, profitant de l'obscurité pour s'habiller aussi vite que le lui permettaient les stries violettes et brûlantes qui marquaient ses cuisses et ses fesses, et qu'elle désirait cacher, à sa petite sœur surtout, qui en eût été marquée à son tour.

À tâtons, elle retrouva les affaires auxquelles elle tenait. Elle rangea sa robe de nuit, qui ne lui faisait plus depuis longtemps, ses savates usées à la corde, ses bijoux de plastique et ses barrettes dans le tiroir de Genella : l'enfant comprendrait. Dans son sac d'école, elle tassa, avec ses devoirs inachevés, les cahiers jaunis remplis de ses premières écritures, ses crayons tout secs, la cinquantaine de gourdes, au cas où, capital essentiellement sentimental glissé dans son carnet de banque, la poupée à tête d'œuf que lui avait offerte une amie avant de partir, désormais endommagée, et surtout, la vieille photo de sa mère, jeune et belle pour l'éternité.

Quand le réveil sonna, elle accomplit ses tâches matinales comme si de rien n'était. Le silence de la dévastation planait sur la maisonnée.

Sans faire d'histoires, Lovelie amena Genella à la porte de son école, l'embrassa très fort, puis s'en alla prendre son autobus habituel.

Cependant, au point de correspondance, elle ne monta pas dans le second autobus, qui aurait dû la conduire à deux pas de l'école. À la place, elle marcha jusqu'à la rue Bélanger et tourna vers l'ouest. Elle n'avançait pas très vite, à cause du feu qui courait encore sur la chair meurtrie de ses cuisses, et il lui faudrait du temps avant d'atteindre à pied la rue Verrier et la demeure des Brûlotte. Qu'importe ! elle était déterminée, et elle préférait ne pas arriver trop tôt. Le vendredi, Germaine ne travaillait pas à l'extérieur, et elle avait l'habitude de commencer lentement sa journée. D'autre part, Lovelie devait songer à ce qu'elle allait lui raconter, lui demander. Elle n'y avait pas réfléchi jusqu'alors, entièrement absorbée par sa décision de partir. Elle aurait aussi pu se présenter à l'école, y passer la journée, parler à Lucie, quelque chose du genre, mais elle ne se sentait pas en état de se retrouver dans la cohue de l'académie, ni d'ailleurs de rester assise à un pupitre. Mme Moïse se serait rendu compte que son élève allait mal, et Lovelie n'aurait pu faire autrement que de tout lui raconter. Malgré l'immense estime qu'elle avait pour elle, elle ne voulait pas que Mme Moïse s'implique, ni personne.

Et plus elle marchait, plus elle «jonglait», c'est-à-dire que, dans le langage de Germaine Brûlotte, elle ressassait sans interruption les mêmes états d'âme, et plus elle jonglait donc, moins elle avait envie d'exposer ses malheurs, plus elle appréhendait le scandale.

Déjà en traversant le boulevard Saint-Michel, elle douta que ce fût une si bonne idée que de se réfugier dans son ancienne famille. Elle serait sûrement accueillie à bras ouverts, mais qu'arriverait-il ensuite ? Sans posséder de notions du droit de l'enfance, Lovelie était néanmoins consciente que les Brûlotte ne pourraient la reprendre sans passer par une procédure longue, complexe, et au résultat incertain.

Plus profondément, ses tergiversations cachaient certainement un peu de cette pudeur, voire de cette honte injustifiée qu'éprouvent les victimes de toutes sortes.

Il y avait plus complexe encore. Elle ressentait pour les Brûlotte, pour les parents, pour sa sœur d'adoption, pour la famille ramifiée, pour Nathalie Durocher et pour tout le petit monde de la rue Verrier, une affection sans faille, mais en se sauvant chez eux, elle faisait sourdre en son for intérieur un absurde sentiment de trahison. Allait-elle mettre face à face les deux moitiés de sa vie ? Allait-elle les comparer, les confronter ? Comment seraient interprétées ces plaies sur son corps, sinon comme la preuve récurrente d'une… le mot lui faisait horreur, et pourtant, elle ne pouvait s'empêcher de l'entendre se répéter dans l'écho de ses pensées, comme la preuve récurrente d'une… *infériorité* ? Était-il possible d'expliquer à quiconque les raisons de sa fugue sans accabler son père ?

Enfin, elle raisonna que, dès qu'on aurait constaté

sa disparition, le premier endroit où on la chercherait serait justement celui où elle se dirigeait, et elle ne pouvait tout de même pas compter sur Germaine pour la cacher telle une petite Anne Frank.

La rue D'Iberville traversée, elle avait renoncé à sa première idée de se réfugier chez les Brûlotte. Elle envisagea de recourir à Charline. Elle lui devait bien ça, et elle était parfaitement capable d'embobiner sa mère avec une histoire de son invention. Par contre, cela ne pourrait guère se prolonger au-delà de la fin de semaine, après quoi Lovelie se retrouverait à peu près dans sa situation actuelle. D'autre part, fait à ne pas négliger, Charline serait-elle capable de réprimer ses penchants amoureux ? Lovelie en avait déjà assez sur le cœur sans y ajouter ça. Non, Charline n'était pas une solution.

Au coin de la rue Papineau, elle s'assit sur un banc public. Elle était fatiguée, physiquement et mentalement. Le temps était plutôt doux, et pourtant elle frissonnait. Une voiture de police passa, et elle se surprit à pencher la tête. Puis elle se rappela le retour de son premier jour d'école, à Montréal, quand Jolicœur l'avait « oubliée » à l'angle des rues Bélanger et Saint-Hubert. Elle se rappelait sa misérable détresse, son sentiment d'avoir été absolument abandonnée. Maintenant, la ville ne lui faisait plus peur, elle avait appris à la connaître, mais le sentiment d'abandon, lui, était aussi amer, voire plus encore, car elle en était davantage consciente. Elle se souvenait d'avoir prié. Elle essaya : la conviction n'y était pas. À quoi bon demander à Dieu de la tirer d'un état dans lequel il aurait pu, et dû, éviter de la mettre? Réflexion dévastatrice! Si Dieu avait cessé de l'aimer? L'image de l'abbé Saint-Louis apparut dans ses pensées. Elle n'avait plus de ses nouvelles. Autant regarder les choses en face, lui aussi s'éloignait. Inutile d'aller frapper à la porte du presbytère.

Pleurer? Se jeter sous les roues de ce camion de bière qui roulait trop vite? Oui, elle serait volontiers morte, là, sans lutter.

Il lui restait Chomsky… pour quelque temps. À moins que… L'idée de le suivre ne lui semblait plus si absurde, tout à coup. Ne se sentait-elle pas toujours soulagée en sa compagnie? Il était solide, il était fort, et il l'aimait. Lui ne l'abandonnerait jamais! Elle s'imagina tel Huckleberry Finn sur son radeau, parcourant les États-Unis: ça n'avait aucun rapport, mais c'était la seule image de fuite dont elle disposait. La perspective d'un monde différent lui souriait, un monde où elle serait une inconnue, où elle n'aurait rien à expliquer à personne, où elle n'aurait pas de grands projets, où à chaque jour, pour vrai, suffirait sa peine. Plus tard, elle reviendrait, libérée et belle.

«Tu rêves, songea-t-elle en posant la main sur son sac, au fond duquel sommeillait sa poupée à tête d'œuf. Tu rêves, Lovelie D'Haïti! Et tu laisserais là tes amies, ta sœur de cœur Lucie et la petite Genella? Tu ne veux pas ça, bien entendu, mais qu'est-ce que tu pourras tant faire pour les autres, quand on t'aura détruite?»

Elle demeura un long moment vide de pensées, les yeux mi-clos.

— *Kouman ou ye, tipitit ?*[1] demanda une voix.

Lovelie leva les yeux. C'était une vieille femme noire qui venait de s'asseoir à côté d'elle.

— *M byen wi, matant ; m pral lekòl.*

Elle se leva comme une automate et recommença à marcher. Dans sa poche droite, elle retrouva le petit carré de carton sur lequel Chomsky avait inscrit son numéro de téléphone. Elle se ravisa et revint sur ses pas.

— *Ou kab prete m 25 kòb pou m telefone, paske m pa senti byen, m vle rele la kay mwen.*[2]

— *Pa gen pwoblèm*, répondit la dame d'une voix grêle.

Elle portait des gants de laine aux extrémités trouées. Voûtée, elle fouilla dans son sac qui ne semblait contenir que des mouchoirs de papier. Elle déposa la pièce dans la main ouverte de Lovelie.

— *Mèsi anpil. Si m wè w ankò, m ap renmèt ou kòb lan.*

— *Pa kase tèt pou sa. Fò m al p'end'mon chiff'*, dit la vieille femme en se levant péniblement.

---

1. — Ça va, petite ?
   — Oui, oui, madame. Merci. Je m'en vais à l'école.

2. — Madame, est-ce que vous pourriez me prêter une pièce pour téléphoner ? Je me sens pas bien, je voudrais appeler chez moi.
   — Je peux faire ça pour toi.
   — Merci beaucoup, madame. Si je vous revois, je vais vous la rendre, c'est promis.
   — Ne t'en fais pas avec ça. Il faut que j'aille prendre mon quart de travail.
   — Qu'est-ce que vous faites ?
   — Je suis couturière.

— *Nan kisa wap travay?*

— *M se koutiryè.*

Elle se dirigea vers une maison de rapport. Probablement travaillait-elle au noir dans un atelier clandestin.

Lovelie remonta la rue Papineau et aperçut une cabine téléphonique.

— Pourvu que ce soit lui qui réponde ! Pourvu que ce soit lui ! se répétait-elle en comptant les sonneries.

— Allo ! fit une voix endormie.

— Chomsky ?

Il y eut une hésitation perceptible.

— De la part de qui ?

Lovelie se rappela qu'elle devait donner un faux nom.

— Ah oui ! Euh… C'est Mme Moïse !

— Lovelie !

— Chomsky, c'est toi ?

— Oui. J'étais pas sûr de t'avoir reconnue. Il est juste neuf heures. T'es pas à l'école ?

— Non, je… je veux te parler.

Lovelie avait des sanglots dans la voix.

— Qu'est-ce que tu as ? Quelqu'un t'a fait du mal ?

— Je… je me suis sauvée.

— Sauvée ! Où est-ce que t'es rendue ?

Chomsky arriva en taxi avant que la demi-heure qu'il avait promise ne fût écoulée. Lovelie se jeta dans ses bras, au bord des larmes. Chomsky était gauche dans la tendresse, mais le contact de son torse ferme réconforta Lovelie.

Il l'entraîna à l'arrêt le plus proche pour sauter dans le premier autobus. Même si la disparition du garçon avait sans doute été signalée depuis l'automne, il y avait peu de chances que des patrouilleurs se donnent la peine de rechercher activement un jeune Noir qui n'était jusque-là accusé d'aucun crime, mais le principal intéressé préférait croire le contraire. Dans la rue, on a toujours l'air louche quand on ne se dirige pas quelque part.

Chomsky ne voulait pas emmener Lovelie à l'appartement avant le début de l'après-midi, alors qu'Andy Colon serait parti vaquer à ses affaires ; lorsque ce dernier rentrerait, il serait placé devant le fait accompli. De l'autobus, ils passèrent donc dans le métro, dont ils parcoururent le circuit sans attirer l'attention, jusqu'à Longueuil, où ils mangèrent des poutines au casse-croûte de la station.

Jamais ils n'étaient restés ensemble un si long moment. Le récit des événements qui venaient d'ajouter des marques dans la vie de Lovelie fut bref. Elle ne tenait pas à s'y attarder : elle éprouvait un puissant désir de tourner la page, et son compagnon n'avait pas besoin de poser de questions pour comprendre. Ils se consacrèrent plutôt à ce qui se fait le plus aisément à leurs âges : ils échafaudèrent des rêves.

Ils partaient dans la soirée de dimanche, en compagnie d'un complice qui traversait régulièrement la frontière à un poste dégarni la nuit. Il valait mieux ne rien savoir des affaires de ce complice, qu'ils quitteraient de toute façon aux abords de New York.

Ensuite, au lieu de demeurer à New York, ils descendaient jusqu'à Miami, où vivait déjà une importante communauté haïtienne. Ils trouvaient à se loger sans problèmes : la vie était bon marché en Floride. Par la suite, lui travaillait dans un restaurant ou effectuait des petits travaux de jardinage. Lovelie ne voulait pas être en reste : elle avait déjà un peu d'expérience, et avec tous les Québécois installés là-bas, sa connaissance du français aidant, un revendeur de fruits et légumes l'engageait. Avec son charme naturel, le succès était assuré et bientôt, le jeune couple joignait ses efforts et se lançait à son propre compte. Ils faisaient des économies et, un jour, ils régularisaient leur situation, ils retournaient en Haïti… sauf que là, Lovelie était moins tentée. Alors, d'un commun accord, pour ne point écorcher le pur cristal de leurs rêves, ils laissaient cette page en blanc.

Il n'y avait personne avec eux pour poser les innombrables bémols qui s'imposaient à chaque mesure de leur mélodie du bonheur. De toute manière, qui eût tenté de leur montrer la réalité eût gaspillé ses efforts. Rêver n'était pas un luxe pour eux, c'était une nécessité.

Pas une seconde, ce jour-là, Lovelie ne regretta de s'être sauvée et surtout d'avoir appelé son ami. Auprès de lui, elle se sentait unique et unifiée : Chomsky ne parlait pas, il murmurait, comme si tout ce qu'il disait était un secret qu'il lui confiait, et le fil de ses mots recousait les lésions de son âme, l'enrobait dans un cocon cotonneux d'où elle perdait de vue les chagrins qu'elle causerait en quittant les gens qu'elle aimait.

L'appartement était désert quand ils y pénétrèrent. Lovelie trouva d'emblée que ça sentait mauvais, surtout qu'elle était essoufflée d'avoir couru depuis l'autobus. Dans le secteur du marché Hispaniola, le danger était réel qu'elle fût reconnue. Cela n'était pas arrivé, et elle en remercia son ange gardien — si un tel ange existait, il aurait bientôt des comptes à rendre à ses supérieurs.

La première chose que fit Chomsky fut de téléphoner pour confirmer auprès de son complice qu'il y aurait bien de la place pour deux passagers dans la voiture, le dimanche soir. Ensuite, avec Lovelie, il descendit au sous-sol, où se trouvaient un lave-linge à péage et un séchoir, pour laver son sac de couchage et une des vieilles couvertures qui traînaient çà et là dans l'appartement, lequel comptait trois chambres. Celle qu'il occupait n'était garnie de rien d'autre que d'un matelas posé par terre, avec une affreuse lampe à côté, et d'un fauteuil bancal sur lequel étaient jetés pêle-mêle ses vêtements. Elle était laide, avec la serviette de plage crasseuse qui servait de rideau à une fenêtre qui aurait pu s'en passer, tant elle était sale.

Lovelie comprit qu'elle dormirait dans cette chambre ; quant à son ami… Tacitement, ils éludèrent cette question. Il y avait pourtant une chambre libre, mais, étant donné sa vocation habituelle, il était hors de question pour Chomsky que sa protégée y mît le bout d'un orteil. Il priait d'ailleurs le hasard de faire en sorte que cette chambre restât inutilisée durant leur bref séjour, pour ne pas avoir à fournir de pénibles explications ou à inventer des mensonges qui le seraient tout autant. Restait le divan du salon, dont il se serait accommodé si Lovelie le lui avait demandé. Elle ne le fit pas, car elle redoutait de se retrouver seule avec elle-même.

Personne ne se manifesta durant la soirée. Chomsky commanda de la pizza et ils regardèrent la télévision. Lovelie devait fournir un effort pour maintenir ses paupières ouvertes. Sa tête dodelinait.

— Tu veux te coucher? demanda bientôt Chomsky.

Lovelie acquiesça dans un murmure.

Moment délicat! Lovelie portait sa jupe d'école, et il fallait bien qu'elle l'enlève pour dormir.

— Je… tu… ? baragouina Chomsky.

— Reste! répondit spontanément Lovelie à la question non posée. Reste avec moi… si tu veux… mais…

Elle ne savait pas comment le dire, elle ne savait pas si elle devait le dire. Hormis la sinistre expérience qu'elle avait subie à six ans, elle avait de ces choses une connaissance essentiellement technique, tout juste enrichie de papotages de fillettes.

— Je comprends, dit Chomsky.

Il détourna les yeux. Lovelie se glissa sous le sac de couchage ouvert à la grandeur, retira sa jupe et la plia soigneusement pour la poser sur un coin pas trop sale du plancher.

— Tu peux venir, dit-elle en lui faisant une large place à son côté.

Chomsky s'installa à l'indienne sur le matelas.

— Tu n'es pas obligé de rester, continua la jeune fille. J'ai rien que treize ans… mais je suis pas « niaiseuse »… tu sais que j'ai vécu des affaires… C'est pas pour ça. Un jour, c'est sûr qu'on va le faire, mais pas maintenant…

Mais, mais… Elle zigzaguait confusément, fatiguée, apeurée, seule tout à coup dans une chambre avec un garçon, pour la première fois, un saut quantique, du néant au rêve, du rêve à la réalité de cette couche, avec un garçon qu'elle aimait sans aucun doute, sans trop savoir comment, jusqu'à quel point, et la conscience viscérale de ce qu'elle ne devait pas faire.

Elle était étendue sur le dos, le sac de couchage remonté sur ses seins, dont les formes demeuraient néanmoins apparentes. Chomsky n'osait trop la regarder : il crevait de désir. Dans leurs pérégrinations de la journée, ils s'étaient tenus par la main, s'étaient enlacés quand ils avaient pu le faire en toute discrétion, bécotés même, et le désir n'était pas moindre, sauf qu'il était contenu par l'environnement. Ici, les obstacles étaient abolis.

— Je demande rien, dit-il enfin.

Elle tourna vers lui son visage sur lequel le sommeil avait jeté un premier voile. Elle était belle à faire peur.

— Tu es tellement fin, murmura-t-elle, et elle se glissa contre lui. Je vais m'endormir vite. Après…

— Je reste avec toi.

Il se détacha un moment pour éteindre la lampe, puis s'étendit.

— Tu vas dormir tout habillé ? remarqua Lovelie.

— Ça me dérange pas.

Lovelie passa son bras sur son torse, se souleva, approcha son visage du sien. Le vert vespéral de ses yeux perçait la noirceur. Chomsky crut que son cœur allait exploser. Du doigt, elle chercha et toucha la cicatrice près de son œil gauche, qui l'avait toujours fascinée, qui dessinait une vallée courte et escarpée dans le paysage elliptique de son visage. Elle y posa les lèvres.

— Juste t'embrasser, souffla-t-elle, je peux ?

Il répondit en se tournant sur le côté, passant son bras sous elle, il approcha ses lèvres à son tour. Une fois, deux fois, trois fois, leurs bouches se touchèrent, puis elle laissa venir sa langue… Elle sentit la masse de son sexe dans son pantalon, si dure qu'elle crut d'abord à un objet. Elle ne le repoussa pas. Elle eut tout à coup l'impression que son soutien-gorge était trop petit, et ce n'était là qu'une des multiples et étonnantes sensations qui parcouraient son corps.

Chomsky retira sa bouche, attira sa tête contre son épaule, ajusta sa position et respira profondément.

— Dors bien, dit-il.

15

Sale coup

À bout de forces, Lovelie dormit toute la nuit
malgré l'inconfort du matelas déformé.

Il en fut autrement de Chomsky. D'abord, le contact
de ce corps élancé aux tendres reliefs ne cessait de
l'affoler. Il songea à sa propre mère, qui avait eu son
premier enfant, lui-même, à quatorze ans, d'après
la saga familiale relatée par sa tante, car du côté de
la paperasse, l'authenticité était aléatoire. Il n'avait
que deux ou trois souvenirs d'elle, le contact d'une
main serrant la sienne, une voix claire qui chanton-
nait : « Viens ! On va au marché Vallières. » Étrange :
sa mère ne parlait pas français et c'était pourtant dans
cette langue qu'il se la rappelait ! Il confondait. Il y
avait tant de femmes de tous les âges, dans le joyeux
fouillis humain de Port-au-Prince. Et que dire de son
odeur chaude et sucrée, quand elle le laissait poser la
tête sur sa cuisse et lui grattait les cheveux du bout des
doigts ! Cela n'arrivait pas souvent. À part de l'appeler « m'man », de l'accompagner dans ses courses, et
c'était probablement les autres qui le lui suggéraient,
et de recevoir d'elle, rarement, une gâterie de rien du
tout, peu de choses distinguaient sa mère des jeunes
femmes de la parenté, qui était très large. Elle avait
une autre vie que lui. Un jour, il avait pris l'avion et
elle n'était pas là pour les adieux.

Qu'était-elle devenue ?

Qui donc avait organisé son départ ? Son père ? Chomsky n'avait aucune idée de son identité. Ce pouvait être n'importe lequel des hommes qui avaient peuplé son enfance tronquée. Il ne le croyait pas. On n'aurait pas fait tant de mystère pour un voisin, un cousin. Quand il posait des questions, on lui répondait que son père était mort et qu'il ne servait à rien d'en savoir davantage. En grandissant, en prenant conscience des saletés que la vie fait volontiers, Chomsky avait acquis la conviction que sa mère avait été violée, ou vendue, ce qui revenait au même. Le coupable était sans doute un personnage important qui, saisi de remords, ou de crainte, avait pris les moyens d'éloigner de lui ce fils malvenu. Il avait bien fait, car Chomsky rêvait souvent de le retrouver et de le tuer.

La serviette qui servait de rideau laissait couler la lumière glauque d'un réverbère. Il en passait aussi sous la porte. Lovelie dormait sur le côté, tournée vers Chomsky. Il ne se lassait pas de la contempler dans son sommeil d'enfant, innocente et vulnérable. Il ferait tout pour la protéger. Il l'aimait, de cette rare forme d'amour qui naît longtemps avant l'éveil de la sexualité. En ce matin du 14 mars 1986, la vie de Chomsky Deshauteurs avait basculé, pour le mieux. Lovelie avait fait appel à son aide, et il avait répondu sans hésiter. Dans cette nuit où seule la lente respiration de la dormeuse rythmait le flot de ses réflexions, il réalisa qu'il venait de prendre une extraordinaire responsabilité. Et s'il devait confesser un certain vertige devant la hauteur de l'engagement, il n'y avait pas l'ombre d'une remise en question dans son cœur.

À deux heures, il entendit le pas d'Andy Colon dans l'escalier de l'immeuble. Il entra et Chomsky fut soulagé de constater qu'il était seul. Il l'écouta remonter le passage, entrer dans la salle de toilette. Il en ressortit après un moment pour aller dans la cuisine. Chomsky l'imagina ouvrant le frigo et découvrant avec satisfaction la boîte de carton caractéristique qui contenait le quart d'une grosse pizza au saucisson et au fromage. Chomsky lui laissa encore le temps de s'installer, puis il se leva.

Andy Colon jeta à peine un regard à son associé quand celui-ci apparut dans l'ouverture de la cuisine.

— Yo! fit-il sans cesser de mastiquer la pizza glacée.

Il avait ses yeux de bamboula, rouges et creux. Chomsky se dit que d'une manière ou d'une autre, leurs routes devraient se séparer. Andy Colon sortait maintenant presque tous les soirs et rentrait dans des états incompatibles avec l'exercice de son dangereux métier. Pas besoin d'être un fin limier pour déduire qu'il avait pris l'habitude de tester lui-même, et plutôt cinq fois qu'une, la marchandise qu'il vendait, chair ou poudre. Il buvait aussi. Il dépensait tout, affectionnait de montrer sa puissance, son cynisme, sa cruauté. Il finirait par commettre une gaffe fatale. Chomsky se pardonnait mal d'avoir déjà admiré ce faux caïd. Ce n'était pas un parrain, c'était un exploiteur, un exploiteur d'enfants.

— J'ai une visite, dans ma chambre, dit Chomsky.

Andy Colon esquissa un sourire narquois.

— Tiens ! C'est une fille, j'espère !

— Une cousine…

— Une cousine, oui, bien sûr… Elle a un beau *boudda*, ta petite cousine ?

— C'est pas ce que tu crois, elle est… elle est avec moi, répondit Chomsky avec fermeté.

— Ho ! Ne t'en fais pas, je ne joue pas dans les plates-bandes des *patnè*, marmonna le jeune homme en se curant une molaire avec l'ongle de son pouce. Elle est ici pour la nuit ?

— Jusqu'à dimanche soir. Je la fais passer aux États-Unis.

— Excuse-moi ! siffla Andy Colon. C'est du sérieux ! Et tu fais ça comment ?

— Je me suis arrangé.

— Avec… ?

— Je veux pas en parler. À demain, voulut conclure Chomsky en se retournant.

— C'est comme tu veux, je respecte. Le gros coup, ça t'intéresse toujours ?

— Oui ! Ça marche ?

— Hé ! Tu connais Colon ! J'ai travaillé pour toi, aujourd'hui. Tout est arrangé. Si tu ne changes pas d'idée, ça se fera demain après-midi… je veux dire, cet après-midi, rectifia-t-il après avoir consulté sa montre, un peu avant dix-huit heures. Tu verras, il te faut juste une bonne dose de *guts*, et c'est le coup le plus facile, le plus payant dont on puisse rêver : une caisse pleine de *cash*, pas de système d'alarme, pas de caméra, une famille de *just-come* qui va prendre une demi-heure avant d'appeler les cochons…

— C'est des Haïtiens ? s'inquiéta Chomsky.

— Bien oui. Écoute, ils vont y passer au moins une bonne fois, c'est sûr, avant de comprendre comment ça marche ici, alors autant que ça reste dans la communauté, hein !

Chomsky acquiesça mollement. Il craignait de deviner la suite.

— Seule difficulté, poursuivit Colon, c'est en plein boulevard Pie IX.

Chomsky fronça les sourcils.

— Le marché Hispaniola ?

— Juste ! répondit Colon dans un demi-sourire, sans remarquer le malaise que ce nom causait à son interlocuteur. Une seule difficulté, facile à surmonter : il suffit d'avoir une voiture avec chauffeur qui t'attend à la porte. J'ai tout organisé.

— Qui va m'attendre ?

— Un autre *patnè*. Tu n'as pas besoin de savoir son nom, il ne connaît pas le tien.

— J'aurais aimé mieux un gars que je connais, justement. Serginald, par exemple, il conduit bien…

— Il n'a pas son permis. On ne sait jamais ce qui peut arriver. Une fausse manœuvre, et les cochons t'arrêtent. Si tu as un permis, tu as une chance de t'en sortir, autrement…

Chomsky réfléchissait à toute vitesse. Est-ce que

son associé savait pour Lovelie? Est-ce qu'il se rappelait seulement l'existence de cette fillette qu'il avait livrée à un pédophile six ans auparavant? Il se souvenait bien de Charline, mais il y avait des photos, dans son cas. Les contacts entre lui et Lovelie avaient été brefs, et elle avait tout de même une allure bien différente. Et puis, il y avait de fortes chances qu'il eût observé le marché Hispaniola à des heures où elle n'y travaillait pas; peut-être même n'y avait-il pas mis les pieds, confiant la tâche à l'un ou l'autre de ses fameux *patnè*. Quant aux scrupules qu'il pouvait avoir à attaquer le commerce des parents de sa plus chère amie, il n'eut qu'à se remémorer le traitement qu'ils lui avaient infligé pour les balayer de son esprit.

— Alors, tu marches? redemanda Master C en s'étirant sur sa chaise.

— Oui, oui… assura Chomsky. Mais, j'insiste, je paie ma cote pour rester ici, et ma chambre, c'est ma *kay*[*]. Ma cousine va rester dans ma chambre et je veux pas qu'elle soit dérangée, par personne.

— C'est beau! C'est beau! s'offusqua l'autre. J'ai compris! Je ne suis pas un ogre! Je te garantis que je fais comme si elle n'existait pas. Et si elle sort pour aller à la toilette, je cours me cacher dans le placard le plus proche.

— C'est pas pour te fâcher… c'est pas une Manouchka, tu comprends.

— Je comprends. Justement, Manouchka, elle

---

[*] Maison.

n'est pas disponible en fin de semaine, il y a un mariage dans sa famille. Moi, demain après-midi, je suis sur le coup aussi, je tourne autour dans une autre auto, au cas où il y aurait un pépin. Mais on verra ça demain.

* * *

Lovelie trouvait ce samedi terriblement long. Chomsky l'avait quittée vers quinze heures. Elle se rongeait les ongles. Il ne lui avait communiqué aucun détail, elle ne lui avait rien demandé. Il avait seulement mentionné ce gros coup dont il lui avait parlé et qui allait rapporter assez d'argent pour les mettre à l'abri du besoin pendant plusieurs semaines. Elle n'aimait pas ça, même s'il lui avait promis que c'était le dernier. La chambre était à peine assez grande pour tourner en rond. Elle avait plié soigneusement les vêtements de Chomsky et les avait placés de manière à pouvoir utiliser le fauteuil, mais elle craignait qu'il ne casse et elle se relevait aussitôt assise. Ce n'était pas elle qui avait exigé cette promesse. De quel droit aurait-elle posé ses conditions ? N'était-ce point elle qui l'avait appelé à son secours ? N'était-ce point elle qui se trouvait en position de faiblesse, confinée à cette chambre, n'ayant nulle autre place où s'abriter ? Elle tournait en rond, et son esprit avec. Elle s'arrêtait parfois et se pinçait le poignet afin de s'assurer qu'elle était bien éveillée. Était-elle seulement encore Lovelie D'Haïti ? Elle ne disposait que du reflet flou de la toute petite glace du poudrier offert par Mme Nadler pour le vérifier. Qu'était donc devenue la fillette qui, quelques mois plus tôt, menait une vie innocente et remplie d'espoir ? Ce ne pouvait être cette même fillette qui se rongeait maintenant d'angoisse en attendant le retour d'un jeune criminel avec lequel elle projetait de s'enfuir et de poursuivre sa vie dans la clandestinité. Un mauvais génie lui avait jeté un sort et avait échangé sa vie contre celle d'une autre. Elle s'étendait sur le lit, regardait le plafond, et le plafond était vide et bas tel un cadavre de ciel. À intervalles réguliers, il lui revenait l'idée de prendre ses affaires et de déguerpir, de retourner au marché Hispaniola et d'affronter la colère et les coups, ou sur la rue Verrier, implorer le secours des Brûlotte. Bref, elle ressassait toutes les options qu'elle avait envisagées la veille et, au bout du compte, elle restait là, par indécision, et pour Chomsky.

* * *

Andy Colon, installé dans une cabine téléphonique, à cinq cents pas du marché Hispaniola, regarda passer la Plymouth Reliant K bordeaux à bord de laquelle se trouvaient Chomsky Deshauteurs et un homme d'âge mûr à l'allure de chauffeur de taxi.

Chomsky était nerveux, cela allait de soi : il n'avait jamais commis de vol à main armée. Le chauffeur, à côté, ne lui avait pas adressé deux mots, sinon pour réviser le plan. Il avait un air sombre, à croire qu'il conduisait un corbillard.

Chomsky serrait dans sa poche le pistolet que lui

avait «prêté» son associé. Il n'en connaissait ni le calibre, ni la marque, il savait seulement qu'il était chargé. Il était bien entendu hors de question qu'il tirât sur quelqu'un, le pistolet ne servait qu'à menacer. Donc, il devait le pointer sur la caissière, ou le caissier, le doigt sur le pontet et non sur la détente. Dans l'hypothèse extrêmement improbable où on ne lui obéirait pas immédiatement, il pourrait démontrer sa détermination en tirant un coup de semonce dans les poches de riz qui étaient empilées près de l'entrée. Enfin, si, malchance digne à l'inverse du gros lot de la loterie, l'aventure tournait au pire, les autres balles, tirées en l'air, serviraient à décourager les poursuivants. «Mais de quoi on parle, là? de demander Andy Colon. Qui pourrait bien te poursuivre? Quand ils vont voir ton *gun*, ils vont faire dans leur culotte et fourrer l'argent de la caisse tellement vite dans le sac que tu n'auras même pas le temps de trouver ça *tripant*!»

Il s'agissait d'un sac de sport Adidas absolument banal, plié sous le manteau de Chomsky. Le scénario était simple, son rôle, on ne pouvait plus clair. Il entrait comme un chaland tardif, fouinait dans les fruits, le temps de laisser sortir, autant que possible, les derniers clients, et juste avant dix-huit heures, il posait sur le comptoir une noix de coco, une goyave, un avocat, n'importe quoi, mettait la main dans sa poche comme s'il allait payer, et sortait plutôt le pistolet, jetait le sac sur le comptoir et hurlait l'ordre d'y vider la caisse.

Cela fait, il se dépêchait de gagner la sortie en pivotant sur lui-même et sans cesser de brandir son arme dans toutes les directions. La voiture l'attendait dehors, portière ouverte, il s'y engouffrait, et le reste n'était que détails sans intérêt.

Il portait un pull à capuche de style «kangourou», une casquette à l'effigie des *Expos* de Montréal et de fausses lunettes. La capuche relevée, le col sur le menton, jamais les victimes sous le choc ne pourraient fournir matière à dresser de lui un portrait-robot utile, c'était garanti.

— Salut, mon gars, dit le chauffeur. Je… tu…

Chomsky eut l'impression qu'il cherchait à s'excuser de quelque chose, sans doute d'avoir, dans ce coup, le rôle facile.

— À chacun sa part, dit le garçon pour l'apaiser. On fait ce qu'on nous demande, c'est tout !

— Oui… ce qu'on nous demande.

— À tout de suite !

— C'est ça.

L'homme se frotta le nez, il avait le regard humide.

«Il est pas fait pour ce métier !» songea Chomsky.

Master C, le combiné à l'oreille, regarda la voiture qui s'arrêtait à environ cinquante mètres du marché Hispaniola. Chomsky en descendit pour faire le reste du chemin à pied. Tout se passait comme convenu : la voiture avait toute la marge nécessaire pour attendre et s'avancer au moment exact où Chomsky ressortirait. Sauf que c'était ici qu'Andy Colon avait planifié une variante dont son partenaire n'avait aucune idée.

«Il y a un hold-up au marché Hispaniola !» déclarat-il. Il affirma qu'il avait aperçu, à travers la vitrine, un jeune Noir qui brandissait une arme devant la caisse. Il donna l'adresse approximative du marché, refusa de se nommer et raccrocha. Chomsky venait d'entrer dans le commerce. Celui qu'on ne pourrait plus appeler son associé sortit de la cabine et leva le bras pour signifier au chauffeur de la voiture de venir le prendre.

* * *

Lovelie n'en pouvait plus d'attendre.

« À dix-neuf heures, si je ne suis pas revenu, avait dit Chomsky, va-t'en d'ici. Prends un taxi et rends-toi chez ton ancienne famille. Tu me le promets ? »

Elle avait promis, bien sûr.

À un moment donné, elle n'y tint plus. Elle était seule dans l'appartement. Elle sortit de la chambre et commença à arpenter le passage, du salon à la cuisine et de la cuisine au salon. L'appartement était sale, et elle se sentait sale aussi. Elle avait furieusement envie d'un bain, mais la baignoire, blanche à l'origine, était marbrée d'un caca d'oie repoussant : elle n'y aurait même pas posé les pieds pour une douche. Elle essaya de regarder la télévision : elle avait le choix entre une partie de quilles et une reprise de *L'île de Gilligan*. Elle persista cinq minutes, puis, incapable de stopper le tournis infernal de ses cogitations, elle éteignit et se releva. Passant devant la porte de la première chambre, un subit accès de curiosité la lui fit ouvrir. Une odeur déplaisante envahit ses narines, un relent de caillé et de transpiration qui provenait d'un lit défait. La présence de ce lit, alors que Chomsky n'en avait pas, dans cette chambre apparemment inoccupée, intrigua Lovelie. Elle s'abstint d'entrer, et referma.

Dans la cuisine, elle but un peu d'eau à la régalade et, penchée sous le robinet, elle aperçut la porte entrouverte de la troisième chambre, celle d'Andy Colon. Elle songea tout de suite à Charline, aux photos ! Peut-être se trouvaient-elles juste là, à une douzaine de pas, accessibles ! Il ne lui faudrait que quelques secondes pour jeter un coup d'œil.

Sur la pointe des pieds, comme si les voisins l'épiaient au stéthoscope, la gorge serrée, elle ouvrit lentement la porte, puis alluma. Elle vit un grand lit impeccablement fait, ce qui pouvait surprendre, mais Andy Colon avait conservé une ou deux bonnes habitudes de ses années de prison. Le long du mur opposé, il y avait une table rudimentaire assemblée avec un panneau de contreplaqué et deux chevalets subtilisés sur un chantier. Sur la table, par contre, le désordre régnait en maître absolu. Autour d'un vaste cendrier débordant de cendre et de mégots, qui dégageait une odeur âcre, s'amoncelaient des objets hétéroclites, des briquets, des paquets vides de cigarettes, des sachets de plastique ayant contenu une poudre blanche, des cassettes audio, des papiers divers, des exemplaires du magazine *Ebony*, entrouverts sur des photos de corps féminins qui, tout en repoussant Lovelie, la ramenèrent à l'objet de sa recherche. Elle n'avait pas le courage de procéder à une fouille exhaustive, il fallait qu'elle trouvât vite. Elle n'avait jamais vu les terribles photos, mais Charline avait parlé de photocopies… Elle repéra le coin d'une chemise beige qui dépassait de dessous un magnétocassette bas de gamme. Elle tira sur la chemise, souleva le coin jusqu'au milieu approximatif, et ce fut assez. C'était ça, indiscutablement ça, des reproductions de mauvaise qualité, mais explicites, de photographies montrant une fille qui… C'était Charline !

Dans un premier temps, Lovelie s'appliqua à retrouver un souffle régulier. Brusquement, elle ne pensait plus à ses problèmes, toutes ses facultés étaient mobilisées afin de décider quoi faire de sa trouvaille.

Elle souleva de nouveau le coin et, en s'efforçant avec succès de ne rien faire bouger, en s'efforçant surtout de ne pas trop regarder les sordides images, elle retira les feuilles de la chemise. Elle les plia en deux. Elle pensa les brûler, puis se dit que la meilleure solution, bien que plus longue, était de les déchirer en petits morceaux et de les expédier à petites doses dans la toilette.

* * *

Tel un acteur entrant en scène, Chomsky perdit son envie de vomir dès qu'il referma la porte du marché Hispaniola. Trois clients attendaient à l'unique caisse, tenue par Rosalyne, assistée de Jérémie D'Haïti pour emballer la marchandise. Trouver les deux seuls adultes derrière le comptoir constituait une situation idéale. Il aurait été moins encouragé s'il avait su qu'une heure avant, le troisième adulte, M. Jeune, était passé prendre le gros des recettes de la journée pour aller le déposer à la banque.

Ainsi que le voulait le plan, il se dirigea vers l'étal de fruits. Jérémie D'Haïti le suivit d'un curieux regard. Chomsky essaya de paraître détendu. Il croyait que les clients à la caisse étaient les derniers, mais il aperçut, au fond, un garçon qui s'attardait. Son allure, son visage lui étaient familiers, c'était… ce petit emmerdeur, comment s'appelait-il déjà? Gédéon, oui! Chomsky lui tourna le dos: ce petit imbécile, qui avait déjà sollicité une place dans sa bande, était bien capable de tout gâcher! Il n'y manqua pas.

Le garnement sortit des rayons et vint se placer derrière le dernier client, un sac de croustilles à la main.

«Oh, *shit*! Quel attardé!» se dit Chomsky en observant comment Gédéon serrait le bras gauche contre son corps, manière explicite de proclamer à la ronde qu'il cachait quelque chose sous son manteau. Fatalement, la chose n'échappa pas à Rosalyne qui, interrompant le service de la cliente précédente, s'exclama:

— Qu'est-ce que tu caches là, toi?

— Moi?

— Oui, toi! Qui d'autre?

— Je cache rien.

— Eh! Faut pas me prendre pour une bourrique!

— J'ai mal au bras!

À l'air que firent Rosalyne, Jérémie, et même la cliente, Gédéon comprit que son mensonge était aussi vain que maladroit. Il décida de prendre la poudre d'escampette, mais Jérémie, qui avait déjà amorcé un mouvement, l'attrapa par la manche.

— Touche-moi pas, t'as pas le droit! gémit Gédéon.

Mais, sûr au contraire de son droit, Jérémie D'Haïti n'avait nullement l'intention de laisser filer le filou sans lui donner une bonne leçon. Gédéon pivota pour se dégager, ce qui le força à lâcher une partie de son butin : trois cannettes de bière qui tombèrent lourdement sur le plancher. Pour rendre la scène plus spectaculaire, une des cannettes s'entrouvrit et se mit à pisser du liquide jaune sur les bottillons de la cliente qui hurla de surprise et d'indignation.

À ce moment précis, la porte du magasin s'ouvrit brutalement et un policier fit irruption, l'arme au poing.

— QUE PERSONNE NE BOUGE ! hurla-t-il, en jetant un regard mauvais sur toutes les personnes présentes.

Un collègue arriva aussitôt derrière lui, animé de la même détermination.

* * *

Assise du bout des fesses sur le bord de la baignoire, Lovelie jetait dans la cuvette de la toilette une petite poignée à la fois des photocopies réduites en menues déchirures, actionnait la chasse d'eau, attendait que le réservoir se remplisse, et recommençait. L'accomplissement méticuleux de cette tâche monotone lui faisait le plus grand bien. Elle avait moins le sentiment d'être une souris en cage, stupide et inutile. Au contraire, elle rendait service à Charline et nuisait à Andy Colon…

Elle n'entendit pas les pas dans l'escalier de l'immeuble, pourtant si mal insonorisé, et quand la porte s'ouvrit, elle échappa un bref cri de surprise.

Nerveusement, elle rassembla ce qui restait de déchirures et les jeta d'un coup. Hélas ! le niveau d'eau de la cuvette était en phase montante.

Lovelie reconnut Andy Colon dès qu'il apparut devant la porte ouverte de la salle de bain.

— Tiens donc ! murmura-t-il sur un ton chargé de sous-entendus malsains.

Lovelie bondit pour fermer la porte, mais il la bloqua sans efforts.

— Voyons ! Qu'est-ce qui te prend, ma belle ? Je ne suis pas un monstre.

Il entra. Lovelie était coincée. Flairant quelque chose, Andy Colon ne mit pas cinq secondes à découvrir les déchirures qui flottaient dans la cuvette. Il s'approcha, intrigué.

— Qu'est-ce que tu fais disparaître comme ça, mon cœur ?

Lovelie n'avait aucune intention de répondre. Andy Colon fronça les sourcils, regardant alternativement la jeune fille et les morceaux de papier qui s'imbibaient. Quelques détails des photos demeuraient reconnaissables, et une première ampoule s'alluma dans son esprit qui commença dès lors à surchauffer.

— Tu as osé fouiller dans mes affaires ! grogna-t-il, incrédule. Mais comment… pourquoi… ? C'est Chomsky qui t'a demandé de faire ça ?

Il s'approcha de Lovelie, pétrifiée, lui prit le menton et la regarda. Une deuxième ampoule s'alluma dans son esprit qui bouillait.

— Je n'avais pas porté attention à ton visage… Je te reconnais, maintenant… Ah ! Elle est bonne ! Tu es la fille du marché Hispaniola, non?

Lovelie était incapable de réagir.

— Mais oui, mais oui! Qu'est-ce que vous avez essayé de me passer comme «crosse»? Tu ne veux pas parler, hein? Ce n'est pas grave : on ne se joue pas si facilement de Master C. Désolé de te faire de la peine, mais il vaut mieux que tu saches que, au moment où on se parle, ton beau mec doit en avoir plein les bras avec la police, chez vous en plus! Belle ironie, non? Il m'a fait perdre assez d'argent. Mais je ne pensais jamais qu'il allait me laisser un beau morceau comme ça pour me rembourser!

Lovelie frappa le poignet de l'homme et se dégagea. Il leva le bras pour la frapper à son tour, mais se retint. Il la fixait avec une intense curiosité. Une troisième ampoule s'alluma lentement dans son esprit qui commençait à fumer.

— On s'était déjà vus avant ça, il me semble. Ça y est! Je te replace! Tu n'es pas débarquée d'Haïti avec les autres épiciers, toi. Non, tu es ici depuis longtemps, bien plus longtemps. Ah! On dira ce qu'on voudra, la vie est bien faite, finalement! Toi aussi, tu m'en dois beaucoup… et tu as tout ce qu'il faut pour me faire oublier ce que j'ai enduré par ta faute.

Lovelie lui envoya un coup de pied en direction de l'entrejambe. Elle rata son objectif, voulut le rouer de coups de poing, mais se retrouva agrippée par les cheveux, le bras tordu dans le dos.

— Relaxe! cracha Andy Colon. Ne m'oblige pas à te faire mal. Rends-toi à l'idée que tu vas obéir à ton maître.

Lovelie se débattit en vain.

— Arrête, tu m'excites ! persifla le bandit. Mais ne t'inquiète pas pour Master C, il sait garder la tête froide. Les affaires avant le plaisir. Comme je connais ce pauvre niais de Chomsky Deshauteurs, tu dois être encore vierge, et ça, ça vaut de l'or. Amène-toi.

Il la tira hors de la salle de bain.

— Tu vas seulement changer de chambre, poulette. Celle-là sent un peu le cul, mais le lit est bien meilleur.

Pour tourner la poignée, Andy Colon dut lâcher les cheveux de Lovelie. Elle en profita pour lui cracher au visage. Il en fut tétanisé de rage. Elle en profita encore pour lui expédier un coup de genou et, cette fois, visa juste. L'assaut manquait de force, mais Andy Colon poussa quand même un « oumpf » bien senti et courba l'échine d'une vingtaine de degrés. Il devint cramoisi.

— Salope !

Il en avait fini avec l'ironie. Il n'avait pas lâché sa prise, il ramena face à lui Lovelie qui tentait de fuir et lui asséna un violent coup de poing à la tempe. Elle plia les genoux. Il la soutint pour mieux la projeter vers le lit. Elle ne perdit pas conscience. Elle gardait à vue son agresseur, dressé à travers une pouponnière d'étoiles multicolores, hurlant d'infectes injures. Elle se cabra pour lui jeter ses pieds à la figure et réussit à lui effleurer la lèvre. Elle ne produisit qu'une lésion dérisoire, mais le goût du sang dans sa bouche acheva d'enrager Andy Colon.

— Tu veux jouer avec les pieds ? Attends un peu…

Usant de sa masse, il posa un genou sur son mollet, saisit la chaussure de sa victime et tira de toutes ses forces de manière à lui tordre la cheville. Un douloureux déchirement se fit entendre, aussitôt couvert par le hurlement de Lovelie. La souffrance de sa victime ne diminua en rien la rage du bourreau qui saisit l'autre pied et lui administra le même traitement.

Il s'arrêta pour contempler son œuvre. Lovelie pleurait bruyamment en essayant de se toucher les pieds, ne songeant même pas à rabattre sa jupe grise d'uniforme qui dévoilait ses longues cuisses, fines et satinées, jusqu'à sa petite culotte enfantine, et cette vision faisait littéralement bander le bandit. S'il n'avait été à jeun, il se serait jeté sur elle et l'aurait déflorée comme on enfonce un carreau pour cambrioler une maison.

Il se ressaisit. Insensible aux plaintes de sa victime, qui avait perdu tout moyen de défense, il lui enleva une chaussure, puis le bas qui montait au genou, et se servit de ce dernier pour lui attacher les mains dans le dos. Il enleva ensuite l'autre chaussure, rien que pour le plaisir de la faire souffrir.

Serrant dans sa main osseuse le pied gauche enflé de Lovelie, qui n'avait même plus la possibilité de se débattre, il la menaça :

— Maintenant, tu vas te montrer très obéissante, n'est-ce pas ? Sinon, je te casse les orteils un par un !

Et pour montrer qu'il ne plaisantait pas, il lui tordit le petit orteil gauche jusqu'à ce que Lovelie le supplie d'arrêter.

Chomsky, incrédule, observait la scène.

— Un hold-up ! faisait Jérémie D'Haïti, les yeux agrandis. C'est-à-dire que…

Il ne comprenait pas. Personne ne comprenait ce qui se passait. Gédéon se tenait les mains en l'air comme le plus mauvais acteur d'un minable western américain. Jérémie D'Haïti, qui venait tout juste de lui lâcher la manche, et Rosalyne, qui n'avait pas quitté la caisse, ainsi que la dernière cliente, qui n'avait rien à voir là-dedans et qui ne demandait qu'à rentrer chez elle, en somme tous les adultes présents, étaient stupéfaits de constater l'incroyable rapidité de l'intervention policière, jusqu'aux agents eux-mêmes, qui étaient plongés dans une perplexité d'une profondeur contre-nature.

— GARDE LES MAINS EN L'AIR, TOI ! cria le premier policier à Gédéon qui, bien sûr, avait fait mine de les baisser.

Les deux agents, de toute évidence, n'appartenaient pas à la même génération. Le premier, carré et ventru, avait le crâne rasé, des bajoues de bouledogue, portait des lunettes noires. Il agrippa Gédéon d'une main énorme qu'il valait mieux ne pas inciter à la brutalité.

— PENCHE-TOI SUR LE COMPTOIR ! ordonna-t-il, comme si l'interpellé, avec le battoir au collet, avait le choix de ne pas obtempérer.

— Il vous a menacé d'une arme ? questionna le second policier, jeune, svelte, presque élégant, apparemment davantage préoccupé par les victimes que par les agresseurs.

— D'une arme! Non, il ne nous a pas menacés du tout. Il a seulement essayé de passer des cannettes de bière sans payer, répondit Rosalyne tandis que le vieux policier fouillait Gédéon.

On ne trouva pas d'arme sur lui, en effet. Par contre, en quelques secondes furent étalés sur le comptoir: une demi-douzaine de cannettes de boisson gazeuse aux essences variées, deux paquets de chocolat amer à cuisson — que le jeune voleur confondait avec du chocolat tout court —, un sac de papillotes à la menthe et deux d'arachides enrobées de sucre, enfin des sachets de soupe au poulet et aux nouilles, qui n'auraient pas été découverts s'ils n'avaient glissé le long de la jambe de son pantalon jusqu'à ce qu'un coin rouge vif apparût sur le côté de sa chaussure.

— Eh bien! dis donc, mon jeune, tu aurais mieux fait de prendre un panier! plaisanta le policier. Il ne vous a vraiment pas menacés? poursuivit-il à l'intention de Jérémie D'Haïti.

— Mais non!

Et ce dernier raconta les circonstances dans lesquelles le jeune voleur avait été démasqué. Pendant ce temps, Chomsky se tenait à l'écart, ne disait mot, éprouvait une peur intense et se demandait quelle serait la meilleure façon de s'éclipser. Le problème, c'était que le second policier demeurait près de la porte.

— C'est quand même bizarre, commenta l'autre. L'appel parlait clairement d'un individu armé.

Les deux policiers avaient rangé leur arme et le plus jeune avait sorti une tablette de papier. Gédéon s'était mis à larmoyer. Chomsky jugea que le moment était venu de tenter une sortie. Après tout, on ne pouvait rien lui reprocher.

— Un instant, s'il vous plaît, monsieur, dit le jeune policier en allongeant le bras devant la porte.

— Hein? Quoi? Qu'est-ce qu'il y a? protesta Chomsky.

— Ce ne sera pas long, le temps de prendre les dépositions.

— J'ai pas de déposition, moi! Je suis pas là-dedans, je le connais même pas!

C'était faux, et Gédéon le reconnaissait sûrement malgré son déguisement sommaire. Jérémie D'Haïti lui-même se mit à regarder Chomsky avec une drôle de curiosité, puis il claqua les doigts:

— Hé! C'est toi! C'est toi qui as embrassé ma fille! Tu sais où elle est. Où est-elle? Dis-le!

N'eût été de la présence des policiers, il se serait rué sur lui.

— Quoi? Quelle fille, bafouilla Chomsky. J'ai rien fait, moi, vous avez pas le droit de me garder, il faut que je rentre chez nous…

— Wô! Tu restes *icitte*, mon p'tit *criss*, ou ça va aller mal! beugla le vieux policier.

Alors Chomsky se sentit coincé comme un rat. Il perdit tout jugement et extirpa le pistolet de sous son manteau.

— Laissez-moi sortir!

Il pointa le canon vers le jeune policier. Ce dernier

s'écarta aussitôt pour lui céder le passage. L'autre avait la main prête à dégainer, mais préféra ne courir aucun risque.

Sur le trottoir, Chomsky constata tout de suite que la voiture avait disparu. Il courut. Un passage entre deux édifices menait dans la ruelle. Il jeta un coup d'œil derrière. Quelques badauds ahuris l'observaient, mais il n'était pas poursuivi. Il s'engouffra dans le passage. Il se rappela qu'il avait toujours le pistolet à la main. Il songea à s'en débarrasser, changea d'idée et le glissa dans son pantalon. Il croisa une poubelle, y jeta le pull, la casquette et les fausses lunettes. Il courut encore, cherchant une cachette.

Il déboucha dans la rue Forest. Un autobus tournait le coin, et Chomsky vit en lui le navire salvateur se portant au secours du misérable naufragé qu'il était.

16

Au secours !

Quand Charline entendit qu'on sonnait à la porte, elle pressentit que cela n'annonçait rien de bon. À bien y penser, les coups de sonnette inattendus n'annonçaient jamais rien de bon.

On était samedi soir, vingt et une heures trente passées. Elle venait de mettre Surprenant au lit, sa mère avait avalé son somnifère. Son frère Charlot avait commis une bêtise quelconque et sa fin de semaine de liberté relative lui avait été coupée. Charline s'apprêtait donc à s'adonner à son activité préférée : jouir de sa solitude, au sens littéral.

Elle s'était constitué une petite collection de magazines consacrés aux ébats lesbiens, qu'elle cachait dans le grenier, auquel elle avait accès grâce à une trappe dans le plafond de son placard. Elle les feuilletait en se caressant et finissait par fermer les yeux pour laisser libre cours à ses propres fantasmes, à son fantasme, fallait-il préciser, car depuis l'automne précédent, elle ne rêvait plus qu'à Lovelie D'Haïti.

Cette dernière n'était d'ailleurs pas un fantasme ordinaire, elle avait été d'abord un révélateur. Bien sûr, ce n'était pas d'hier que Charline se posait des questions sur ses goûts sexuels, mais tant et aussi longtemps qu'elle n'était amoureuse de personne, elle pouvait encore espérer — bien rares sont ceux ou celles qui voient se définir leur homosexualité sans un minimum d'angoisse — que son dédain des garçons et son attirance pour les filles faisaient partie du processus normal de la construction de son identité. Or, depuis la résurgence de Lovelie D'Haïti dans sa vie, aucun doute n'était plus permis, tout y était : l'amour, le désir… et l'amertume du rejet. Elle ne désespérait cependant pas de se frayer un chemin jusqu'à son cœur : Lovelie était encore bien jeune, et elle-même, pas bien vieille non plus.

Coup de sonnette inopportun, donc, mais elle n'avait pas le choix de répondre. Craintive, elle essaya d'abord d'identifier le ou les intrus en écartant le rideau de la grande fenêtre du salon. Elle eut le souffle coupé : c'était Chomsky Deshauteurs. Il était nu-tête, ne portait pas de manteau et, de toute évidence, il gelait. Il se rendit compte qu'elle le regardait et, signe qu'il n'avait pas de mauvaises intentions, il joignit ostensiblement les mains pour l'implorer de lui ouvrir, ce qu'elle s'empressa de faire, saisie par l'inquiétude. Pas une seconde elle n'eut peur de lui : d'instinct, elle sut que cette visite avait un rapport avec l'objet de son amour.

— Qu'est-ce qui se passe ?

— Est-ce que je peux entrer ? Je vais mourir de froid. J'ai besoin d'aide, Lovelie aussi.

— Viens, dit Charline en posant un doigt sur la bouche.

Ils s'installèrent dans la cuisine et Chomsky raconta à Charline les derniers événements tandis qu'elle lui préparait des nouilles instantanées qu'il ingurgita avec un appétit de chien.

Il avait eu le temps de réfléchir. Au départ, il n'avait pas voulu retourner à l'appartement de peur d'y attirer la police. Puis il avait réfléchi. L'effet de choc s'estompant, il avait ressassé chaque détail de ce coup raté : l'attitude générale d'Andy Colon, bien trop accommodant, celle du chauffeur, qui avait l'air d'emmener un agneau à l'abattoir, et cette irruption des policiers, appelés sur les lieux d'un hold-up avant même que celui-ci n'eût commencé, tout cela puait la trahison à plein nez, et inutile de chercher plus loin l'identité du traître : Master C n'avait plus besoin de Chomsky Deshauteurs et il avait décidé de le « jeter ».

— Maintenant, je suis dans la « marde » pour vrai ! J'ai la police après moi. Tu aides un fugitif, Charline, tu t'en rends bien compte ?

— Ça se peut que je m'en rende pas compte, justement. Tant que t'as pas ta photo dans le *Journal de Montréal*, pour moi, t'es rien qu'un gars de mon école, en tout cas, qui allait à mon école… Faudrait pas que tu t'imagines que c'est pour toi que…

— C'est pour Lovelie.

— Ouais.

— C'est pour elle aussi que je suis venu.

Un silence s'installa et leurs regards se détournèrent. Ils l'aimaient tous les deux, sans pour autant s'aimer entre eux.

— Elle est en danger, rompit Chomsky. Elle m'attendait à l'appartement. Colon savait qu'elle était là. Il ne savait pas que c'était elle, mais il le sait maintenant. De toute façon, qu'il la reconnaisse ou non, il va vouloir l'utiliser comme il utilise toutes les filles. Il faut la sortir de là, parce que…

— Pas nécessaire de m'expliquer… Pourquoi t'as pas appelé ce salaud, pour l'avertir de pas toucher à Lovelie ?

— J'y ai bien pensé, mais je me dis qu'au fond c'est mieux que je me dévoile pas. Je peux pas faire grand-chose. Attaquer l'appartement ? J'aurais pas peur pour moi, mais pour elle, oui. Non, le mieux pour Lovelie, c'est qu'il sache pas où je suis, ni ce qui m'arrive.

— J'espère que t'as raison. Bon, qu'est-ce qu'on fait ? On appelle la police ?

Chomsky baissa les yeux. Il s'était vite rendu compte que, si déplaisante que fût pour lui cette éventualité, c'était à cela qu'on en viendrait.

— Pour leur dire quoi ? Je suis même pas sûr que les parents de Lovelie ont signalé sa disparition. Est-ce qu'ils vont m'écouter, ou toi, sans nous obliger à tout raconter ? Et puis je suppose qu'ils vont la ramener chez elle.

— Peut-être qu'elle va se sauver toute seule. À un moment donné, elle va se rendre compte qu'il t'est arrivé quelque chose, que tu reviendras pas.

— Ça risque d'être trop tard. Mais je sais qui pourrait nous aider.

— Qui ?

— Mme Moïse.

— La nouvelle prof ?

— Nouvelle pour toi. Nous autres, on la connaît depuis le primaire. C'est une chienne, mais il y a rien à son épreuve.

— O.K. ! Je pourrais aller la voir tout de suite lundi matin… mais c'est loin, lundi matin.

— Je le sais, sauf qu'on n'a pas le choix. Son nom est pas dans le livre du téléphone.

— T'as vérifié !

— Je l'aurais appelée ça fait longtemps.

Charline réfléchit et eut une idée.

— Messier !

— Messier… le prof de maths ?

— Ouais ! Toi, t'es pas au courant, mais toute l'école sait qu'il a « une affaire » avec elle.

— Une affaire ?

— Ils couchent ensemble ou, au moins, ils sont très, très amis.

Elle se dépêcha d'aller chercher l'annuaire du téléphone. Il n'y avait aucun Alain Messier, mais seize « A. Messier ». Charline, guidée par Chomsky, composa consciencieusement les seize numéros. Elle n'obtint que huit réponses naturelles et trois enregistrées. Le seul Messier prénommé Alain faisait partie de la seconde catégorie, et le message folichon était chantonné d'une voix grêle : il ne s'agissait certainement pas du professeur.

Chomsky soupira de découragement.

— Attends ! Papi, l'adjoint Papi, oui, il a leurs numéros, c'est certain !

— Et toi, as-tu le sien ?

— Non, mais c'est pas le samedi soir qu'il anime une émission à la radio communautaire ?

— Oui, ça se peut !

La mère de Charline était toujours branchée sur

cette station. La jeune fille alluma le poste qui se trouvait sur le comptoir de la cuisine.

« *Enben, nou fini. Se tousa m te gen pour nou semèn sa a.*[*] Ici Victor Petit qui vous dit bonsoir ! »

Charline saisit le téléphone. Sa mère avait aussi l'habitude d'appeler à la station pour donner son opinion ou pour participer à des concours, et le numéro faisait partie de la liste affichée au mur.

— Je veux parler à M. Petit, s'il vous plaît. C'est urgent, avant qu'il parte… De… Charline Jolicœur, une de ses élèves. C'est une question de vie ou de mort !

— Charline ! répondit bientôt la voix de Papi. Qu'est-ce qui se passe ?

— Oh ! Papi ! fit-elle en s'efforçant de pleurnicher. C'est épouvantable ! Il me faut le numéro de téléphone de Mme Moïse, la nouvelle prof, vous l'avez ?

— Euh… oui, bien sûr, je garde tous les numéros des profs dans ma mallette. Mais je ne peux pas le divulguer comme ça. C'est confidentiel.

— Oh ! monsieur Petit ! Je vous en prie, c'est… une question de vie ou de mort !

— Voyons, voyons, calme-toi. Je suis sûr que ce n'est pas si grave. Raconte-moi un peu ce qui t'arrive.

— C'est pas moi, c'est… (Elle quêta l'approbation de Chomsky qui fit une moue d'impuissance.) C'est Lovelie D'Haïti qui veut lui parler.

— Lovelie D'Haïti ! Elle était absente hier, et ses parents n'étaient pas au courant. Elle n'est pas rentrée ! Où est-elle ?

---

[*] Eh bien, voilà, c'est tout pour l'émission de cette semaine.

— Je sais pas. Elle va me rappeler tantôt pour avoir le numéro de Mme Moïse.

— Tu n'auras qu'à lui donner le mien ! Je vais l'aider.

— Je sais bien. C'est ce que je ferais, moi. Mais elle, elle vous connaît pas encore... Mme Moïse, c'est pas pareil...

— C'est comme sa mamie, souffla Chomsky.

— C'est comme sa mamie !

— Je comprends. Seulement, c'est une règle sacrée que tu me demandes d'enfreindre.

— C'est pas pour faire des farces, c'est vraiment très, très sérieux. Mme Moïse va comprendre, c'est certain. On lui dira pas que c'est vous qui m'avez donné son numéro.

— J'aimerais mieux pas, en effet. Mais toi, hein, lundi matin, dans mon bureau et je veux une explication complète.

— Oh oui ! Je vous le promets.

Charline entendit l'adjoint fouiller dans sa serviette et revenir avec le numéro.

— Ne le laisse pas traîner, surtout.

— Soyez sans crainte, je le donne à Lovelie et je le déchire en petites miettes. Et puis, ce serait bien aussi que vous me donniez celui de M. Messier.

— Messier ? Qu'est-ce qu'il vient faire dans cette histoire ?

— Bien... ça se pourrait que Mme Moïse soit chez lui, n'est-ce pas ?

— Ah ! ah ! fit l'adjoint estomaqué de constater que les élèves savaient des choses dont lui-même ne faisait que se douter.

Désarmé, il se rendit à la seconde demande de l'adolescente.

* * *

Messier était en ce moment même au paradis terrestre, du moins quelque part dans son éden de non-croyant. Il reposait, tout nu, la tête posée sur le fruit énorme, juteux, odorant et si peu défendu de l'arbre de la science du bien et, peut-être aussi, du mal. Mais il s'en fichait, il ronronnait tandis que l'arbre en question, lui-même étendu sans être abattu, lui chatouillait l'étamine du bout de ses ramilles.

Le téléphone sonna. Personne ne téléphonait jamais chez lui, le samedi soir. Soit il était sorti, soit il était interdit de le déranger, et son numéro était confidentiel. C'était donc un appel important.

— As-tu l'intention de répondre ? demanda l'arbre, en remuant tel un ressuscité.

L'arbre s'appelait Horacine. Un tintement s'ajouta à la sonnerie insistante du téléphone, car la belle, afin de satisfaire les fantasmes baudelairiens de son amant, n'avait gardé que ses bijoux qui ruisselaient sur sa peau noire telle une pluie dorée.

— Aussi bien... répondit l'homme.

Il se détacha de la femme comme s'il pelait une couche de son propre épiderme, se rendit à sa table de travail en titubant et décrocha..

— Allo ! Qui ? Ch... Chomsky Deshauteurs !!!! Euh... oui, je peux la joindre...

Mme Moïse se dressa aussitôt. Contrairement à

Messier, elle tira le drap sur elle, car, malgré leur intimité croissante, elle refusait encore d'étaler à sa vue la surabondance de ses charmes.

— Où est-il? Qu'est-ce qu'il veut? s'inquiéta-t-elle, en s'approchant.

Messier leva un doigt pour l'inciter à la patience.

Peine perdue.

— Lovelie? Est-ce qu'il sait où se trouve Lovelie?

Elle vit Messier écouter attentivement et écarquiller les yeux.

— Passe-le-moi!

Est-ce qu'il lui passa effectivement le combiné? Est-ce qu'elle le lui ôta des mains? Seule une reprise au ralenti de la scène pourrait le démontrer. De même que seule une réécoute minutieuse pourrait déterminer la nature exacte du ton sur lequel Mme Moïse engagea la conversation.

— CHOMSKY, MON PETIT, MAIS VAS-TU ME DIRE CE QUE VOUS ÊTES EN TRAIN DE FAIRE COMME BÊTISE TOUS LES DEUX, OUI?

17

Il était moins une…

« Vingt-trois heures cinquante-neuf », annonçaient avec une exactitude de rabat-joie les chiffres rouges du radio-réveil d'Andy Colon. Il posa la paille de plastique sur le réveil, se frotta le nez en inspirant encore un petit coup par acquit de conscience, et se leva sans expirer, songeur — par ailleurs il songeait peu. L'heure ne devrait exister que durant la journée, et la nuit deviendrait l'espace intemporel des plaisirs. Alors que, le jour, le cours du Soleil impose sa dictature au temps, la nuit, tous les repères deviennent variables, et la bête s'y déploie, toutes griffes dehors. Les êtres nocturnes, dont il était, désirent ce flou de la noirceur dans lequel les marges se distordent. Ce dont il avait le plus souffert en prison — là où il avait davantage songé —, c'était d'avoir été soumis à un horaire de fer le jour, puis confiné à l'espace bétonné de sa cellule la nuit : en somme, le pire des deux mondes. Bien sûr, ce régime correspondait en gros à la vie normale de la plupart des honnêtes gens. Justement !

Il *tchuippa* en direction de ces chiffres impertinents qui disparurent, tels de jeunes spectres en stage, faisant place à une nouvelle équipe plus expérimentée qui proclama aussitôt l'arrivée de minuit. Andy Colon se sentit plus puissant que jamais.

«Minuit, ça, c'est fresh!» expira-t-il enfin.

Il avait l'impression que minuit était une heure plus accommodante, et même qu'elle durait plus longtemps que 11 h 59.

Et avec elle arrivait son client… C'est parce qu'il l'avait entendu frapper à la porte qu'il avait levé les yeux vers cette machine diabolique. On se serait cru dans une version ordurière de Cendrillon.

— *Big cash coming up!* chantonna le proxénète en allant ouvrir, sur un air paradoxalement amer. Il aurait aimé saccager lui-même l'hymen de cette petite emmerdeuse, faire d'elle sa chose de bout en bout. Il n'en avait pas les moyens. Il ne pourrait même pas la garder au-delà de cette nuit. Après le client, il disposerait tout juste de trois ou quatre heures pour lui apprendre quelques-unes des douceurs qu'une dame intégralement soumise peut procurer à son maître. Ensuite, il lui administrerait une raclée dont elle se souviendrait toute sa vie, histoire de lui faire bien comprendre qu'il serait dans son intérêt et dans celui de son petit niais de chéri, dans l'intérêt de sa famille même, de perdre totalement la mémoire en ce qui concernait cette nuit. Aux aurores, des gars à lui l'emmèneraient discrètement et l'abandonneraient dans un coin perdu, où on finirait par la retrouver.

Dommage, tout de même, de remettre à l'eau une si belle prise! Un jour, se promettait-il, il aurait assez de fortune et de puissance pour acquérir une vaste propriété et y entretenir des filles rien que pour son plaisir.

Le client frappa encore.

— On vient, on vient ! bougonna Master C.

Il ouvrit à sa manière habituelle.

— Personne ne t'a vu ?

— En tout cas, je n'ai vu personne.

Il fit entrer le client.

Ce dernier portait un long imperméable kaki avec le col relevé et un foulard de soie qui lui cachait le menton, ainsi qu'une casquette sombre et des lunettes aux énormes montures noires, qu'il retira pour les fourrer dans une poche.

— Elle est là ?

— Ouais, Cendrillon vous attend, « maître ».

Il y avait un conteneur entier d'ironie dans l'utilisation de ce titre par Andy Colon, qui ne l'employait certainement pas pour reconnaître un quelconque ascendant au visiteur.

— Le *cash* ?

L'homme glissa la main gauche dans son imperméable, ce qui eut pour effet de dévoiler sa montre. La convoitise illumina les yeux d'Andy Colon.

— C'est une vraie ? demanda-t-il.

— Bien sûr.

Le client regretta aussitôt de n'avoir point menti et une goutte de sueur glacée suinta sur son échine. Il prenait, en venant ici, un risque gigantesque, sauf qu'il n'y avait nulle part ailleurs où se procurer ce qu'il cherchait. Andy Colon lui avait été recommandé par un ami du Barreau — la prison favorise toutes sortes de rencontres intéressantes —, mais cela n'impliquait aucune espèce de garantie de fiabilité, et si ce voyou entreprenait de le détrousser sans vergogne, il n'aurait aucun recours. Il lui tendit l'enveloppe en espérant qu'elle chasserait les mauvaises pensées. Elle était épaisse. Andy Colon en sortit la liasse et compta.

— C'est beau, conclut-il en faisant claquer les derniers billets. Il va falloir la bâillonner. Faut pas l'entendre crier.

— La préparation, c'est ton affaire, trancha-t-il, regagnant sa place de client.

— Je la déshabille ?

— Il n'y a que le bas qui m'intéresse.

Andy Colon haussa les épaules et entra dans la chambre.

Le client enleva son imperméable et l'accrocha au mur. Il n'avait probablement pas quarante ans et gardait tous ses cheveux, coiffés proprement. D'une taille moyenne, il avait de bonnes épaules, presque pas de ventre — il jouait au squash et faisait du ski, de la voile en été. Il portait un jean et un pull à col roulé de marque, des bottes de cuir confectionnées sur mesure. Il avait l'œil vif et la dent éclatante, les traits harmonieux. Il portait au doigt une de ces bagues en or émises par les grandes écoles, il faisait partie du chœur des lamentations contre l'État et ses taxes les plus élevées en Amérique du Nord, ainsi que des chantres de la privatisation et du statu quo constitutionnel. On ne voyait néanmoins jamais sa photo dans les journaux. Il avait refusé dix fois de passer à l'avant-scène, la gloire ne l'intéressait pas et elle était de toute manière incompatible avec ses inavouables obsessions.

Lovelie essaya de se redresser quand la porte de

la chambre s'ouvrit. Les mains liées derrière le dos, les pieds enflés et douloureux, elle faisait penser à une pauvre bête rampante sur la queue de laquelle on eût marché par mégarde, ou par cruauté. La lumière l'éblouit. Elle ferma les yeux. Elle avait mal et elle avait peur. Chomsky, son unique espoir, n'était pas revenu. Andy Colon pouvait faire ce qu'il voulait d'elle, et elle ne doutait pas qu'il le ferait. Elle avait essayé de retenir sa respiration pour mourir avant. Elle avait envisagé de se frapper la tête contre le mur jusqu'à s'assommer, mais son bourreau aurait été alerté et elle en eût été quitte pour davantage de souffrances.

— Si tu me touches, Chomsky va te tuer, menaça-t-elle.

Andy Colon s'approcha en rigolant et en s'essuyant le nez.

— Ah oui ! Moi, il me semble que s'il était capable de t'aider, il serait déjà ici !

— Il va revenir, tôt ou tard.

— Eh bien ! ça risque d'être beaucoup plus tard que tu l'espères. En attendant, il y a un gentil monsieur qui vient d'acheter ce qu'il y a dans ta petite culotte.

Il avança la main. Lovelie se démena pour reculer.

— Il y a pas juste Chomsky qui sait que je suis ici, essaya-t-elle encore. J'ai appelé du monde, tantôt, avant que tu reviennes.

Le visage d'Andy Colon se crispa un instant, puis se détendit.

— Pas fort, comme *bluff* !

Il agrippa la culotte.

Lovelie se recroquevilla et lança la tête en avant pour tenter de lui mordre le bras. Il la repoussa et l'écrasa sur le lit, le coude sur la gorge. De l'autre main, il saisit son pied et appuya de toute sa force. Lovelie gémit.

— Écoute-moi bien, murmura-t-il rageusement, reniflant et postillonnant sur elle, tu vas te laisser faire, compris ? Parce qu'il peut arriver n'importe quoi à une fugueuse. Si tu veux que ta mère te reconnaisse quand la police t'aura retrouvée, sois sage… comme une image !

Il rit. Il la lâcha. Lovelie ne se débattit plus. Les yeux fermés, elle se mit à répéter le nom de Jésus dans sa tête, auquel, sans qu'elle le fît exprès, se substituait parfois celui de Chomsky.

Andy Colon lui enleva sa culotte, sans prendre garde à ses pieds. Il en roula le fond en boule et, lui tenant la tête par les cheveux, le lui enfonça dans la bouche. Il noua les extrémités derrière sa nuque. Ensuite, il la plaça sur le dos, un oreiller sous les fesses, enleva et jeta sa jupe par terre, releva son chandail sur ses seins, qu'il eut tout de suite envie de dévorer. Mais il se leva plutôt.

— Elle est prête ! dit-il en passant la porte.

Le client entra. Lovelie ne put s'empêcher d'entrouvrir les yeux et vit qu'il portait un foulard à la manière des bandits dans les films de cow-boys. Elle en fut davantage effrayée et décida qu'elle n'ouvrirait plus les yeux qu'une fois au paradis.

Il s'assit sur le lit et, pendant un long moment, ne fit rien que fixer le Y charnu formé par la vulve de sa victime qui saillait en haut de ses cuisses serrées. Ces dernières portaient les traces des coups de ceinture, et cela le stimulait davantage.

Lovelie entendait sa respiration entre les sanglots qu'elle s'efforçait de réprimer, car avec ce qu'elle avait dans la bouche, elle risquait de s'étouffer pour de bon. C'était peut-être la solution, mais tant qu'il ne la touchait pas, elle pouvait espérer que ses prières seraient exaucées.

Il la toucha, délicatement d'abord, du bout des doigts, fouilla les poils en respirant de plus en plus fort, puis voulut descendre entre les cuisses. Lovelie refusa d'ouvrir. Alors il grogna, saisit ses pieds et les écarta avec une brutalité explosive. Lovelie voulut crier, mais son cri reflua dans sa gorge et elle fut saisie de spasmes. Il lui arracha son bâillon.

— Ta gueule ! cracha-t-il.

Et pour bien se faire comprendre, il la gifla si fort qu'il l'assomma à moitié.

Ensuite, il la tâta longuement, reprenant un souffle croissant.

Lovelie était toute molle, sauf ses paupières, qu'elle avait encore conscience de serrer comme si ses yeux constituaient l'objet de l'ultime menace.

La respiration de l'homme marqua une syncope. Il lâcha sa proie et se dépêcha de baisser son jean, pour libérer son sexe qui lui faisait mal à force de raidir. Il s'installa à genoux entre les cuisses de sa victime, qu'il écarta encore jusqu'à faire craquer les articulations.

Désormais, il n'existait plus d'obstacles, il n'avait

qu'à s'avancer et à s'enfoncer; il attendit encore, jouissant de son désir, de la dureté invraisemblable de son organe brûlant. Il examinait et palpait ce trésor qu'il allait spolier, pour en fixer dans sa mémoire le moindre détail. Il n'y avait plus rien autour, plus rien qui existât que ce triangle de chair innocente, que ces lèvres sèches qu'il ouvrait pour mieux contempler la cible rose. Le moment approchait, la seconde magique où il ne pourrait plus se contenir et où, en trois coups, il assouvirait sa passion du mal. Plus il comprimait le ressort, plus fulgurante était la détente. Et ce serait tout de suite fini. Il se rhabillerait et filerait.

Lovelie reprenait un peu d'esprit. Elle se demanda si elle s'était évanouie. Elle ne ressentait pas de nouvelles douleurs. Il était pourtant encore là. Il haletait comme une locomotive.

Et il y eut ces coups assourdissants venus de l'extérieur. Des coups sur une porte, des cris.

Lovelie comprit la première. Elle inspira aussi profondément que possible et hurla si fort qu'elle eut l'impression que ses dents vibraient.

Le client comprit à son tour et débanda instantanément. Il remonta son pantalon, sortit de la chambre, agrippa son manteau.

Les coups continuaient sur la porte d'entrée de l'appartement. Une puissante voix de femme criait des choses dans lesquelles seul le mot « police » retenait l'attention. Lovelie hurlait de plus belle.

— Par la cuisine ! cria Andy Colon à son client.

Il était là et tenait ouverte la porte qui donnait sur l'escalier d'incendie.

— Vas-y, je vais les retarder.

Le pervers sortit sans dire au revoir et dévala l'escalier d'acier en essayant d'enfiler son imperméable. Il s'arrêta sec quand les feux d'un gyrophare inondèrent la ruelle de leurs lueurs apocalyptiques.

Andy Colon, de son côté, appliqua un plan de fuite mis au point longtemps auparavant. Il ramassa en vitesse quelques affaires indispensables dans sa chambre et sortit par l'escalier de service.

Il avait une entente avec un ami qui habitait un appartement du rez-de-chaussée. Colon descendit silencieusement l'étroit escalier de bois, encombré de poubelles, de balais, de bouteilles vides, tandis que le vacarme s'estompait dans les hauteurs.

Il avait la clé, mais une jeune femme enceinte lui ouvrit avant qu'il n'eût à s'en servir. Elle venait d'être réveillée, ainsi que ce devait être le cas de tous les habitants de l'immeuble.

— On se disait bien que ce vacarme venait de chez toi ! maugréa-t-elle, visiblement irritée.

— Ouais. Frentzy est là ?

— Il est à la porte.

Frentzy — c'était l'homme — avait ouvert la porte de son appartement tout juste comme deux policiers débouchaient sur le palier en courant.

— Rentrez chez vous, s'il vous plaît !

L'ordre allait être répété à chaque palier.

— C'est qui, cette folle ? demanda-t-il à la voisine d'en face, aussi curieuse que lui, une vieille fripée coiffée d'une toque blonde et affublée d'un maquillage permanent, dont la jaquette délavée laissait voir un pied de sillon mammaire décrépit.

— *Heille! Je l'sais-tu, câlisse! T'a connais pas, toé?* glapit-elle après avoir retiré un mégot fumant d'entre ses lèvres jaunes.

— *Pantoute!* répondit Frentzy en imitant l'accent québécois.

— Lâche pas, tu commences à l'*awér*! répliqua la vieille avec un clin d'œil.

— Bien bonsoir, d'abord!

— *Ouan*, on est mieux de faire comme ils disent. Ça doit être grave, y a un autre char dans la ruelle.

— Ça doit.

Les deux portes se fermèrent simultanément.

Frentzy passa aussitôt dans le salon, écarta les lamelles du store et regarda par la fenêtre. Andy Colon le rejoignit.

— Salut, mon frère, dit Frentzy sans se retourner.

— Salut.

— Dépêche-toi de filer par la rue avant qu'il en arrive d'autres.

— Je pensais me cacher ici…

Le dénommé Frentzy baissa les yeux.

— Non… vaut mieux pas, dit-il en montrant sa compagne qui, appuyée dans l'entrée du passage, attendait d'un air mauvais que l'importun disparût.

— Merci quand même, dit Colon.

Frentzy revint à la porte et l'entrouvrit. La voie était libre. On entendait les policiers, en haut.

— ÉLOIGNEZ-VOUS, MADAME, LAISSEZ-NOUS TRA-VAILLER.

— Dépêchez-vous donc !

Andy Colon s'éclipsa prestement.

— Bonne chance, mon frère !

Frentzy referma. La femme se dirigea vers la fenêtre et regarda à son tour dans la rue, afin de s'assurer qu'Andy Colon s'en allait bel et bien.

— J'espère qu'on ne le reverra plus, dit-elle.

— Hé quoi ! Faut s'entraider, entre Haïtiens !

— Je m'en fous que ce soit un Haïtien, ce n'est jamais rien qu'un *sanzave**. Je ne veux pas que notre enfant connaisse ce genre de gars.

Dans la rue, Andy Colon fut soulagé de constater la présence d'une unique voiture de police, sans ses occupants, ainsi que d'une poignée de badauds sortis des immeubles voisins dans l'espoir d'être témoins de quelque chose, ou à tout le moins de passer à la télé.

Il se fondit parmi eux, le temps de s'assurer qu'il avait les coudées franches, puis fila en douce, tandis que la sirène d'une ambulance achevait d'ameuter le quartier.

* * *

D'un coup de botte, un des deux policiers enfonça la porte. Ils ne détenaient pas de mandat, mais les hurlements de Lovelie justifiaient amplement une intervention de la sorte.

Les agents ne réussirent pas à empêcher Mme Moïse

---

* Vaurien.

de les suivre et même de les précéder dans la chambre, où ils trouvèrent la jeune fille dans l'état où l'avait laissée son violeur potentiel.

Ce dernier avait été arrêté et confiné à l'arrière de la voiture de police, dans la ruelle. Conscient du pétrin dans lequel il était fourré, il avoua piteusement qu'il était venu là pour se procurer de la drogue, ce qui était certes beaucoup moins compromettant que la vérité.

À l'instant où Mme Moïse constata la situation de Lovelie, elle repoussa les policiers et leur ferma au nez la porte de la chambre, en les priant de se comporter en gentlemen et d'attendre en compagnie de Messier. Le professeur de mathématiques était complètement dépassé par la tornade Horacine, qu'il avait incitée en vain à laisser agir les forces de l'ordre. Il expliqua aux agents les rapports entre Lovelie et cette incroyable femme, et comment ils avaient su que la jeune fille se trouvait ici, en danger.

Maintenant, Lovelie pleurait dans les bras de Mme Moïse, de peine et de douleur, bien sûr, mais tout autant de soulagement, et cela faisait beaucoup.

La dame aurait voulu lui détacher les mains, mais la petite se serrait si fort contre elle que c'était impossible. C'était tout juste si elle avait pu rabaisser sa jupe et constater l'absence de traces de viol. Elle était donc arrivée à temps, au moins pour ça. Depuis l'appel de Chomsky, à chaque seconde de l'action précipitée qu'elle avait entreprise, elle s'était sentie coupable d'avoir manqué à son devoir, d'avoir négligé sa protégée.

Quand Lovelie se calma un peu, elle lui détacha les mains. Elle chercha des yeux sa culotte et la trouva. Elle aurait voulu la lui mettre, mais à ce moment seulement, elle vit que ses pieds étaient enflés.

— Oh mon Dieu ! Comment des êtres humains peuvent-ils faire ça ? soupira-t-elle.

Ce n'était pas la première fois qu'elle se posait cette question, elle qui avait vu tant de choses.

On frappa à la porte.

— Horacine ! Les ambulanciers sont arrivés.

C'était la voix de Messier.

— On va à l'hôpital, mon ange.

Lovelie secoua négativement la tête.

— Il le faut. Mais je reste avec toi, je ne te quitte pas, c'est promis.

18

Les comptes

Andy Colon ne se sentait pas bien du tout. Il frissonnait. Les lumières des réverbères peinturluraient des halos démesurés, les phares des voitures traçaient des sillons qui silaient affreusement à ses oreilles. Après la poussée d'adrénaline provoquée par la fuite, il se sentait vide, aplati. L'exaltation de la drogue s'était transformée en une pression douloureuse sur les tempes et il avait l'impression qu'on lui avait coulé du ciment dans la nuque et sur les omoplates. Et surtout, ses pensées se mouvaient tels des escargots fatigués sur la paroi translucide d'un bocal givré. L'explication de ce qui lui arrivait était à l'extérieur du bocal, mais il ne parvenait même pas à l'entrevoir.

Il échafaudait péniblement des hypothèses.

La première était que la fille ne bluffait pas quand elle prétendait avoir révélé à quelqu'un d'autre où elle se trouvait. Cela n'expliquait cependant pas une intervention policière aussi brutale, en pleine nuit. Si elle avait vraiment appelé quelqu'un, elle l'avait fait en fin d'après-midi, à un moment où elle se croyait en sécurité.

Peut-être la police était-elle venue pour d'autres raisons ? Pourquoi alors ? Qui donc était cette bonne femme qui avait martelé sa porte en beuglant ? La mère d'une de ses « travailleuses » qui, apprenant la double vie de sa fille, avait piqué une crise? S'agissait-il simplement d'une voisine devenue folle? On l'aurait reconnue.

Toute hypothèse excluant Chomsky comportait trop de hasard pour être retenue. C'était lui, forcément, qui avait dû alerter quelqu'un. Peut-être avait-il finalement été arrêté puis était passé aux aveux, en en mettant le plus possible sur le dos de son associé. Il pouvait tout aussi bien se cacher quelque part et l'avoir dénoncé par téléphone.

Andy Colon s'arrêta à l'aréna de Montréal-Nord pour téléphoner.

C'était l'heure des quarante ans et plus. Des joueurs s'attardaient autour du casse-croûte. L'ambiance était joyeuse dans le hall. Un costaud aux cheveux gris travaillait fort pour détacher son sac d'équipement qu'un coéquipier s'était amusé à coller sur une poubelle avec du ruban noir.

— Hostie de bleuet! bougonnait-il. S'il pensait moins à jouer des tours, il arrêterait peut-être plus de *pucks*!

Il y eut des éclats de rire approbateurs. Andy Colon se sentait de trop au milieu de ces joueurs de hockey. Il eut la sensation de recevoir des regards diagonaux, histoire de lui faire sentir l'incongruité de sa présence dans un temple de la québécitude profonde. L'odeur des équipements détrempés de sueur refroidie se mêlait à celle de l'huile à patates. C'était écœurant. Et cette lumière crue, ces murs de béton, ça lui rappelait la prison.

Il se dépêcha de téléphoner à des complices qui

habitaient boulevard Léger, afin de s'assurer qu'on était en mesure de le recevoir. C'était un appartement plutôt riche en pièces à conviction, et Chomsky, bien au fait de son existence, eût été capable d'y envoyer aussi la police. Peut-être d'ailleurs s'y était-il réfugié, ainsi qu'il s'apprêtait à le faire lui-même.

Il fallut moins d'une minute à Andy Colon pour se rassurer. Il n'y avait à l'appartement qu'un seul gars qui venait de rentrer d'une tournée des plus lucratives, et il n'avait entendu parler de rien.

Colon quitta en vitesse l'aréna, traversa la rue d'Amos, après avoir jeté un coup d'œil derrière, en direction du poste de police ; sa proximité ne l'inquiétait guère, c'était même, selon lui, l'endroit où on avait le moins de chances de se faire embêter, mais comme il voulait couper par derrière la polyvalente Calixa-Lavallée, il lui fallait néanmoins un minimum de prudence.

Dès qu'il fut derrière les murs aveugles et silencieux de l'établissement scolaire, il se sentit plus léger. Dans dix minutes au plus, il serait au chaud et en sécurité et s'offrirait une coquette petite ligne pour se retaper tout à fait. Et que le diable emporte ce petit minable de Chomsky Deshauteurs, où qu'il fût !

— Hé ! Colon !

Il s'arrêta net, le cœur saisi. Il se retourna.

— Chomsky !

— Ouais, c'est moi ! Surpris ?

C'était bien lui, en effet. Il sortait d'une zone d'ombre dans laquelle il était invisible. Il portait un bonnet de laine et un blouson trop serré. Il avait les mains dans les poches, et Andy Colon se rappela qu'il était armé.

— Chomsky ! répéta-t-il en souriant. Tu t'en es tiré ! Je suis content. Tu es drôlement fort. J'étais tellement inquiet pour toi.

— Vraiment ?

— Mais oui ! Qu'est-ce que tu crois, mon frère ? Viens, on va parler de tout ça tranquillement chez…

— Non ! On va régler ça ici.

— Régler quoi ? Je ne comprends pas. C'était un coup facile, parfaitement planifié. Comment as-tu pu rater ça ?

— C'est parce que les chiens sont arrivés avant. Bizarre, non ? Comment ils ont su ?

— Ça, mon vieux, c'est vraiment incompréhensible, incroyable ! Mais il fait froid, là. Viens donc.

Andy Colon pivota.

— Bouge pas !

Chomsky avait sorti l'arme.

— Ho ! Calmons-nous ! On ne va pas se tirer dessus pour un coup qui a mal tourné. C'est juste une maudite malchance, on va trouver l'explication…

— Je te crois pas. Et qu'est-ce que t'as fait à Lovelie ?

— Ta copine ? Rien du tout ! Je ne lui ai rien fait du tout. Elle t'attendait dans la chambre. Maintenant, je suppose qu'elle est entre les mains de la police. C'est toi, hein, qui les as appelés ?

— Tu mens encore. Elle devait pas m'attendre. Elle devait s'en aller si j'étais pas revenu à sept heures. Tu l'as empêchée.

— Pas du tout ! Tu as trop d'imagination, là !

— Et l'ambulance, pourquoi l'ambulance ?

Andy Colon ne répondit pas tout de suite.

— Ah ! Je vois, tu m'as suivi.

— Et depuis que j'ai compris où tu allais, j'étais sûr que tu passerais par ici. Tu vois que ça sert à rien d'essayer de me *crosser* encore. Je te connais.

— Je le sais, voyons ! J'essaie rien du tout. L'ambulance, écoute, elle est venue avec la police, c'est souvent comme ça. Il y avait une folle qui criait dans l'escalier, ça devait être pour elle.

— Je pense pas, non.

Andy Colon se tut encore un instant, puis fit un geste de lassitude de la main.

— Oh ! pense donc ce que tu veux. Je ne passerai pas la nuit ici à me les geler pour te faire comprendre le bon sens. Tu sais où je vais, alors suis-moi si tu as une tête sur les épaules.

— Bouge pas, j'ai dit !

— Hé ! Tu vas me tirer dessus, peut-être ? gueula Andy Colon avec force gestes. Si tu fais ça, man, tu es foutu. Tu as déjà les flics après toi. Réfléchis un peu ! T'es pas si con !

— Je suis foutu de toute façon. Je m'en vais. Mais avant, je vais m'assurer que tu touches plus jamais à Lovelie.

— Ah ! Lovelie. Lovelie, Lo-ve-lie ! Tu la prends pour qui, à la fin ? Une sainte ? Si tu savais... je ne voulais pas te faire de peine, mais tu es vraiment trop con. Elle se fiche bien de toi. Quand elle a compris que tu ne reviendrais pas, inquiète-toi pas qu'elle était prête à tout pour me mettre de son bord. Mais moi, les dames des *patnè*...

— SALAUD ! T'ES VRAIMENT LE DERNIER DES TROUS D'CUL !

— Mais oui ! C'est ça ! Et toi, tu es tellement… pur. Tellement chevaleresque ! D'ailleurs, tu ne me tirerais pas dans le dos, quand même ! Pas toi !

— C'est ton choix.

Chomsky haussa l'arme. Andy Colon *tchuippa*.

— T'auras pas le *guts*. Remets donc ça dans ta poche. C'est pas pour les enfants.

Il tourna les talons, les poings serrés et prêt à la contre-attaque, car il était convaincu que Chomsky se précipiterait sur lui pour le frapper. Il se trompait.

Le coup partit et Master C s'écroula tout de suite, sans un sursaut, sans un cri, tel un pantin dont on eût tranché toutes les ficelles.

Chomsky demeura abasourdi plusieurs secondes. Il n'aurait pas cru la détonation aussi assourdissante. Elle continuait à résonner en écho, pour de vrai ou seulement dans son imagination, il ne pouvait le dire. Sa main tremblait. Le choc du recul lui avait fait mal. L'arme semblait tout à coup dix fois plus lourde.

Il regarda autour. Il n'y avait personne.

Il regarda encore le corps qui ne bougeait plus. Il n'y avait pas de sang. Est-ce qu'il faisait semblant ? Non. En s'approchant et en se penchant, il vit le trou rouge au milieu du dos et le tissu du manteau qui s'imbibait.

Chomsky porta la main à sa bouche. Le silence de la nuit urbaine se transforma soudain en hurlement.

Il s'enfuit.

Épilogue

Toute une histoire

(Extrait du journal de Nathalie Durocher,
dimanche 30 mars 1986)

Si j'ai si peu écrit, ces derniers temps, c'est que ma petite vie me paraissait bien ennuyante à côté de celle de Lovelie. Ça n'a pas de bon sens que tant de choses arrivent à une fille, et pourtant... Moi qui rêve d'écrire des livres... Lucie et moi, nous n'avons pensé qu'à elle depuis deux semaines. Lucie encore plus, vu qu'elle a retrouvé sa sœur. En effet, Lovelie est revenue dans la famille Brûlotte, et ça a tout l'air que c'est pour un bon bout de temps.

Il y a un homme qui vient souvent à l'école pour parler avec les jeunes qui ont des problèmes. On appelle ça un intervenant. Son nom, c'est Mozart Valcin. Il a aidé Jésulienne. Il est allé discuter avec ses parents et, depuis, ils sont moins durs avec elle. C'est un monsieur très gentil. Moi, je me méfiais, parce qu'il embrassait les filles (des becs comme on en donne aux enfants), mais j'ai compris que c'est dans les manières haïtiennes et que ce n'est pas grave du tout.

Donc, il est allé voir le père de Lovelie, pendant qu'elle était à l'hôpital. Il lui a fait comprendre que le changement avait été trop brusque (tu parles!) et que ce serait mieux pour tout le monde de se laisser du temps.

Avec ce qui venait d'arriver à Lovelie, il aurait fallu que son père soit drôlement bouché pour ne pas admettre qu'il y avait un problème. Alors elle a quitté l'hôpital dans le taxi de M. Brûlotte et elle est rentrée directement chez eux. La mère de Lucie lui a réservé tout un accueil, on s'en doute ! Elle a même pris congé de ses ménages pour s'occuper d'elle.

Lovelie a quand même parlé à son père au téléphone. Je ne sais pas comment elle fait, cette fille ! Moi, avant que j'adresse à nouveau la parole à des gens qui m'auraient traitée de cette façon, ça prendrait quelques décennies ! Elle, elle pense déjà à tourner la page. C'est à croire qu'elle est tombée dans une potion de bonté quand elle était petite.

Elle était à la messe aujourd'hui, avec nous. Je ne suis pas une grenouille de bénitier, mais la messe de Pâques, ça me touche toujours. D'habitude, je me sens comme un perce-neige qui éclot, mais pas cette fois. Peut-être que c'est fini, ce temps-là.

Toujours est-il que c'était la première sortie de Lovelie. Elle marche «comme une neuve», maintenant. Quand on pense que le gars qui lui a blessé les pieds a été assassiné la même nuit où Mme Moïse l'a récupérée...

Évidemment, tout le monde pense que c'est son Chomsky qui l'a tué, sauf Lovelie. Ou alors, elle ne veut pas le croire. En tout cas, ce n'est pas un sujet à aborder avec elle. De toute façon, c'est l'affaire de la police. Lovelie a passé beaucoup de temps avec une femme police qui était venue à l'école pour donner une conférence, cet automne.

Le fameux Chomsky, d'ailleurs, il a disparu et tant qu'on ne le retrouvera pas, à mon avis, on ne pourra faire autrement que de se poser des questions. Par exemple, est-ce que c'est vraiment lui qui était à l'épicerie des parents de Lovelie quand Gédéon s'est fait prendre à voler ? Lovelie jure que ça n'a pas de rapport, et ce n'est pas du côté des adultes qu'on peut obtenir plus d'informations. On ne devrait même pas être au courant de cette nouvelle gaffe de notre Gédéon national, sauf que, l'épais, il s'en vante.

Mais j'en reviens à la messe de ce matin. Je dois avouer que j'ai passé plus de temps à observer Lovelie qu'à suivre l'abbé Saint-Louis, qui disait sa dernière messe dans la paroisse. Ça non plus, ça ne contribue pas à rendre sa sérénité à notre amie. C'est pourtant la réalité : l'abbé Saint-Louis retourne en Haïti pour joindre le mouvement d'un certain père Aristide. Tout arrive en même temps !

Physiquement, Lovelie va beaucoup mieux, mais mentalement, ça va prendre du temps, si elle guérit jamais... Jean-Paul a confiance. D'après lui, le temps vient à bout de tout, surtout que Lovelie est une fille forte.

J'ai confiance aussi. Je sais qu'elle va s'en sortir. Elle revient à l'école mardi. Mme Moïse nous a tous avertis de nous comporter normalement avec elle. On verra si elle-même, Mme Moïse, va y réussir ! La pauvre, elle a une mine épouvantable. Ceux qui se demandaient si elle était humaine ont eu leur réponse. D'abord, elle a manqué deux jours, et M. Messier aussi — il y en a qui prétendaient qu'ils étaient en voyage de noces. Depuis, elle a des poches sous les yeux assez grandes pour y mettre toutes les peines du monde (je retiens cette phrase pour le prochain examen d'écriture). Moi, je ne comprends pas pourquoi elle a l'air tellement catastrophée : elle devrait être fière, parce que tout le monde sait qu'elle a sorti Lovelie du pétrin ! Ce n'est pas exactement mon genre de prof, mais j'avoue que, coincée dans un coin par une gang, c'est elle que j'aimerais voir arriver.

En tout cas, ce que je voulais dire, c'est que, oui, Lovelie est indemne, et qu'on est contentes et soulagées. Mais qu'elle ne sera plus jamais la même. Et nous non plus.

Merci à Raynold Mathieu
pour les dialogues en créole.

Parus à la courte échelle :

Romans :

Valérie Banville
Canons
Nues

Patrick Bouvier
Des nouvelles de la ville

Chrystine Brouillet
Le Collectionneur
C'est pour mieux t'aimer, mon enfant
Les fiancées de l'enfer
Soins intensifs
Indésirables
Sans pardon

Marie-Danielle Croteau
Le grand détour

Hélène Desjardins
Suspects
Le dernier roman

Sylvie Desrosiers
Voyage à Lointainville
Retour à Lointainville

Annie Dufour
Les enfants de Doodletown

Andrée Laberge
Les oiseaux de verre
L'aguayo

François Landry
Moonshine

Anne Legault
Détail de la mort

Jean Lemieux
La lune rouge
La marche du Fou
On finit toujours par payer

Nathalie Loignon
La corde à danser

André Marois
Accidents de parcours
Les effets sont secondaires

Judith Messier
Dernier souffle à Boston

Sylvain Meunier
L'homme qui détestait le golf

Trilogie Lovelie D'Haïti
Lovelie D'Haïti
Le temps des déchirures
La saison des trahisons

André Noël
Le seigneur des rutabagas

Stanley Péan
Zombi Blues
Le tumulte de mon sang

Maryse Pelletier
L'odeur des pivoines
La duchesse des Bois-Francs

Raymond Plante
Projections privées
Le nomade
Novembre, la nuit
Baisers voyous
Les veilleuses

Jacques Savoie
Le cirque bleu
Les ruelles de Caresso
Un train de glace

Alain Ulysse Tremblay
Ma paye contre une meilleure idée que la mienne
La langue de Stanley dans le vinaigre

Nouvelles :

André Marois
Du cyan plein les mains

Stanley Péan
Autochtones de la nuit

Récits :

Sylvie Desrosiers
Le jeu de l'oie. Petite histoire vraie d'un cancer

Guide pratique :

Yves Bernard et Nathalie Fredette
Guide des musiques du monde
Une sélection de 100 CD

Format de poche :

Chrystine Brouillet
Le Collectionneur
C'est pour mieux t'aimer, mon enfant
Les fiancées de l'enfer
Soins intensifs
Indésirables

Marie-Danielle Croteau
Le grand détour

André Marois
Accidents de parcours

Judith Messier
Dernier souffle à Boston

Sylvain Meunier

Trilogie Lovelie D'Haïti
Lovelie D'Haïti
Le temps des déchirures
La saison des trahisons

Stanley Péan
La nuit démasque
Le cabinet du Docteur K
Zombi Blues
Le tumulte de mon sang

Maryse Pelletier
La duchesse des Bois-Francs

Raymond Plante
Projections privées
Le nomade
Novembre, la nuit